UN SOUPÇON D'INTERDIT

Françoise Bourdin
présente
GALOP D'ESSAI

FRANÇOISE BOURDIN

UN SOUPÇON D'INTERDIT

belfond

© Belfond, un département de place des éditeurs, 2010.
ISBN : 978-2-266-21616-6

*Avec ma plus sincère et très amicale reconnaissance,
à Karsten Diettrich qui m'a aidée à bâtir
ma carrière de romancière.*

1

Daphné se décida pour deux bouteilles de picpoul. Après tout, Max buvait le vin blanc comme de l'eau fraîche, ce serait parfait pour l'apéritif. Hésitant devant le casier, elle en prit finalement une troisième. Il y avait toujours beaucoup de monde à La Jouve, on ne savait jamais qui dînait là. Bien sûr, Max ne manquerait pas de lui rappeler qu'elle était une fille de la maison et n'avait nul besoin d'apporter quelque chose mais, d'une certaine manière, on s'attendait à ce qu'elle s'occupe du vin. Qu'elle donne son avis, fasse découvrir de nouveaux viticulteurs, passe les commandes. Grâce à elle, dans la cave voûtée de La Jouve, de bons crus vieillissaient sur les clayettes, préservés par une température constante.

Tout en rangeant ses bouteilles dans un petit carton gaufré, elle se laissa aller à sourire. Quitter Montpellier pour prendre la route des bois était assez réjouissant par cette chaleur qui ne cédait pas malgré l'arrivée de l'automne. Presque chaque soir, Daphné renonçait à regagner son studio sous les toits où elle étouffait. Et où, parfois, la solitude devenait pesante.

D'un geste machinal, elle remit une mèche de cheveux derrière son oreille. Elle les portait mi-longs et les laissait libres, fière de leurs reflets d'ambre.

Comme elle n'était pas grande, elle se tenait très droite, avec un port de tête altier qu'on pouvait prendre pour de l'arrogance. Dans son visage aux traits fins, on remarquait surtout ses yeux de chat, dorés, pailletés, lumineux.

— Tu montes à La Jouve, ce soir ? lança Dimitri depuis le seuil du magasin.

Il entra et parut aussitôt occuper tout l'espace. Avançant prudemment au milieu des comptoirs, il vint voir ce qu'elle emballait dans son carton.

— Il ne sera pas frais, fit-il remarquer.

— On le boira un autre jour.

— Sûrement. Vu les quantités qu'on ingurgite là-bas…

— Oh, tu n'es pas le dernier !

— Toi non plus.

Le sourire en coin de Dimitri creusa deux fossettes sur ses joues tandis qu'il proposait :

— On prend ta voiture ? La mienne est au garage.

— Et tu as la flemme d'aller la chercher, je sais. À moins que tu n'aies plus aucun point sur ton permis ?

Elle lui confia le carton et récupéra son sac près de la caisse. Avant de sortir, elle coupa la climatisation, éteignit les éclairages savants qui mettaient en valeur les étiquettes des bouteilles, puis baissa aux trois quarts le rideau de fer.

— Je suis censé me traîner à plat ventre ? protesta-t-il.

— Vous êtes trop grands dans la famille, répliqua-t-elle en arrêtant le mécanisme pour qu'il puisse se faufiler.

Dans la rue, l'air était si lourd qu'il semblait poisseux. De nouveau, l'idée de monter à La Jouve égaya Daphné. Entre les bois d'Asse et de Valène, à presque trois cents mètres d'altitude, il y aurait un peu de fraîcheur. Restait juste à s'extirper de la circulation de Montpellier.

— Ta boutique a vraiment de l'allure, constata Dimitri tout en s'installant dans la Mini rouge.

Tassé sur le siège avant, il observait le fronton et l'enseigne de La Cave de Daphné. Une adresse très appréciée des amateurs qui constituaient la clientèle.

— Tes affaires marchent bien, en ce moment ?

— Je ne peux pas me plaindre. Évidemment, j'ai surtout écoulé des petits rosés pendant l'été, mais avec l'arrivée de l'automne et la saison de la chasse, on va passer à des choses plus sérieuses ! À propos, j'organise une dégustation vendredi prochain. Tu viendras ?

— Pas question de rater ça.

Pour Dimitri, tout ce qui se humait, se respirait et se goûtait avait de l'intérêt. Créateur en parfumerie, il passait ses journées à sentir et à mélanger des arômes, au point qu'il avait dû s'installer un atelier dans l'un des communs de La Jouve. D'un caractère très indépendant, il aurait préféré continuer à travailler chez lui, ainsi qu'il l'avait fait au début de sa carrière, mais le succès venant, la place s'était mise à manquer dans son appartement du vieux Montpellier aux rues tortueuses. Deux ou trois fois par semaine, il montait à La Jouve et s'enfermait durant des heures dans ce qu'il appelait son laboratoire. Bien entendu, Max et Nelly avaient été ravis de cet arrangement. Leur hospitalité n'était pas un vain mot, ils adoraient que la maison soit pleine et tous ses bâtiments utilisés. Maximilien remplissait son rôle de patriarche avec un rien d'ostentation tandis que Nelly s'épanouissait pour de bon dans sa cuisine. Réunir sa famille autour d'elle la comblait, elle répétait que La Jouve était leur nid à tous. À l'origine, la maison portait le nom de *Lo Jouvènto*, ce qui signifiait la jouvencelle, et avait abrité une magnanerie où l'on élevait des vers à soie. Large et haute, massive, la bâtisse principale semblait construite pour résister aux assauts de tous les climats. Ses murs ocre et ses volets bleus lui donnaient un certain cachet, tout comme les six cheminées hérissant le toit de lauze. À l'intérieur, dans un joyeux désordre, trois générations parvenaient à cohabiter tant bien que mal.

— On va manger des gambas grillées sur le barbecue, annonça Dimitri.

— Comment le sais-tu ?

— Maman m'a appelé, elle voulait que je lui monte des bougies parfumées.

L'année précédente, il avait travaillé pour deux palaces parisiens désireux de posséder leur propre fragrance avec ces cires odorantes qui brûlaient sur les tables basses des bars et des salons.

— Malheureusement, je n'en ai plus, je les lui avais toutes données !

Chaque fois que Dimitri créait quelque chose, Nelly voulait être la première à découvrir la nouveauté, à l'utiliser puis à s'extasier. Elle agissait ainsi avec chacun de ses enfants, applaudissant à leurs réussites et balayant d'un revers de main leurs échecs. Si elle n'avait pas eu une si grande famille, peut-être se serait-elle comportée en mère abusive à force d'amour et d'attentions, mais ils étaient décidément trop nombreux. Trois fils – car même si l'un des trois était mort, elle l'adorait toujours –, deux filles, un gendre et deux belles-filles, trois petits-enfants, sans compter Maximilien qu'elle aimait comme au premier jour : elle avait trop à faire pour se focaliser sur un seul membre de la tribu Bréchignac.

— À ma dégustation de vendredi, j'ai invité un œnologue célèbre qui est de passage à Montpellier. Il a accepté parce qu'il connaissait Ivan.

Un petit silence plana dans la voiture jusqu'à ce que Dimitri murmure :

— Il te manque encore, n'est-ce pas ?

En même temps, il s'était tourné vers elle. D'un geste affectueux, il lui tapota le bras comme s'il voulait se faire pardonner sa question.

— Oui, soupira-t-elle, mais je n'y pense pas tous les jours.

Elle lui jeta un coup d'œil sans parvenir à lui sourire. Il ressemblait trop à Ivan, à ce qu'aurait été Ivan s'il ne s'était pas tué huit ans plus tôt. La même stature imposante, les mêmes cheveux blond cendré, pommettes hautes et regard gris délavé, bref, une allure de cosaque. Les trois frères étaient taillés sur un modèle unique, celui que Nelly savait faire pour les garçons, alors que les filles tenaient de Max, elles étaient Bréchignac et n'avaient rien de slave.

Enfin sortis de la banlieue, ils rejoignirent les petites départementales et filèrent vers les bois. Dimitri baissa tout à fait sa vitre pour laisser pendre un bras dehors. Dans quelques instants, il dirait que l'air était plus frais ici. Daphné négocia les derniers virages, pressée d'arriver à présent. Oui, La Jouve était son nid, elle ne l'avait pas prise en horreur malgré l'accident d'Ivan. Au contraire, elle y revenait toujours avec une sorte d'allégresse.

— Il fait moins chaud, non ? constata Dimitri.

Elle éclata de rire en s'engageant sur le chemin poussiéreux.

*
* *

Maximilien n'avait aucune idée de l'heure, cependant il avait vu le soleil décliner, la lumière changer.

Dans son immense atelier de sculpture où il faisait les cent pas, des visages de marbre paraissaient l'observer malgré leurs regards aveugles. Presque chaque jour, Max venait errer parmi ses œuvres passées, incapable de se remettre au travail. Son inspiration était tarie, il n'avait rien pu créer depuis plusieurs années. Après la mort de son fils Ivan, il s'était jeté dans une série de compositions hallucinantes, taillant le marbre à grands coups de ciseau furieux. Enfermé du matin au soir, il avait alors perdu la notion du temps. À Nelly qui venait frapper, il hurlait qu'on le laisse tranquille. Habité par une fureur qui confinait à la démence, il avait finalement accouché de douze statues « éclatées au sol ». Elles étaient si réalistes, si suppliciées et si tragiques que la critique, unanime, avait porté aux nues Maximilien Bréchignac lors de sa dernière exposition à Paris. Figées dans la pierre à l'instant ultime d'une mort violente, ces statues grandeur nature semblaient avoir été précipitées dans le vide avant de se désarticuler. Elles exprimaient toutes la même stupeur horrifiée, la même incompréhension, et aujourd'hui encore, lorsqu'il les contemplait, Max retrouvait intact le désespoir de son fils perdu, et aussi celui de son talent enfui à jamais.

Nelly avait failli s'évanouir en les découvrant. Pour la première fois de sa vie, elle avait refusé d'assister au vernissage, et Max était parti seul à Paris. Couronnée de succès, l'exposition avait généré des ventes, mais Max n'avait pas pu se résoudre à se séparer d'une seule de ces douze statues. Elles constituaient le point d'orgue de sa carrière, il en avait le pressentiment, et finalement il les avait fait revenir en camion à La Jouve. Reléguées tout au fond de l'atelier, elles étaient disposées dans un ordre précis sur le ciment, comme un parterre de martyrs dont Max ne parvenait pas à se détacher tout à fait. En conséquence, Nelly, toujours terrifiée à leur vue, ne mettait plus les pieds ici. « C'est ton domaine », disait-elle en caressant la joue de Max, consciente de sa souffrance mais incapable de l'aider.

Un bruit de voiture attira son attention et il se dirigea vers la seule fenêtre, à l'arrière, qui lui permettait de voir le chemin. C'était bien la Mini rouge de Daphné qui venait de se garer, avec Dimitri qui s'en extrayait tant bien que mal.

— Ah, Daphné, ma petite Daphné…, marmonna-t-il.

Il l'adorait parce qu'elle avait été l'épouse bien-aimée d'Ivan, et aussi parce qu'elle le faisait rire ou l'émouvait tour à tour. « Tu es un membre de la famille à part entière, lui répétait-il. À part tout court, d'ailleurs ! » Car Daphné était bien différente de ses deux filles, trop prévisibles à son goût, elle possédait de la repartie, de la fantaisie et du caractère, c'était exactement le genre de petite jeune femme *épatante* qui faisait craquer Max.

Dans quelques minutes, il allait devoir quitter son atelier pour rejoindre sa tribu. Par bonheur, personne ne lui demanderait s'il avait bien travaillé. Il ne sculptait plus, tout le monde le savait, aucun bruit de ciseau ne résonnait quand il venait s'enfermer ici, même s'il y passait la journée entière. Pourtant, il n'avait pas tout à fait renoncé, il espérait encore ressentir un beau matin cette folle envie de se jeter sur la pierre pour la tailler. Mais en aurait-il la force si ce bonheur lui revenait ? Il vieillissait, il avait soixante-treize ans et des douleurs dans toutes les articulations.

Se détournant de la fenêtre, il traversa l'atelier à grands pas. Côté nord, il avait fait installer vingt ans plus tôt des vitres dépolies sur toutes les ouvertures, hormis l'imposte de la porte cochère, pour que ses enfants ne viennent pas coller leurs nez aux carreaux. Il n'aimait pas qu'on le regarde lorsqu'il créait, et cette manière de s'isoler du monde sans renoncer à la lumière l'avait longtemps satisfait. Désormais, il se sentait parfois enfermé dans un aquarium.

— Ou dans un musée ! maugréa-t-il.

Un certain nombre de ses œuvres, acquises par des fondations ou des musées, étaient visibles à Paris, Londres ou Lisbonne, et quelques amateurs d'art fortunés pouvaient se targuer d'en posséder. Néanmoins, si la gloire avait frôlé Max, elle ne l'avait pas tout à fait consacré. Il était un artiste *relativement* connu, qui se vendait *assez* bien. Il n'avait pas réussi à quitter la sphère des sculpteurs de talent pour accéder au petit monde des génies adulés de leur vivant, et il ne pouvait s'empêcher d'en concevoir de l'amertume.

Il sortit au moment où le soleil disparaissait à l'horizon. Encore une belle soirée qui s'annonçait, sans doute Nelly avait-elle mis le couvert dehors, sous le micocoulier. De loin, Max les vit s'agiter près du barbecue que Vladimir venait d'allumer. Il les entendit rire, chahuter, choquer leurs verres en trinquant. Une seconde, il s'arrêta pour les englober d'un regard ému. Certes, il les aimait tous, mais était-il encore digne d'eux, lui, le patriarche respecté, l'artiste admiré ? Dieu, s'ils apprenaient un jour ce qu'il avait fait ! *Qui* il était vraiment, de *quoi* il était capable, et jusqu'*où* il avait poussé le mensonge par omission. Ses secrets n'appartenaient qu'à lui, il les garderait bien enfouis jusqu'à sa mort et les emporterait avec lui dans la tombe.

Haussant les épaules avec fatalisme, il s'avança vers les siens d'un pas tranquille.

Les yeux dans le vague, Daphné fixait l'écorce grise du micocoulier sans la voir. Elle entendait les rires et les conversations autour d'elle mais n'avait pas envie d'y participer pour l'instant. Vladimir racontait des anecdotes avec son humour habituel, brocardant gentiment au passage quelques clients. Depuis toujours, il se targuait d'être banquier « de proximité », et son ambition n'allait réellement pas plus loin que cette petite agence locale qu'il dirigeait. Aucune proposition de mutation promotionnelle n'avait pu le décider à bouger, jamais il ne quitterait Montpellier. Déjà, à trente ans, il prétendait qu'il en avait passé l'âge, et ce n'était pas à quarante-huit qu'on le ferait changer d'avis. Sa femme, Diane, approuvait ce choix de vie paisible, d'ailleurs elle s'était prise d'affection pour la famille Bréchignac et pour La Jouve dès le premier jour. Ils s'étaient mariés là, y avaient élevé leur fille Juliette jusqu'à ce qu'elle parte achever ses études aux États-Unis, un an auparavant, et ils ne désiraient rien d'autre. Ce qui n'en faisait pas des gens inintéressants pour autant. Vladimir était bien dans sa peau, altruiste, assez serein pour prétendre être l'élément modérateur de la tribu et, en tant qu'aîné des cinq enfants de Max et Nelly, il jouait à merveille l'arbitre des conflits. Ses deux frères, en choisissant pour métiers la parfumerie et l'œnologie, auraient pu le rendre jaloux de leur originalité, mais il n'en était rien. Vladimir aimait Dimitri comme il avait aimé Ivan, et il débordait d'une tendresse protectrice envers ses deux sœurs. Le jour où Max disparaîtrait, il était évident que Vladimir prendrait la place de chef de famille sans que personne ne cherche à la lui contester.

— Deux sous pour tes pensées, claironna Maximilien en tendant un verre à Daphné.

— Rien de précis. Je me laisse vivre.

— C'est ce qu'il faut ! approuva Nelly. Les belles soirées vont se faire rares, ma jolie, après nous serons au coin du feu.

— Et on y sera très bien aussi, rappela Dimitri qui prêtait main-forte à Vladimir pour le barbecue.

— Vous l'allumez toujours trop tard, fit remarquer Diane, après on boit pendant des heures en attendant.

Max entoura de son bras les épaules de Daphné et la secoua gentiment.

— Tu n'avais pas besoin d'apporter du vin, il faut savoir arriver les mains vides. Les autres ne font pas tant de manières, comporte-toi en fille de la maison.

— Une façon de dire qu'on devrait de temps en temps leur offrir quelque chose, fit remarquer Dimitri à Vladimir.

— Vous n'y pensez pas ! se récria Nelly. C'est Daphné qui donne le mauvais exemple. À propos, as-tu mes bougies, Dimitri ?

— Non, mais je te montrerai bientôt une surprise.

— Quoi donc ? Raconte !

— Patience, maman, patience…

Une qualité que Nelly ne possédait pas. Elle déposa un saladier sur la grande table, s'assura d'un coup d'œil que les petits ne s'approchaient pas du barbecue, puis disparut de nouveau dans la maison.

— Tu n'as pas très bonne mine, s'inquiéta Max.

Il agitait son index sous le nez de Daphné, l'air accusateur.

— Voilà ce qui arrive quand on ne prend pas de vacances. Vas-tu te décider à fermer quelques jours ?

— Ce n'est pas le moment, Max.

— Elle organise une dégustation vendredi, annonça Dimitri.

— J'irai après la fermeture de la banque, dit aussitôt Vladimir. Et si tu veux, bricole-moi une affichette que je mettrai dans l'agence, ça t'enverra du monde.

Leur gentillesse émut Daphné qui dut cligner des yeux plusieurs fois pour chasser ses larmes. Max avait raison, elle se sentait fatiguée, parfois découragée, elle avait besoin de décrocher un peu. Néanmoins, des vacances ne la tentaient guère. Deux fois, depuis la mort d'Ivan, elle était partie en voyage organisé pour une destination lointaine mais elle n'y avait trouvé ni distraction ni repos. Se faire draguer par des célibataires bronzés en quête de l'aventure d'une nuit ne l'amusait pas, elle préférait encore la quiétude d'une cure de thalasso en solitaire. Bien sûr, en huit ans, elle n'était pas restée une veuve inconsolable, elle avait eu des coups de cœur, des hommes lui avaient fait la cour, une liaison de quelques mois avec un charmant garçon avait même failli marcher. Daphné n'était pas un ange, elle éprouvait des désirs, des besoins qu'elle ne cherchait pas à étouffer, et elle bénéficiait même du soutien sans réserve de tout le clan Bréchignac. Après deux ans de deuil, ils avaient commencé à lui suggérer de refaire sa vie, et à présent ils l'y poussaient carrément, jurant qu'ils accueilleraient l'élu avec joie. Ils en étaient capables, leur affection pour Daphné ne passait plus par Ivan ou par le souvenir d'Ivan mais ne concernait qu'elle aujourd'hui. En réalité, ils étaient devenus sa vraie famille, bien davantage que son propre père qui l'avait élevée seul et sans entrain, pressé de se débarrasser d'elle dès sa majorité. Elle ne le voyait pas souvent, n'ayant rien à lui dire, alors qu'elle se sentait chez elle à La Jouve.

Appuyée contre le tronc du micocoulier, Diane vida son verre en deux gorgées puis lâcha un soupir de satisfaction.

— Un peu d'été en rab, quel bonheur…

Elle posa le verre vide par terre, entre ses pieds, apparemment décidée à ne plus y toucher. Travaillant à mi-temps comme infirmière au CHU de Montpellier, elle aspirait de plus en plus à la retraite.

— Regarde-les s'acharner sur ce soufflet, on dirait que leur vie en dépend, dit-elle avec un sourire attendri.

Vladimir et Dimitri se relayaient devant les morceaux de charbon rougeoyants, tout en échangeant des confidences à mi-voix.

— Ils se ressemblent tellement tous les deux, soupira Daphné qui les observait.

Du temps d'Ivan, quand on voyait les trois frères ensemble, on était frappé d'emblée par leurs traits communs. Mieux qu'un air de famille, une véritable marque de fabrique. Mais en les détaillant avec attention, on voyait que Dimitri était le plus grand et que ses yeux gris étaient encore plus clairs, presque transparents. Ivan avait possédé plus de charme que les deux autres, et le visage de Vladimir était davantage taillé à coups de serpe.

— Nelly adore qu'on dise ça, reprit Diane. Elle a toujours été si fière d'eux…

— Max aussi, non ?

— Pas pareil. Tu le connais, Max aime les filles, les femmes, tout ce qui porte un jupon ! Et puis, ses fils auraient pu lui faire de l'ombre. Avec Vlad, il est tranquille, et Ivan n'est plus là, mais Dimitri réussit vraiment bien. Il *crée*, tu comprends ? Or, ça, c'est le territoire exclusif de Max, du moins ça l'était.

Daphné esquissa un sourire. La franchise ne faisait jamais défaut à Diane, elle assénait parfois de terribles vérités d'un air serein. Car si elle aimait beaucoup tous les Bréchignac, elle conservait un jugement lucide et sans concession à leur sujet.

— Où sont les filles, bon sang ? tempêta Max. On ne pourra donc jamais dîner ?

— Béatrice est partie chercher Ève à l'atelier de couture, répliqua Nelly qui revenait avec le plat de gambas marinées.

Elle le tendit à Vladimir et rejoignit son mari.

— Tu as faim ? demanda-t-elle en lui arrangeant le col de son polo. J'ai fait du riz au safran et des tomates à l'ail.

Dans sa cuisine, où elle régnait avec sa fille Béatrice, il y avait toujours de bons plats en préparation, quelque chose qui cuisait, mijotait ou refroidissait. Béatrice, qui préférait le rôle de femme au foyer à tout autre, connaissait désormais toutes ses recettes, même les plus secrètes, et se risquait parfois à inventer les siennes.

— Le barbecue est presque prêt, annonça Dimitri.

— Presque ? protesta Diane.

Toutefois elle en profita pour récupérer son verre et le tendre à Max qui reservait une tournée.

— Je bois trop, constata-t-elle. Si ces apéritifs ne duraient pas des heures, aussi ! On finira le dîner aux flambeaux, avec des moustiques et des papillons de nuit partout.

Béatrice et Ève surgirent enfin du coin de la maison, bras dessus, bras dessous. Les deux sœurs s'entendaient à merveille mais il leur arrivait parfois de se disputer comme des harpies. Leurs sept ans d'écart et leurs caractères diamétralement opposés ne les mettaient pas en rivalité, au contraire, elles s'entraidaient.

— Regarde qui est là ! s'écria Ève en se précipitant sur Daphné. Il y a au moins trois jours que tu n'étais pas montée nous voir, lâcheuse. Tu boudais ?

— J'ai plein de boulot, se défendit Daphné.

— Et alors ? Moi aussi, j'ai du travail par-dessus la tête. Il n'y a que Béatrice qui se la coule douce, tu sais bien.

Elle le disait sans aucune méchanceté. Sa sœur aînée avait choisi de rester à la maison pour élever ses deux petits garçons, elle trouvait ça très respectable. Mais, en ce qui la concernait, Ève ne voulait pas entendre parler de mariage ou d'enfants, encore moins de tâches ménagères. « Je finirai peut-être vieille fille, mais j'en aurai sacrément profité ! » répétait-elle avec son sourire d'éternelle gamine.

Dans un bruit de grésillement, Dimitri et Vladimir commençaient à retourner les gambas sur la grille du barbecue.

— À table ! s'écria Nelly.

Elle s'assit la première, selon la tradition, puis ils s'installèrent tous au gré de leur envie. Hormis Max, qui présidait forcément, il n'y avait pas de place déterminée, chacun pouvait continuer sa conversation avec le voisin de son choix. D'autorité, Ève et Béatrice se mirent de part et d'autre de Daphné, décidées à bavarder comme des pies. Le soleil était en train de disparaître derrière les grands arbres, tandis qu'une lumière presque rose tombait sur la table. Daphné poussa un soupir de satisfaction, heureuse d'être là et de s'y sentir aussi bien.

*
* *

Vers une heure du matin, Nelly s'estima satisfaite de la propreté de sa cuisine. Ils étaient tous montés se coucher, y compris Dimitri et Daphné qui préféraient dormir là après une soirée bien arrosée. Ils n'auraient qu'à se lever tôt demain pour regagner Montpellier.

D'un coup de torchon foudroyant, elle écrasa un moustique contre le mur, puis donna un coup d'éponge sur la tache.

— Sale bête, il était plein de sang, il avait déjà piqué quelqu'un ! ronchonna-t-elle.

Elle remit en place une épingle qui s'échappait de son chignon de cheveux blancs, ensuite elle ôta son tablier. Avant d'aller au lit, elle décida de se préparer une tisane qu'elle pourrait savourer en paix, dans le silence de la nuit. Depuis qu'elle avait cédé l'atelier de couture à sa fille Ève, la cuisine était devenue son royaume. Deux bancs de bois flanquaient la longue table qui provenait d'un monastère, et quelques chaises basses provençales s'alignaient devant la cheminée où l'on aurait pu entrer debout tant l'âtre était grand. De toute la maison, cette pièce était la plus vaste, la plus chaleureuse, et, au fil du temps, elle avait fini par tenir lieu de séjour. Du matin au soir, les uns et les autres entraient ou sortaient, discutaient, s'interpellaient, s'attardaient, buvaient quelque chose, au point qu'à certains moments l'endroit ressemblait à un quartier général de campagne.

Sa tasse à la main, Nelly alla s'asseoir dans le siège le plus confortable, un fauteuil cabriolet au cannage fatigué, installé près d'une crédence en noyer. Le chant des grillons commençait à baisser d'intensité au-dehors, à cause de la relative fraîcheur apportée par la nuit. Un moment, elle écouta les bruits familiers de la maison, craquements du bois, lointain grognement d'un dormeur agité, frôlement contre une porte d'un chat errant. Toute sa famille était là, sous les toits de La Jouve, sauf sa petite-fille Juliette qui étudiait en Amérique, et bien sûr Ivan, qui reposait au cimetière.

Penser à Ivan était moins douloureux que huit ans plus tôt, mais ça revenait toujours à remuer le couteau planté dans son cœur. Comment avait-elle pu résister à une telle douleur ? À la sienne s'était ajoutée celle de Max, celle de Daphné, de tous les autres. Mutilé, le clan Bréchignac avait pourtant survécu, refermant la plaie sur une vilaine cicatrice.

Elle frissonna et fit un effort pour chasser Ivan de sa tête avant qu'il ne l'envahisse tout entière et la fasse pleurer encore une fois. Elle préférait songer à de meilleurs moments, par exemple se remémorer sa rencontre avec Maximilien. Ce souvenir-là, elle ne se lassait pas de l'évoquer. 1957, à Paris, Dieu qu'ils étaient jeunes ! Max l'avait invitée à voir *Le Pont de la rivière Kwaï* au cinéma, mais ce n'était pas au charme d'Alec Guinness qu'elle avait succombé. Maximilien Bréchignac, jeune sculpteur plein de fougue, la troublait, la faisait palpiter. Dans l'obscurité de la salle, elle s'était sentie brûler lorsqu'il avait pris sa main. À cette époque-là, Nelly avait à peine vingt ans et travaillait avec sa mère dans l'atelier de couture familial. Cet atelier avait une histoire, celle des parents de Nelly, les Iakov, des immigrés russes pleins de courage malgré leurs désillusions successives. Lui, chauffeur de taxi comme tant d'autres réfugiés de son pays, elle cousant des nuits entières jusqu'à s'abîmer les yeux. Pourtant ils y étaient arrivés, ils avaient fait leur chemin cahin-caha, et la mère de Nelly avait fini par monter une petite affaire de confection pour les bourgeoises de son quartier. Même la Seconde Guerre mondiale n'avait pas pu la détourner de son but.

Durant les alertes, elle continuait à dessiner des modèles au lieu de descendre dans les abris. Une femme extraordinaire avec ses nattes blondes roulées sur les oreilles comme des macarons et son regard d'eau claire, presque transparent. Nelly avait hérité d'elle une volonté de fer, un ravissant visage de poupée russe aux yeux gris, et enfin le fameux atelier de couture.

De son enfance et sa jeunesse passées à la fois dans un appartement exigu de la place Clichy et parmi les cousettes de l'atelier qui étaient toutes des immigrées, Nelly gardait le souvenir de récits incroyables décrivant la révolution des bolcheviks, les gardes rouges entrant à Petrograd puis prenant le contrôle de Moscou, le massacre du tsar et de toute sa famille. Elle avait lu les auteurs russes, essayé d'apprendre cette langue qu'elle trouvait délicieusement chantante, s'était constitué une petite collection de samovars. Et bien sûr, bercée par tout ce lyrisme, elle s'était mise à rêver du prince charmant.

Maximilien n'était pas exactement le prince attendu, mais il avait de quoi plaire. Son père à lui était un artiste, un peintre, ce qui posait davantage que chauffeur de taxi. Max était un vrai Parisien, un vrai séducteur, et il venait juste de se louer un petit atelier où, sous sa verrière, il sculptait à grands coups de ciseau inspirés. Il y recevait aussi d'innombrables amis, entre deux cours aux Beaux-Arts, et c'était toujours la fête chez lui. Il fit de Nelly la reine de ses fêtes, puis, un soir, il la demanda en mariage, un genou en terre et la main sur le cœur.

Nelly avait alors fait la connaissance de Roger, le père de Max, ce peintre aux convictions révolutionnaires qui prétendait avoir appelé son fils Maximilien en l'honneur de Robespierre. Jeune mariée, elle avait passé ses premières vacances à La Jouve, villégiature des Bréchignac depuis fort longtemps. Pour un communiste, Roger possédait une bien belle résidence secondaire !

Après quelques années d'une vie de couple amplement occupée par l'amour, le travail et des sorties presque chaque soir, Max et Nelly avaient eu deux garçons, Vladimir et Dimitri. Béatrice était venue un peu plus tard, puis Ivan, et enfin Ève. D'un commun accord, c'était Nelly qui avait choisi les prénoms des garçons, et Max ceux des filles. Ces naissances successives les avaient obligés à déménager pour s'agrandir, passant d'un appartement à l'autre, mais Max avait conservé l'atelier de sculpture de ses débuts, où il partait s'enfermer du matin au soir. Son nom commençait à être connu, il exposait souvent et se vendait bien. De son côté, Nelly s'était débrouillée pour concilier ses obligations de mère d'une famille nombreuse et ses responsabilités de chef d'entreprise. Elle avait engagé deux couturières supplémentaires pour l'aider à honorer les commandes car elle n'imaginait pas fermer cet atelier qui lui rappelait tant sa mère, et qui représentait une source de revenus non négligeable.

Peu après la naissance d'Ève, la petite dernière, Maximilien décida brusquement qu'il fallait quitter Paris. Cinq enfants dans un appartement le rendaient fou, et sous sa verrière trop de statues l'empêchaient de circuler. Comme il avait hérité de La Jouve à la mort de son père, il estimait le lieu idéal pour voir grandir ses enfants et pour exercer son métier dans tout l'espace nécessaire. D'autant plus qu'il traversait une période de gigantisme et qu'il voulait sculpter des colosses dans la pierre.

Nelly eut du mal à accepter ce choix. Elle était à la fois heureuse à l'idée d'investir La Jouve, qu'elle appréciait beaucoup, et désespérée par la perspective de devoir vendre son atelier de couture. Max la raisonna, la câlina, lui montra tous les avantages qu'ils trouveraient à vivre là-bas. D'ailleurs, qu'est-ce qui l'empêcherait de monter une petite affaire à Montpellier ou, mieux encore, dans l'un des nombreux bâtiments qui entouraient La Jouve ? Ils auraient ainsi chacun leur atelier tandis que leurs enfants grandiraient à l'air pur ! Elle se laissa convaincre et ils finirent par déménager, en 1975.

Ils étaient mariés depuis 1959, et toujours amoureux. Très vite, ils se sentirent chez eux à La Jouve. Vladimir avait treize ans, Dimitri onze, Béatrice sept, Ivan cinq et Ève seulement quelques mois. La propriété comptait dix chambres, c'était merveilleux de se retrouver aussi à l'aise, les enfants furent heureux immédiatement. Nelly, qui ne savait où donner de la tête dans sa nouvelle installation, trouva néanmoins le temps de poser ses machines à coudre et ses cartons à dessin à l'endroit même où l'on avait élevé des vers à soie cent ans plus tôt. Elle prospecta les maisons de couture et de tissu de Montpellier, les petits fabricants et même les magasins de vêtements avant de s'atteler à la tâche. Pour du travail à façon, il y aurait toujours des clientes, elle en avait acquis la conviction.

Bien entendu, Max ne l'aidait en rien, totalement immergé dans sa série de colosses. Ce fut précisément à cette période que Nelly reçut un appel au secours d'une de ses anciennes employées de l'atelier parisien. Cette femme avait un fils, Anton, garçon de vingt-deux ans au chômage et qui cherchait désespérément un emploi, de préférence à la campagne car il ne se plaisait pas en ville. Nelly sauta sur l'occasion, elle avait besoin d'un homme à tout faire pour retaper la plupart des bâtiments de La Jouve qui réclamaient des travaux. Anton étant bon bricoleur, l'affaire fut conclue et le jeune homme débarqua à Montpellier une semaine plus tard, pour une période d'essai. Trente-cinq ans après, il était toujours là et il faisait partie de la famille.

Vladimir fut le premier à convoler. Il était tombé amoureux d'une infirmière, Diane, qu'il épousa en 1990, et il s'installa avec elle dans un joli studio à Montpellier, où il venait de décrocher un poste au sein d'une banque. Deux ans plus tard naissait Juliette, qui resta leur fille unique selon leur désir. Juliette était la première enfant de la nouvelle génération ; en venant au monde elle avait fait de Max et Nelly un grand-père et une grand-mère, une page était tournée.

Naturellement, toute la famille fut gâteuse de la fillette dès le premier jour. Au point que Diane, lasse de monter à La Jouve et d'en redescendre avec le bébé, finit par suggérer qu'ils feraient mieux d'y vivre. Vladimir, ravi, accepta aussitôt de rentrer « chez lui », où il y avait tant de place que personne ne pouvait se gêner ! D'autant plus que Dimitri avait quitté la maison depuis longtemps, et qu'Ivan allait partir à son tour.

Ces deux-là avaient choisi leurs voies respectives dans les arômes, allez savoir pourquoi. À cause de ces odeurs de garrigue et de lavande, de sous-bois et de violettes qui embaumaient aux alentours de La Jouve ? Dimitri avait d'abord obtenu, à l'université de Montpellier II, une licence en industrie chimique et phar-maceutique parfums, puis était « monté » à Versailles durant deux ans pour suivre un master à l'ISIPCA, l'Institut supérieur international du parfum. Ensuite, il avait travaillé à Grasse un certain temps et, enfin de retour à Montpellier, s'était endetté pour acheter un beau deux pièces avec terrasse. Pendant ce temps-là,

Ivan avait décroché sa licence de biochimie agrono-
mique et était parti pour Bordeaux, à la fac d'œnologie, afin d'y préparer le diplôme national.

Maximilien ne comprenait rien aux désirs de ses
fils. À la rigueur, il percevait la banque comme un
métier nécessaire bien que sinistre, mais le parfum et
le vin lui semblaient des domaines totalement obscurs.
La réussite professionnelle de Dimitri et celle d'Ivan
lui en parurent d'autant plus extraordinaires.

Béatrice, peu douée pour les études et peu désireuse
de se lancer dans une activité quelconque, se maria
en 1995 à un homme charmant. Hubert était psychiatre, il travaillait dans le même hôpital que Diane,
et c'est elle qui l'avait présenté à Béatrice. La famille
entière cherchait à présenter des hommes à Béatrice,
qu'on désespérait de voir casée un jour. Comme elle
ne se plaisait qu'à La Jouve et n'en sortait guère, il
fallait lui amener les garçons à demeure sous divers
prétextes, et ses frères s'y étaient employés eux aussi.
Mais c'était Diane qui avait décroché la victoire, une
victoire éclatante puisque Béatrice et Hubert eurent
deux garçons coup sur coup, Louis et Paul.

Le clan Bréchignac s'agrandissait avec un gendre
et deux bambins supplémentaires, Nelly s'épanouissait, Max travaillait beaucoup. Il passait ses journées
enfermé dans son atelier de sculpture, n'en émergeant
que pour présider les dîners familiaux, et, le reste du
temps, il filait à Paris. Il y avait conservé son petit
atelier sous la verrière, qui lui servait de pied-à-terre
durant ces séjours où il rencontrait des directeurs de
galerie, des critiques d'art et ses nombreux amis. Parfois, Nelly s'interrogeait sur la fréquence des voyages
de Max vers la capitale. Bien sûr, un artiste devait se
montrer et multiplier les contacts, mais elle se sentait
exclue d'une partie de la vie de son mari. Elle s'inter-

rogeait mais, presque aussitôt, elle était reprise par le tourbillon de La Jouve où tout le monde continuait d'entrer et de sortir. C'était vraiment la maison du bon Dieu, chacun y amenait ses copains, les chambres étaient pleines et les tablées bruyantes.

En 1998, ce fut au tour d'Ivan de se marier. Il avait vingt-huit ans, Daphné vingt-deux, et ils étaient éperdument amoureux l'un de l'autre. Passionné par son métier d'œnologue, Ivan réussissait bien, travaillant pour des exploitations vinicoles et des maisons de négoce. Avec Daphné, ils décidèrent de suivre l'exemple de Max et Nelly dans leur jeunesse, à savoir de s'accorder quelques années de bonheur à deux avant de songer aux enfants. Selon son habitude, la tribu Bréchignac intégra joyeusement Daphné, mais pour elle ce fut encore plus flagrant que pour les autres pièces rapportées. En quelques mois, elle devint la préférée de Max, et de quasiment toute la famille. Elle était drôle, chaleureuse, sensible, pleine de charme et de fantaisie, bref un amour de petite femme qu'Ivan regardait avec éblouissement. Ensemble, ils s'amusaient comme des enfants, leur bonheur faisait plaisir à voir.

Et puis il y eut cette année noire, horrible, en 2002. Qui aurait pu imaginer qu'un drame d'une telle injustice allait fondre sur La Jouve ? C'était arrivé par un de ces dimanches de mai éblouissant, avec un ciel de velours bleu profond et un soleil radieux. Le genre de dimanche à rester dehors toute la journée, à ne sortir de table qu'à cinq heures de l'après-midi pour une bonne sieste dans un hamac entre deux arbres. Pour le déjeuner, Nelly avait prévu des poulets fermiers à l'estragon avec un gratin de légumes à sa façon. Près du micocoulier, les odeurs montant du jardin rendaient fou Dimitri qui reniflait l'atmosphère comme un chien de chasse. Ils en étaient à leur deuxième apéritif, et seuls Maximilien et Ivan manquaient encore à l'appel. Daphné était en train de raconter une histoire désopilante lorsque des cris inhumains les avaient cloués sur place. L'espace d'une seconde, ils s'étaient tous figés dans l'incompréhension, la stupeur. Dimitri avait été le premier à réagir en se dirigeant d'un pas résolu vers la maison. À cet instant Maximilien en était sorti, hagard, halluciné. Il ne criait plus à présent, mais grognait et soufflait. Arrêté par Dimitri, il bredouilla des mots incompréhensibles qui firent pourtant bondir son fils vers la porte. Les autres ne parvenaient toujours pas à bouger, les yeux rivés sur Max qui se tenait les cheveux à pleines mains. Lentement, il tomba à genoux et resta là, prostré, jusqu'à ce que Dimitri revienne. Quand celui-ci émergea sur le seuil, livide, Vladimir alla à sa rencontre. Les deux frères échangèrent quelques phrases à voix basse puis, tandis que Vladimir disparaissait à son tour, son téléphone portable à la main, Dimitri fit quelques pas vers Daphné, lui tendit les bras. L'expression de son visage ne laissait aucun doute, et ce fut Nelly qui se mit à hurler.

Du chaos qui suivit ces deux ou trois minutes, Nelly ne devait garder que le souvenir de ses deux filles accrochées à elle pour l'empêcher d'entrer dans la maison. Hubert lui parlait de sa voix grave, mais elle ne comprenait pas ce qu'il disait. Plus tard, bien plus tard dans la journée, après avoir avalé les comprimés de Hubert, après le départ de l'ambulance et des gendarmes, elle parvint à écouter Max. Il répétait inlassablement les mêmes choses : Ivan penché au-dessus de la rampe pour lui parler, lui la tête levée qui répondait, et puis cette chute incompréhensible, le corps d'Ivan basculant dans le vide et tombant sur le carrelage à ses pieds. Un cauchemar, une abomination. Ivan les yeux ouverts, mort sur le coup, la nuque brisée. Les cris, c'était Max, Ivan n'en avait pas eu le temps. D'accord, la rampe était très basse, là-haut sur le palier, mais tout le monde le savait, depuis toujours.

Des larmes, une rivière de larmes toute la soirée et toute la nuit. Daphné toujours dans les bras de Dimitri, défigurée par le chagrin. Nelly dont le cœur, au ralenti, semblait vouloir s'arrêter de battre. Hubert allant de l'un à l'autre, seul à se maîtriser. Les enfants éloignés par Anton qui leur avait lu des histoires durant des heures pour les endormir. Une veillée funèbre qui les avait tous marqués au fer rouge.

Dès le lendemain, Max s'était enfermé dans son atelier. Sans cela, peut-être serait-il devenu fou. Au début, il n'y faisait rien, il restait la tête dans les mains, et on n'entendit le ciseau s'abattre sur le marbre qu'au bout de dix jours. Pendant ce temps-là, Diane veillait sur Nelly avec ses gestes d'infirmière, et Daphné était entourée, portée par tous les autres. Ce fut au cours de cette période de deuil qu'elle passa du statut de belle-fille à celui de fille de la famille. Béatrice et Ève en firent leur sœur, les Bréchignac l'intégrèrent, la digérèrent littéralement. Elle pourrait bien faire de son existence tout ce qu'elle voudrait – et, d'avance, nul ne lui en contestait le droit –, mais elle était des leurs pour toujours désormais. Même Max, lorsqu'il émergeait de son atelier, se dirigeait d'abord vers elle pour l'embrasser.

Petit à petit, la vie avait repris son cours. Il le fallait pour les enfants, Juliette avait dix ans, Louis trois et Paul tout juste deux. Vladimir et Dimitri avaient mis tout en œuvre pour qu'un peu de gaieté revienne à La Jouve, comme s'ils voulaient faire oublier l'absence de leur frère dans les réunions de famille et aux fêtes carillonnées. Six mois passèrent, le temps pour Max, qui se déchaînait sur ses blocs de marbre, d'achever son hallucinante série de statues « éclatées au sol ».

Ces horreurs criantes de réalisme, Nelly ne les avait aperçues qu'une fois et ne voulait s'en souvenir à aucun prix. Pourtant, ce soir-là, dans la cuisine où elle s'était finalement endormie, sa tisane refroidie posée sur la crédence à côté d'elle, ce furent les visages des statues qui vinrent hanter son cauchemar. Et lorsqu'elle se réveilla en sursaut, douloureusement ankylosée, elle s'aperçut qu'une fois de plus elle avait pleuré dans son sommeil.

2

Dimitri éloigna la bandelette de papier puis la replaça sous son nez, pas trop près, huma longuement, enfin secoua la tête. Non, il n'y était pas tout à fait, il tâtonnait encore. Vaguement découragé, il se leva pour s'étirer. Les dix premières années de son métier, il les avait passées à identifier et mémoriser près de deux mille senteurs naturelles ou chimiques de base, mais, au bout du compte, il n'en utilisait qu'environ trois cents pour combiner les essences et créer un parfum. En début de carrière, il avait été évaluateur, puis parfumeur junior, vérifiant la conformité des parfums élaborés en laboratoire, ensuite il était devenu formulateur et s'était mis à travailler pour la parfumerie de luxe. Son esprit créatif et sa prodigieuse mémoire l'avaient beaucoup servi, à présent de grandes marques faisaient appel à lui, son nom était reconnu dans toute la profession.

Les mains calées dans les poches de son jean, il alla jusqu'à la baie vitrée qu'un store à lamelles protégeait du soleil éclatant. L'été n'en finissait pas de s'attarder, il devait faire au moins vingt-cinq à l'ombre alors qu'il n'était que onze heures du matin. Mais, à l'intérieur du bâtiment, la température restait toujours agréable grâce à l'épaisseur considérable des murs.

Lorsqu'il avait sollicité de ses parents l'autorisation d'investir cette ancienne grange, il avait naturellement pris les travaux à sa charge. En quelques semaines, il s'était créé le laboratoire de ses rêves, libérant ainsi son appartement de tout le matériel professionnel qu'il y avait entassé au fil du temps. À présent, son deux pièces du vieux Montpellier était vraiment fait pour vivre, et il travaillait en paix à La Jouve.

En paix parce que les enfants savaient très bien qu'il n'était pas question de déranger les adultes dans leurs activités. Max avait donné le ton une fois pour toutes, interdisant qu'on s'approche de l'atelier de sculpture, encore moins qu'on vienne y frapper. Alors, quand il s'était installé, Dimitri n'avait eu qu'à préciser : « Le labo, ce sera pareil. » Ève elle-même n'appréciait pas trop les irruptions dans l'atelier de couture, même si elle les tolérait parfois. Après tout, Louis et Paul pouvaient s'ébattre n'importe où à l'extérieur ou dans la maison, et Béatrice veillait à ce qu'ils n'ennuient personne. Plutôt turbulents, comme la plupart des petits garçons, ses neveux amusaient beaucoup Dimitri et l'attendrissaient. En les regardant jouer, il se revoyait ici même à leur âge, chahutant sans fin avec Vladimir. La Jouve avait été leur paradis, et continuait de l'être en dépit de tout.

Sachant qu'il ne parviendrait pas à trouver une bonne piste ce matin, il décida d'abandonner ses recherches pour l'instant. S'obstiner ne servait à rien, il fallait un minimum d'inspiration et un état d'esprit particulier. Il quitta le laboratoire dont il referma soigneusement la porte. Il n'utilisait pas sa clef, par respect envers les autres membres de la famille, espérant que l'interdit représentait une barrière suffisante pour ses neveux. À plusieurs reprises, il leur avait montré l'alignement des nombreux flacons, les éprouvettes, les bandelettes de papier et les fines tiges de rotin dans des verres, les classeurs remplis de formules chimiques, puis leur avait fait promettre de ne jamais entrer ici sans lui. Une promesse arrachée aussi à Juliette quelques années plus tôt, en échange d'un engagement solennel : il devrait lui créer son propre parfum pour ses vingt ans. « Quelque chose qui te ressemblera, et qui ne sera qu'à toi. » Il avait encore du temps devant lui, mais lorsqu'elle reviendrait en France pour les vacances de Noël, il faudrait qu'il l'observe avec beaucoup d'attention. Entre dix-huit et vingt ans, elle risquait d'avoir changé d'apparence et de goûts, surtout sous l'influence américaine.

En quittant le labo, Dimitri hésita. Il avait envie d'une promenade dans les bois de châtaigniers alentour, mais l'heure du déjeuner approchait et il n'avait pas le temps de s'éloigner. Face à lui, les murs ocre de la grange qui abritait l'atelier de sculpture semblaient flamboyer sous le soleil. Comme toujours, il ne s'en échappait pas le moindre bruit, et rien n'était visible derrière les carreaux dépolis. Son père était-il enfermé là, fixant inlassablement ses œuvres sans les voir ? Outre sa dernière série – vraiment effrayante et qui paraissait devoir être le point final de sa carrière –, il y avait des bustes aux visages sublimes, des corps de femme admirables, un gisant, deux cariatides inachevées et bien d'autres merveilles. L'inspiration de son père avait toujours été plutôt sombre, la mort d'Ivan l'avait rendue carrément morbide, mais son talent demeurait incontestable. Quelques mois plus tôt, un critique d'art avait signé un long article où il se lamentait à propos du silence et de l'absence de Maximilien Bréchignac, un des plus grands sculpteurs de son époque. En lisant ces lignes par hasard, Dimitri avait eu la désagréable impression qu'il s'agissait d'une notice nécrologique.

Un vrombissement aigu de scie électrique s'éleva soudain, arrachant un sourire à Dimitri. Seul Anton pouvait se permettre de faire un bruit pareil sans se préoccuper de la quiétude de La Jouve. Depuis trois ou quatre ans, il ne prenait plus aucune précaution quand il bricolait. À Nelly qui lui en avait fait la remarque, il s'était contenté de répondre, en toute bonne foi : « Ben quoi, Maximilien ne travaille plus et les gamins sont grands. Faut ménager les oreilles de qui ? » Frappée au coin du bon sens, sa réplique était imparable. Non, Max ne sculptait plus, impossible de prétendre le contraire.

Dimitri traversa l'esplanade autour de laquelle les bâtiments s'ordonnaient en fer à cheval. À la porte de la remise, il s'arrêta une seconde pour regarder Anton qui achevait la découpe d'un morceau de bois coincé dans un étau. Le bruit de la scie mourut enfin et Anton leva la tête.

— Tu me caches la lumière, dit-il à Dimitri. Entre ou sors, tu veux ?

— Qu'est-ce que tu prépares ?

— Rien qui t'intéresse.

Du revers de la main, Anton balaya un peu de sciure puis expliqua, de mauvaise grâce :

— C'est une étagère pour Ève. Elle n'a jamais assez de rangements, tu la connais.

— À l'atelier ?

— Chez les cousettes, oui.

Il avait ri en le disant car il aimait bien l'animation produite par l'atelier de confection. Deux ou trois employées s'y relayaient avec des horaires irréguliers selon les besoins et les commandes, créant des allées et venues supplémentaires à La Jouve.

— Allez, j'arrête, la matinée est bientôt finie, décida Anton en débranchant son outil. Es-tu là cet après-midi ?

— Je ne sais pas.

— Et moi, je ne sais pas comment ta pauvre mère arrive à prévoir les quantités voulues pour les repas !

— Je déjeune avec vous, précisa Dimitri, mais ensuite je vais sans doute descendre à Montpellier. As-tu besoin de quelque chose ?

— J'aimerais que tu m'aides à démonter le portail du fond, il pèse un âne mort et je dois le raboter.

— On peut faire ça maintenant si ça t'arrange, on a le temps.

— Tu ne bosses plus ?

— Terminé pour aujourd'hui, je n'arrive à rien.

— Ce n'est pas à cause de moi, j'espère ? Je ne voudrais pas que ma scie t'ait empêché de nous créer Soir de Paris !

La blague d'Anton était éculée, néanmoins Dimitri répondit docilement, avec un grand sourire :

— Tous les parfums ne s'appellent pas Soir de Paris. Et on n'en invente pas un par jour.

Anton décrocha une barre de fer destinée à servir de levier et il rejoignit Dimitri sur le seuil. Il était petit et râblé, solide, le visage buriné, et il avait toujours conservé la pointe d'accent russe qu'il devait à sa mère. Depuis trente-cinq ans qu'il vivait au milieu de la tribu Bréchignac, il en était devenu un membre à part entière. Il avait sa chambre dans la maison car, même le premier jour, personne n'aurait eu l'idée de le faire dormir ailleurs, et il avait toujours pris ses repas à la table familiale. Les premiers temps, Nelly le désignait seulement comme *le fils d'une amie*, puis son prénom avait suffi, c'était Anton, voilà tout. Bien entendu, Nelly était son dieu, il lui donnait raison les yeux fermés, il la vénérait. Pour les autres, il usait d'une familiarité affectueuse et n'avait pas la langue dans sa poche.

Dimitri le suivit tandis qu'il contournait les bâtiments pour gagner le fond du jardin où se trouvait le grand portail de bois.

— Chaque fois qu'un camion arrive, je dois lutter pour ouvrir, maugréa Anton. Remarque, en guise de poids lourds, il n'y a plus que le marchand de fuel ou les vidangeurs puisque ton père ne fait plus voyager ses statues…

Devant les œuvres de Maximilien, Anton n'avait jamais émis qu'une seule opinion : « Sacré truc ! » Ce qui, de manière inattendue, semblait ravir Max qui renchérissait alors, d'un air pénétré : « N'est-ce pas ? »

— Bon, on le dégonde, y a pas d'autre moyen. Et fais gaffe à tes doigts.

Agenouillé, Anton glissa la barre de fer sous l'un des battants, puis appuya de tout son poids. Grâce à sa très grande taille, Dimitri réussit à trouver une bonne prise et à soulever la charge puis, à deux, ils firent sortir le vantail de ses gonds.

— Finalement, tu es costaud, ricana Anton pendant qu'ils transportaient la première moitié du portail jusqu'à la remise.

Ils repartirent chercher la seconde et revinrent, à bout de souffle et en sueur sous le soleil qui tapait fort.

— Quand il sera réparé, faudra que tu m'aides à le remettre en place, mon pauvre !

— Sans problème. Maintenant, allons manger.

— Et boire ! J'ai une de ces soifs…

Le péché mignon d'Anton était d'apprécier le rosé bien frais l'été, et le costières-de-nîmes rouge le reste du temps. Pour sa part, Dimitri buvait rarement de l'alcool au déjeuner, ou bien un seul verre si son père décidait d'ouvrir un bon cru. Une fois encore, il se demanda s'il allait descendre à Montpellier après le repas, quitte à remonter ce soir avec Daphné. Il détestait perdre une journée de travail, mais que faire si l'inspiration continuait à le bouder ? Il ne « sentirait » rien aujourd'hui et ne voulait même pas y penser. De toute façon, il avait de la paperasserie en retard et des tas de courses à faire. Voire même un peu de ménage dans son appartement.

— Dimitri ! Dimitri !

Ève traversait l'esplanade en courant, un carton à dessin sous le bras.

— Il faut absolument que tu me donnes ton avis. Je travaille sur un mariage qui me rend folle ! Entre ce que veut cette femme et ce qui lui irait, il y a un précipice où nous allons tomber. J'ai dessiné toute la matinée, mais maintenant, je ne sais plus.

Elle sortit une liasse de croquis du carton et les tendit à son frère.

— Vas-y, dis-moi ce que tu en penses, ne me ménage pas.

— Pourquoi ne prends-tu pas l'avis de maman ? protesta-t-il.

— Tu le sais très bien. Question de génération. Déjà, toi…

— Oh, merci !

Plus jeune que son frère d'une dizaine d'années, elle ne manquait jamais de rappeler qu'elle était la benjamine des Bréchignac.

— Je n'y entends rien, soupira-t-il.

— Tu as du goût et de l'imagination, c'est tout ce qui compte.

Souvent, à table, elle le désignait comme le seul qui sache s'habiller, et leur mère approuvait en riant. Or Dimitri ne faisait aucun effort particulier, ses choix le portaient toujours vers des tissus de qualité et des coupes impeccables. En jean et en pull, il était plus élégant que Vladimir en costume-cravate, son uniforme pour aller à la banque.

— C'est quoi, cette meringue ? demanda-t-il en désignant un dessin.

— Le rêve de ma cliente.

— Une véritable horreur, tu ne peux pas lui confectionner ça.

— Non.

— En revanche, cette robe-là est divine.

— Elle la déteste. À la rigueur, attends, tourne... Voilà, elle n'est pas contre ce modèle, elle y réfléchit.

— Pas trop mal. Mais surtout, conserve l'autre, tu la vendras à une fiancée mieux inspirée.

Un peu en retrait, Anton les observait avec un sourire ironique. Toutes les fantaisies de la famille semblaient l'amuser, il n'y avait que Nelly qu'il prenait au sérieux.

— Montre-les quand même à ta mère, suggéra-t-il à Ève. Elle n'est peut-être plus dans le vent, comme tu dis, mais elle a toujours l'œil.

Le frère et la sœur échangèrent un regard amusé, puis ils se dirigèrent tous les trois vers la maison.

*
* *

Juchée sur l'un des comptoirs, à côté d'une caisse de champagne ouverte, Diane refusa d'un geste le sandwich que Daphné lui tendait.

— Non merci, je suis au régime. Avec Nelly, on deviendrait vite obèse ! Tu sais ce qu'elle a prévu pour ce soir ? Ses fameux calamars farcis... Forcément, je vais me goinfrer, alors ce midi, ceinture.

41

Elle observa Daphné qui mastiquait avec entrain et laissa tomber :

— Toi, te remplumer un peu ne te ferait pas de mal.

— Je ne suis pas maigre ! protesta Daphné, la bouche pleine.

Petite et mince mais pas maigre, c'était exact. Diane, qui luttait toujours contre les kilos superflus, soupira bruyamment avant de reprendre :

— Et ce beau jeune homme avec qui tu devais dîner la semaine dernière ?

— Une soirée très sympa.

— Comment s'appelle-t-il, déjà ?

— Jean-François.

— Pas très original.

— Peut-être, pourtant c'est un type intéressant.

— Tu nous le présentes quand ?

Daphné cessa de manger et dévisagea Diane d'un air songeur.

— Eh bien… Je crois que je vais attendre, le temps de voir si c'est sérieux.

— Tout le monde adorerait ça à La Jouve, tu le sais très bien, rappela Diane. Ils n'ont pas fait d'Ivan une icône ni de toi une intouchable.

Daphné lui sourit sans répondre, peu désireuse d'évoquer Ivan. Avec Diane, elle avait partagé durant quelques années le statut de belle-fille chez les Bréchignac, ce qui impliquait une certaine complicité. Et quand Daphné était devenue le chouchou de la maison, Diane n'en avait pas pris ombrage. Pas plus qu'elle ne se vexait lorsque Béatrice et Ève accaparaient Daphné.

— Il fait frais dans ton magasin, je resterais bien ici toute la journée !

Descendant du comptoir, Diane se mit à fureter parmi les casiers. Depuis que sa fille était à New York, elle avait retrouvé une certaine liberté. Son poste d'infirmière à mi-temps lui convenait très bien, et elle utilisait désormais ses loisirs à sa guise. Cinéma l'hiver, piscine l'été, musées ou excursions, shopping dès qu'elle parvenait à rentrer dans une taille quarante. Parfois, elle donnait rendez-vous à Vladimir à la sortie de sa banque et elle le traînait dans un bar puis au restaurant, persuadée qu'ils devaient se ménager quelques moments en tête-à-tête, loin de l'ambiance bruyante de la tribu. Mais, au fond, elle adorait La Jouve, et elle n'en serait partie pour rien au monde, comme tous ceux qui y vivaient.

— Tu viens, ce soir ? demanda-t-elle par habitude.

— Je ne crois pas.

— Le beau Jean-François ?

— Il doit passer en fin d'après-midi pour m'aider à arranger la boutique, avoua Daphné. Il faut faire de la place pour la dégustation de demain, j'attends pas mal de monde.

— Magnifique ! En empilant les verres, vous pourrez flirter derrière le rideau de fer.

— Diane…

— Tu as trente-cinq ans, ma chérie.

— Et alors ?

Le ton de Daphné, un peu agressif, arracha un sourire mitigé à Diane.

— Bon, je vois que je t'agace, je te laisse. En tout cas, compte sur Vladimir et moi pour profiter de la dégustation !

Daphné la raccompagna jusqu'à la porte et la regarda s'éloigner sur le trottoir. Diane et Vladimir avaient l'air d'un couple solide, tout comme Béatrice et Hubert. Comme Nelly et Maximilien aussi. Quelques années plus tôt, Daphné et Ivan formaient également un beau duo, mais eux n'avaient pas eu le temps de durer. En tout cas, dans la famille Bréchignac, l'amour semblait stable, à moins qu'il ne s'agisse que d'apparences ? Dimitri ne s'était jamais marié, Ève non plus. Quant à Max, il était parfois si étrange qu'excepté Nelly personne n'aurait pu le supporter durant cinquante ans ! Par exemple, il avait refusé tout net de fêter ce bel anniversaire de leurs noces d'or, bougonnant qu'il ne se réjouissait pas d'avoir tant vieilli.

Le discret carillon de la porte la fit sursauter. Elle n'avait pas verrouillé derrière Diane, ni remis le panneau « Fermé jusqu'à 15 heures », tant pis pour elle. Avec un sourire de commande, elle accueillit son client et le servit. De toute façon, cette coupure au milieu de la journée ne lui apportait pas grand-chose, la plupart du temps elle grignotait un ou deux sandwichs au fond du magasin au lieu de remonter dans son studio. Elle ne s'y plaisait pas vraiment et n'y allait que pour dormir les soirs où elle restait à Montpellier. Elle aurait pu s'installer à La Jouve, mais elle rechignait à faire la route tous les jours et, surtout, elle voulait conserver son indépendance. Vivre au sein de son ex-belle-famille ne lui disait rien, même si elle les adorait. Quant à leur présenter un homme un jour… Non, elle n'y tenait pas.

Elle raccompagna le client puis alla chercher une canette de Perrier dans le réfrigérateur de l'arrière-boutique où elle conservait toujours du champagne au frais. Du Roederer, son préféré avec le Ruinart. Ivan lui avait beaucoup appris sur les champagnes et, depuis, elle pouvait conseiller n'importe quel connaisseur. Sa réputation de caviste s'était bâtie d'abord là-dessus, alors que la maîtrise des vins, plus complexe, lui avait demandé davantage d'efforts. Cette idée d'ouvrir une cave – et de la baptiser d'un prénom féminin ! – était à l'origine de sa rencontre avec Ivan

Bréchignac. Il avait vingt-six ans, son diplôme d'œnologue en poche, et un sourire ravageur. Le genre de sourire qu'un Jean-François pourrait lui faire oublier ? Peu probable car, malgré toutes ses tentatives, elle n'arrivait pas à tomber amoureuse et finissait par perdre espoir. Néanmoins, Diane avait raison, à trente-cinq ans elle devait se réveiller.

Le téléphone l'arracha à ses pensées moroses, et, en décrochant, elle prit sa voix la plus affable.

— Cave de Daphné, bonjour !

— Bonjour, Cave de Daphné, répondit Dimitri exactement sur le même ton, avant de se mettre à rire. On dirait une pub radio, comment parviens-tu à avoir l'air si éthéré ?

— Tu veux quoi, vieux cosaque ronchon ?

— Te proposer un coup de main pour ton magasin. C'est bien demain, ta dégustation ?

— Très gentil à toi mais j'ai déjà de l'aide.

— Le garçon que tu nous caches, Jean-François machin chose ?

— Je vois que les nouvelles vont vite !

— Donc, tu ne veux pas de moi.

— Non, mais merci de l'avoir proposé. Tu ne savais pas quoi faire de ta soirée ?

— Au contraire, j'étais prêt à te sacrifier ma séance de cinéma.

— Dans ce cas, vas-y tranquille.

— D'accord. Je te verrai demain. Bonsoir, Cave de Daphné, et amuse-toi bien.

Il raccrocha tandis qu'elle souriait encore. Dimitri pouvait se montrer charmant quand il le voulait, à savoir la plupart du temps, mais il lui arrivait aussi d'être sombre et, beaucoup plus rarement, de se mettre en colère. Dans ces moments-là, mieux valait ne pas lui tenir tête. Daphné se souvenait d'une dispute entre

Ivan et Dimitri qui avait failli mal tourner. Étonnée par la violence avec laquelle les deux frères s'étaient affrontés, elle n'avait jamais pu obtenir d'explication sur le motif de leur querelle. « Une bêtise » avait lâché Ivan du bout des dents en s'excusant.

Après avoir vidé sa canette de Perrier, elle retourna dans l'arrière-boutique et fit quelques exercices d'assouplissement, hors de vue des passants. Si un client entrait, le carillon l'avertirait, en attendant elle pouvait bien s'offrir un quart d'heure de gymnastique. Diane avait de la chance, elle disposait de loisirs, mais Daphné était plus ou moins clouée dans son magasin. Elle se promettait toujours d'occuper la fermeture de la mi-journée par la pratique d'un sport, malheureusement les corvées de comptabilité, de gestion du stock, de commandes et de rangements lui prenaient tout son temps libre. Et, le soir, elle était trop fatiguée pour envisager autre chose que filer à La Jouve pour y être dorlotée ou, au pire, monter dans son studio pour s'écrouler sur son lit. Tenir un commerce était si astreignant qu'elle envisageait depuis plusieurs mois d'embaucher quelqu'un. Peut-être un jeune qui aurait suivi une formation de vendeur-conseil caviste et serait à la recherche d'un premier emploi ? Un garçon costaud, en tout cas, parce qu'elle n'en pouvait plus de porter des caisses de bouteilles.

Se redressant après une série d'exercices au sol, elle s'aperçut dans le miroir accroché sur la porte qui conduisait au sous-sol. Échevelée, le chemisier froissé et les yeux cernés par le mascara qui avait coulé, elle avait l'air d'une folle. Elle éclata de rire et s'adressa une grimace.

— Fais quelque chose, dit-elle à son reflet, sinon le pauvre Jean-François aura un choc, ce soir !

Mais tenait-elle absolument à le séduire ? Ils en étaient au stade agréable du début d'une relation, quand tout est encore possible, quand tout reste à découvrir au-delà de la simple attirance.

— Trente-cinq ans, répéta-t-elle à l'adresse du miroir.

Elle se scruta longuement, sans complaisance, puis décida qu'elle fermerait un peu plus tôt ce soir, le temps d'aller prendre une douche et se changer. Même si c'était pour déménager le magasin, il n'y avait aucune raison qu'elle ne soit pas à son avantage.

— Et occupe-toi de toi ! conclut-elle tandis que le carillon de la porte la rappelait à l'ordre.

*
* *

Le week-end arriva, et, avec lui, une pluie inattendue, accompagnée d'une brutale chute du thermomètre. À La Jouve, seul Anton semblait satisfait du changement de temps. « Ça fait moins de poussière, et puis la végétation en a besoin, elle crevait de soif. »

Toute la famille s'était repliée dans la cuisine, regrettant à l'unisson la table sous le micocoulier, et, pour préparer le dîner du samedi, Nelly et Béatrice avaient dû interdire à quiconque d'approcher des fourneaux.

— J'espère que vous mijotez un pot-au-feu ! plaisanta Max lorsqu'il fit irruption.

L'averse avait trempé ses cheveux en moins d'une minute, le temps qu'il arrive de son atelier où il s'était enfermé tout l'après-midi selon son habitude. Il attrapa un torchon pour s'essuyer mais Nelly le lui ôta aussitôt des mains.

— Pas celui-ci, il est sale !

Max avait conservé une abondante chevelure poivre et sel, qu'il laissait pousser n'importe comment jusqu'à ce que Nelly arrive à le convaincre, deux fois par an, d'aller chez le coiffeur.

— On t'attendait, lui dit Vladimir, maintenant je sers l'apéritif. Tant pis pour les retardataires.

— Qui manque à l'appel ?

— Daphné et Hubert, soupira Diane. Ceux qui finissent tard…

Hubert avait des journées très chargées à l'hôpital, et Daphné fermait rarement avant dix-neuf heures trente le samedi.

— Et cette dégustation chez Daphné, hier, ça s'est bien passé ? s'enquit Max en se tournant vers Dimitri.

— Elle a eu un monde fou, elle était très contente.

— Tant mieux… Pourquoi ouvres-tu du rosé, Vlad ? Tu vois bien que l'été est fini !

Avec un geste navré en direction des fenêtres qui ruisselaient de pluie, Max toisa son fils aîné avant de se diriger vers l'office.

— Ne descends pas tout seul à la cave ! protesta Nelly.

— Je ne suis pas gâteux, maugréa-t-il en disparaissant.

Au même instant, Hubert entra, son parapluie à la main.

— Il y a un monde fou en ville, et dès qu'il tombe trois gouttes plus personne ne sait conduire.

Après s'être débarrassé de son imperméable, il alla embrasser Béatrice et s'enquit des enfants.

— Ils sont devant la télé, où veux-tu qu'ils soient, un samedi pluvieux ?

Hubert, qui n'appréciait pas que ses fils passent leur temps à regarder des séries américaines, faillit dire quelque chose mais préféra finalement se taire. Il laissait Béatrice gérer leur éducation et n'avait pas à s'en plaindre, de surcroît, il détestait les conflits. S'il protestait, toute la famille allait lui tomber dessus en prenant la défense des deux petits garçons.

— J'ai doublé Daphné sur la route, annonça-t-il. Elle était arrêtée sur le bas-côté, en train de téléphoner, elle ne devrait plus tarder.

— Quelqu'un peut venir m'aider avant que je casse tout ? cria Max depuis l'office.

Dimitri, qui était le plus près, alla lui prendre les bouteilles des mains.

— Pourquoi ne te sers-tu pas d'un panier, papa ?

— Oh, je t'en prie ! J'ai manié d'autres poids dans ma vie que ces quelques bouteilles. Elles sont encombrantes, voilà tout, mais à côté d'un bloc de pierre…

De mauvaise humeur, car il détestait qu'on s'occupe de lui ou qu'on lui rappelle son âge, il alla s'asseoir au bout de la table. Personne ne se faisait d'illusions, il ne manipulait plus aucun bloc de pierre depuis longtemps. Nelly se retourna pour lui jeter un coup d'œil navré. Mieux que n'importe qui, elle connaissait le désarroi de Max face à cette inspiration qui l'avait définitivement abandonné.

— Je vais ajouter des chaises, décida Anton, il n'y en aura pas assez.

À son tour, il disparut dans l'office. Le sachant attentif à ce genre de détail, Nelly s'en remettait à lui. D'ailleurs, que serait devenue la famille sans Anton ? À la fois homme à tout faire et homme de confiance, il était irremplaçable.

— Et ta future mariée, demanda Dimitri à Ève, elle s'est décidée ?

— Devine comment je l'ai convaincue ? En la reniflant dans le cou ! Figure-toi qu'elle porte l'un de tes parfums, alors je lui ai dit que le type qui a créé cette merveille, c'était mon frère. Bien entendu, elle ne voulait pas me croire, j'ai dû me lancer dans des explications détaillées. Après, j'ai porté le coup de grâce en lui apprenant que tu avais vu le dessin de sa robe et que tu t'étais extasié.

— Ma parole, tu te sers de moi ?

— Oui, pourquoi ? Tu veux un pourcentage ?

Le rire de Dimitri fut couvert par un violent coup de tonnerre qui ébranla les vitres.

— Ils avaient annoncé de l'orage, marmonna Anton qui revenait avec des chaises pliantes et des coussins.

— J'espère que Daphné n'est pas arrêtée sous un arbre, s'inquiéta Max.

— Depuis le temps, elle a sûrement fini de téléphoner, répliqua Hubert, ou alors elle tient une conférence !

Dimitri s'approcha d'une fenêtre pour scruter l'esplanade à travers le rideau de pluie qui s'abattait. Il faisait très sombre et il discernait mal les voitures garées les unes à côté des autres.

— Je ne vois pas sa Mini. Quelqu'un peut essayer de l'appeler ?

Ève utilisa son portable mais n'obtint aucun résultat.

— Pourquoi ne vas-tu pas la chercher ? suggéra Max à Dimitri.

— C'est une grande fille, papa. Elle n'apprécierait pas qu'on la piste.

— La pister ! Mais non, juste se faire du souci pour elle.

Nelly avait rejoint Dimitri et elle lui posa une main sur l'épaule. Dehors, les éclairs et le tonnerre se succédaient à présent de façon continue.

— Fais plaisir à ton père, vas-y, chuchota-t-elle.

Haussant les épaules, Dimitri s'empara d'un des imperméables suspendus aux patères. À peine dehors, il eut l'impression qu'on lui renversait un seau d'eau sur la tête et il courut jusqu'à sa voiture pour s'y engouffrer. Sans doute allait-il croiser Daphné sur la route, sauf si elle avait vraiment eu un problème. Dans les bois alentour, un ou deux arbres tombaient à chaque orage. Or celui-ci semblait particulièrement violent.

Une fois sur la départementale, il se mit à rouler au pas tout en lorgnant les bas-côtés. Ses essuie-glaces luttaient sans grand succès contre le déluge, et il devait contourner les immenses flaques qui s'étaient formées en quelques minutes sur le bitume. Après des mois de sécheresse, la terre ne pouvait pas absorber autant d'eau d'un coup, la colline ruisselait littéralement.

Ce fut à la sortie d'un virage qu'il distingua enfin la Mini rouge dans ses phares. Tous feux éteints, elle était immobilisée près d'un talus, quasiment sous un grand châtaignier.

— Elle est folle, ma parole !

Il la dépassa, fit prudemment demi-tour et vint se garer derrière elle. Comme il ne se produisait rien malgré ses petits coups de klaxon, il connut soudain quelques secondes de panique. Était-il arrivé quelque chose à Daphné ? L'idée lui parut intolérable et le fit jaillir hors de sa voiture, le cœur battant. Presque en même temps, la portière de la Mini s'ouvrit sur la jeune femme.

— Bon sang, qu'est-ce que tu fabriques ? hurla-t-il entre deux roulements de tonnerre.

— Je suis en panne ! Tu crois que cet abruti de Hubert se serait arrêté ? Il m'a fait coucou en passant à ma hauteur et il a filé !

— Pourquoi n'as-tu pas appelé La Jouve ?

— Je n'ai plus de batterie.

— Tu es irresponsable !

Il l'avait saisie par le bras et il la poussa dans sa propre voiture avant de retourner à la Mini qu'il essaya en vain de faire démarrer.

— Saloperie…

Exaspéré, il tapa du poing sur le volant. Pourquoi se mettait-il dans un état pareil ? La peur ressentie quelques instants plus tôt refluait lentement, le laissant furieux. Il prit une grande inspiration, retira la clef du contact mais ne descendit pas tout de suite. Avoir cru Daphné en danger lui faisait un drôle d'effet, très disproportionné. Il jeta un coup d'œil dans le rétroviseur. Daphné ? Seigneur, qu'éprouvait-il exactement pour Daphné ? Depuis la mort d'Ivan, il veillait sur elle de loin, comme un grand frère, rien de plus. Rien, vraiment ?

Il finit par sortir, verrouilla la portière. Il se sentait sonné, atterré, et il resta deux secondes sous l'averse qui ne faiblissait pas, se prenant à espérer que tout ça n'était qu'une impression due à l'orage. Lorsqu'il se réfugia enfin dans sa voiture, il se sentait si mal à l'aise qu'il ne trouva rien à dire.

— La batterie aussi, je suppose ? interrogea Daphné du bout des lèvres.

— Oui…

— Eh bien, je n'ai pas eu de chance, ce soir !

Il lui rendit ses clefs et démarra, s'engageant lentement sur la route détrempée.

— J'ai rêvé, Dimitri, ou tu m'as traitée d'irresponsable ?

— Tu t'es arrêtée sous un arbre.

— À ce moment-là, il ne pleuvait pas, l'orage était encore loin. Je me suis garée là parce que j'avais un appel et que je n'aime pas téléphoner en conduisant. J'ai bavardé cinq ou dix minutes jusqu'à ce que mon portable se coupe puisque je ne pense jamais à le recharger. Alors j'ai voulu repartir, surtout en voyant le ciel qui devenait tout noir, mais il n'y avait plus de jus, rien, le moteur ne toussait même pas. Et Hubert est passé en agitant la main !

Elle rageait après elle, après Hubert, après le temps. Dimitri retrouva enfin un ton affectueux pour lui faire remarquer que les machines ne fonctionnaient pas toutes seules.

— Ta voiture à la révision deux fois par an, et ton portable en charge la nuit. Tu n'es pas très organisée.

— Je persiste à croire que « irresponsable » est un peu fort.

— Désolé.

— Et j'ai aussi passé l'âge des leçons de morale.

— Admettons, mais je suis venu te chercher.

— J'aurais préféré une des filles. Au moins, on se serait offert un fou rire. Les hommes ne savent pas s'amuser de ce genre de situation. Avec eux, une panne devient une affaire personnelle. Or, moi, je déteste la mécanique.

— Elle te le rend bien, on dirait.

En arrivant devant La Jouve, ils constatèrent que la pluie faiblissait un peu et que le tonnerre s'éloignait.

— Tu as ton portable sur toi ? demanda Daphné. Prête-le-moi, il faut que je rassure mon correspondant de tout à l'heure qui doit me croire morte. Tu n'as qu'à aller devant, je vous rejoins tout de suite.

À regret, il fouilla ses poches. Sans doute s'agissait-il du mystérieux Jean-François, qu'elle ne souhaitait présenter à personne pour l'instant.

— Essaie de ne pas le détruire, ironisa-t-il en lui passant son téléphone.

Il s'obligea à ne pas claquer la portière et se dirigea à grandes enjambées vers La Jouve.

*
* *

Le lendemain matin, le temps était redevenu calme
mais le ciel restait plombé, avec une température en
baisse. Cette fois, l'été indien avait cédé la place à
l'automne.

Lorsqu'elle ouvrit les volets de sa chambre, Daphné
grimaça en découvrant le paysage. Les murs ocre et
les toits de lauze des bâtiments de La Jouve étaient
nettement plus beaux au soleil que dans cette lumière
blafarde. Elle faillit retourner sous sa couette mais elle
n'avait plus sommeil et elle comptait bien profiter de
son dimanche, avec ou sans nuages. Après une douche
rapide, elle farfouilla dans son placard où elle laissait
toujours des tas de vêtements de rechange. Durant
quelques années, elle avait sciemment oublié les pulls
d'Ivan au milieu des siens, jusqu'à ce qu'elle se
résigne enfin à trier et à tout donner, sauf sa montre
dont elle se servait comme pendulette sur la table de
nuit. Même les photos étaient rangées dans un tiroir,
avec quelques lettres d'amour datant du début de leur
histoire.

Nelly aussi avait fait un effort pour qu'il n'y ait
pas de portraits d'Ivan à travers toute la maison. Nul
besoin d'images pour se souvenir de lui, et La Jouve
n'allait pas se transformer en sanctuaire. Au contraire,
il était impossible d'imaginer un endroit plus gai ou
plus chaleureux. Daphné se souvenait d'avoir été frappée, dès sa première visite, par l'atmosphère unique de
ce qu'Ivan appelait alors « la baraque indescriptible où
vit ma famille loufoque ». Bien sûr, Daphné était
immédiatement tombée sous le charme des Bréchignac

et de leur maison. Peut-être était-ce dû au fait que certains d'entre eux travaillaient là, et qu'ainsi régnait toujours une intense animation entre l'atelier de sculpture, celui de couture et le laboratoire de Dimitri. À cette époque, Maximilien produisait beaucoup, exposait souvent, et quand il ne taillait pas le marbre il s'occupait d'expédier ses statues à travers l'Europe. Parfois, des camions livraient d'énormes blocs de marbre que Max était allé choisir lui-même à Carrare, en Italie. Pendant ce temps-là, Ève s'affairait avec ses cousettes sur des coupons de soie et de mousseline, tandis que Dimitri fabriquait des essences précieuses à partir de formules chimiques. Dans la maison pleine de rires et d'éclats de voix, il y avait assez de chambres pour loger des tas de gens, que ce soient les habitants réguliers, ceux de passage ou même tous leurs amis. Nelly tenait table ouverte durant des étés entiers et Béatrice, en extase devant l'adorable petite Juliette, avait mis en route le premier de ses garçons.

Songeuse, Daphné enfila un jean délavé, un col roulé et des boots. Penser aux années de bonheur vécues avec Ivan ne faisait que l'attrister, or pleurer sur son sort n'était pas dans sa nature. Elle maquilla un peu ses yeux puis descendit à la cuisine où, curieusement, il n'y avait personne. Mais Nelly était déjà passée par là, ainsi qu'en attestaient les confitures maison déposées sur la table avec une cafetière pleine et fumante. Daphné se servit un grand bol, ajouta deux sucres. Le dimanche, chacun venait prendre son petit déjeuner à l'heure qui lui convenait, et on pouvait se retrouver tout seul comme à douze autour de la table.

— Déjà debout ? s'étonna Ève en entrant. Tu aurais pu faire la grasse matinée !

— Toi aussi.

— Non, j'ai une commande qui me donne du souci, je crois que je vais aller travailler à l'atelier. Tu veux du pain grillé ?

— Si tu en fais, volontiers.

— Ce temps est sinistre, et j'ai froid. Quand je pense qu'avant-hier on dînait encore dehors... Et maintenant, Anton est en train de remiser les meubles de jardin.

Ève mit les toasts dans une corbeille et vint s'asseoir en face de Daphné.

— Je n'aime pas l'hiver, soupira-t-elle.

— Nous n'y sommes pas encore.

— L'automne ne me plaît pas non plus. Tout qui jaunit et qui tombe, le vent, la pluie sur les carreaux, merci bien !

— Console-toi, on fera des feux d'enfer dans la cheminée, et ta mère nous préparera du gibier.

— Beurk !

Mais au lieu d'une grimace de dégoût, Ève eut un large sourire.

— Comment fais-tu pour être toujours de bonne humeur ? s'enquit-elle en dévisageant Daphné avec une authentique curiosité.

— Pas toujours, tu exagères. Mais, en général, je vois plutôt le verre à moitié plein, c'est vrai. Même quand je fais les comptes du magasin, j'arrive à rester optimiste, c'est te dire !

Pour sa part, Ève semblait souvent anxieuse et, si on l'interrogeait, elle mettait ses angoisses sur le compte de son travail. Pourtant, l'atelier marchait très bien, les commandes affluaient. Daphné la soupçonnait d'avoir d'autres problèmes, dont elle ne voulait pas parler. Jolie, avec ses yeux sombres, doux comme du velours, et son visage aux traits harmonieux, elle était grande, comme tous les Bréchignac, mais ne ressemblait pas du tout à ses frères. Max prétendait que ses filles tenaient de lui alors que ses garçons avaient tout pris à leur mère.

— Dimitri a filé dans son labo dès l'aube en emportant une Thermos de thé. Je pense qu'on ne le verra pas de la matinée, il avait l'air d'une humeur de chien.

— Il est toujours comme ça quand il est sur le point de trouver une formule magique, railla Daphné. Sais-tu pour qui il travaille, en ce moment ?

— Dior ou Guerlain, j'ai oublié, mais l'enjeu est de taille.

— Il est devenu une grande pointure de la parfumerie, non ?

— On doit dire un grand « nez ». Ses derniers contrats avec des maisons de couture et des joailliers le prouvent. Malheureusement, il n'est pas bavard sur le sujet, tu le connais. Il n'y a que maman qui arrive à le faire parler !

Complices, elles rirent ensemble en finissant leur café. Nelly avait en effet l'art de poser les bonnes questions, presque personne ne résistait à sa curiosité débordante d'affection.

— À propos, où est-elle, ta mère ?

— Partie chercher des champignons avec Béatrice et les enfants. Après l'orage d'hier, elle en trouvera peut-être, et ça devrait déterminer le menu du déjeuner.

Daphné mit les bols dans le lave-vaisselle puis suivit Ève dehors. Le ciel était toujours très sombre, et un petit vent frais tournoyait sur l'esplanade.

— Je vais voir si ton père n'a pas envie de bavarder un peu, décida Daphné.

Elle était la seule que Max accueillait à bras ouverts dans son atelier. Tous les autres membres de la famille évitaient de l'y déranger, bien qu'il n'y fasse rien. Elle se dirigea vers la petite porte de côté, frappa un coup léger et, n'obtenant pas de réponse, se faufila à l'intérieur. À cause du verre dépoli des fenêtres, la lumière semblait carrément blafarde ici, d'autant plus qu'aucun halogène n'était allumé. Dans cette pénombre grisâtre, Daphné ne vit Max nulle part, mais il pouvait aussi bien être assis derrière une de ses sculptures, la tête entre les mains. Elle avança lentement au milieu des bustes posés sur des socles ou abandonnés à même le sol. De la poussière blanche, produite par le ponçage du marbre, recouvrait toutes les surfaces et donnait un aspect fantomatique à l'immense atelier qui n'avait pas eu droit à un coup de balai depuis des années. Daphné s'arrêta une seconde devant un colosse inachevé. L'œuvre de Maximilien la fascinait tout en la mettant parfois mal à l'aise. Si le réalisme de certains visages l'effrayait carrément, en revanche elle se sentait éperdue d'admiration devant ces corps de femme, quelques-uns nus, d'autres drapés, tous d'une égale beauté avec leurs mains d'une infinie précision, leurs chevelures travaillées en cascade, leurs attitudes d'une grâce inouïe. « On peut tout faire dans la pierre, disait Max, un nœud de satin, un battement de cils, un cri de rage. » Au fil des années, il lui avait expliqué beaucoup de choses concernant ses diverses périodes, de l'académisme de ses débuts jusqu'au mystique de l'âge mûr, en passant par le gigantisme. À la mort d'Ivan, il avait eu la vision de ce qu'était vraiment l'horreur de l'instant qui bascule du vivant au gisant, et il était devenu morbide pour ses ultimes créations.

Elle s'arrêta et tourna la tête vers le fond de l'atelier, là où étaient entreposées les statues « éclatées au sol ». Plus courageuse que Nelly, elle les avait longuement détaillées, la gorge serrée, le jour où Max les lui avait dévoilées en la suppliant de ne pas avoir peur. Il prétendait qu'elles n'étaient qu'une allégorie, un symbole, mais non, c'était bien Ivan qui se fracassait, se disloquait, se figeait dans l'éternité.

Réprimant un frisson, elle fit encore quelques pas puis appela :

— Max ? Tu es là ?

Où se cachait-il donc ? Certes, l'atelier était gigantesque – et le paraissait encore davantage à cause du fouillis des sculptures de toutes tailles –, mais il aurait dû lui répondre. À moins qu'il ne soit enfermé dans ses toilettes qui se trouvaient à l'autre bout. Il les avait fait installer avec un lavabo et une douche à l'époque où il travaillait pour de bon du matin au soir, et parfois même la nuit. Se gardant bien d'insister, elle avança encore un peu. D'où elle était, elle apercevait maintenant les statues redoutées, alignées les unes à côté des autres sur le sol de ciment. Comment Max pouvait-il supporter leur vue ?

Elle se détourna et prit un chemin différent pour retraverser l'atelier. Si Max était malade, mieux valait le laisser en paix, elle n'avait qu'à s'en aller, elle reviendrait plus tard. En voulant éviter une Vierge à l'Enfant, elle faillit heurter un buste. Nez à nez avec le visage de pierre au regard aveugle, elle resta saisie. De quand datait cette sculpture ? Elle ne l'avait pas remarquée jusqu'alors, mais il y en avait tellement ! En tout cas, celle-ci ressemblait étrangement aux fils Bréchignac. Un mélange de Vladimir, de Dimitri et d'Ivan. Pas l'un d'entre eux mais les trois à la fois avec leurs pommettes hautes, leurs yeux étirés vers les tempes, leurs mâchoires carrées, et une mèche de cheveux en travers du front.

Plongée dans sa contemplation, elle faillit crier lorsqu'une porte claqua dans les profondeurs de l'atelier.

— Max ? C'est toi ?

— Qui d'autre ? grommela-t-il. Le fantôme de l'opéra ?

Il surgit entre deux statues, vêtu d'un vieux pantalon de velours et d'un gros pull irlandais.

— Tu regardes mon cosaque ? Il a plus de vingt ans…

Du bout des doigts, il caressa le marbre poli, comme s'il voulait remettre la mèche en place.

— Si tu ne te sens pas d'humeur bavarde, proposa-t-elle, je repasserai à un autre moment.

— Je suis toujours content de parler avec toi. De toute façon, il n'y a que toi qui oses franchir ma porte.

— Tu n'encourages pas vraiment les visites.

— Aucun artiste n'aime qu'on envahisse son territoire. Mais suis-je encore un artiste, hein ?

— Maximilien Bréchignac est étudié aux Beaux-Arts, il me semble.

— Quand tu dis ça, j'ai l'impression que tu parles de quelqu'un d'autre. Viens, allons nous asseoir.

En guise de sièges, il avait installé une chaise longue en toile et un vieux fauteuil club au cuir déchiré près de la seule fenêtre qui possédait des vitres transparentes, à l'arrière du bâtiment. De là, il pouvait regarder le ciel durant des heures, et aussi voir quelle voiture arrivait sur le chemin.

Lorsqu'ils furent assis, elle remarqua un cendrier de cristal posé par terre.

— Tu t'es mis à fumer ?

— Un gros cigare de temps en temps. Ça m'occupe les mains et ça m'aide à réfléchir. Je ne m'offre ce plaisir qu'ici pour ne pas entendre de commentaires désobligeants sur ma santé, mon âge ou mes manies. En plus, Dimitri doit détester ce genre d'odeur !

— Oh, je pense qu'il les aime toutes…

— Tu crois ça ?

Le regard de Maximilien se perdit dans le vague, comme s'il réfléchissait à propos de Dimitri.

— Il a de la chance, finit-il par lâcher d'un ton désabusé. Il arrive à créer avec rien, un effluve, un simple courant d'air qui lui apporte une odeur de violette. Moi, il fallait que je m'empoigne avec la matière. Je n'ai jamais employé d'ébaucheur, j'enlevais le volume du bloc de marbre tout seul pour tirer mes lignes avant de les épurer. Un boulot de titan, mais qui me permettait de suivre mon cheminement intérieur jusqu'à faire jaillir le modelé de l'informe. Dimitri s'amuse, tant mieux pour lui. Jouer au petit chimiste est moins fatigant que suer sang et eau sur de la roche ! Quand il sera vieux, il aura toujours de belles mains, tandis que moi, regarde…

Il contemplait tristement ses doigts aux articulations déformées par les rhumatismes.

— Tu es bien amer, dit Daphné d'un ton neutre.

De plus en plus souvent, Max établissait une comparaison entre lui-même et Dimitri. Devenait-il jaloux de son fils ? Se croyait-il dépossédé de son titre d'artiste et de créateur ? Daphné se pencha en avant et désigna d'un geste large les nombreuses statues qui les entouraient.

— Même si tu n'en sculptais plus jamais une seule, toutes celles-là existent. Ton œuvre, tu l'as sous les yeux. Pour Dimitri, c'est éphémère, volatil.

Levant les yeux sur elle, il la dévisagea avant d'esquisser un sourire énigmatique.

— Ah, Daphné, ma petite Daphné… Tiens, je vais t'avouer un de mes rêves secrets. Si tu te remaries un jour, ce que je te souhaite de tout cœur, ne voudrais-tu pas garder le nom de Bréchignac qui te va si bien ?

À son tour, elle le scruta, surprise par sa demande.

— Je ne sais pas, Max. Et puis, ce n'est pas à l'ordre du jour.

Il hocha la tête avant de se tasser dans son fauteuil club, étendant ses longues jambes devant lui.

— Si tu restes un peu, je m'octroie un cigare. Ça te gêne ?

— Pas du tout.

— De temps en temps j'en offre un à Vladimir, en cachette. Il est amateur, mais j'ignore où il le fume. Pas dans sa banque, ni sous le nez de Diane, c'est sûr !

Une pointe de dédain dans sa voix contraria Daphné. Non content d'éprouver de la jalousie envers Dimitri, Max méprisait-il Vladimir ? Il lui était déjà arrivé, par le passé, d'englober ses trois fils dans une même expression ironique : « Ah, mes petits moujiks ! » Nelly se récriait aussitôt que leurs garçons n'étaient pas des paysans et que Max ne savait pas ce qu'il disait. Mais, sous l'apparente plaisanterie, n'existait-il pas une réelle aigreur ?

— Je vieillis, soupira-t-il, et je déteste ça.

Il soufflait des ronds de fumée, arrondissant la bouche, et sans doute s'attendait-il à ce qu'elle proteste, mais elle n'en fit rien. Oui, depuis quatorze ans qu'elle le connaissait, il avait changé. L'âge, bien sûr, mais aussi la mort de son fils, qui lui avait ôté tous ses moyens.

— Elles te font encore peur, mes statues, là-bas ?

De sa main qui tenait le cigare, il désigna le fond de l'atelier. Daphné ne tourna même pas la tête, sachant très bien de quoi il parlait et réfléchissant à sa question.

— Elles me donnent le frisson, finit-elle par répondre.

— Moi aussi. Je pensais les couvrir d'une bâche, et puis...

— Vends-les.

Il accusa le coup, le visage brusquement crispé.

— Jamais ! Vraiment, jamais. Est-ce que tu sais qu'on m'en a offert des fortunes ? Mais je ne m'en séparerai à aucun prix, je veux pouvoir continuer à les regarder. Quand je les regarde, je me souviens, et je pleure. J'ai besoin de me souvenir.

Un silence plana entre eux, qu'ils ne prirent pas la peine de rompre. L'odeur du havane était presque agréable et, dans la pénombre ambiante, toutes les sculptures devenaient un peu floues, moins présentes.

— Je crois que je vais aller passer quelques jours à Paris, annonça-t-il soudain. Il y a trop longtemps que je tourne en rond.

— Tu as des gens à voir, là-bas ?

— Naturellement. Je ne suis pas tout à fait fini, tu sais !

Il se pencha pour écraser son cigare dans le cendrier et ajouta :

— Un directeur de galerie me court après depuis des mois, et j'ai des amis qui me réclament.

Pourquoi se justifiait-il ? Il passa sa main dans ses cheveux emmêlés, trop longs, puis la laissa retomber.

— Nelly ne me laissera pas partir si je ne vais pas chez le coiffeur, dit-il avec un sourire qui illumina ses traits.

Dans ses rares moments de gaieté, on pouvait encore déceler tout le charme qu'il avait dû avoir dans sa jeunesse. Daphné lui rendit son sourire avant de consulter sa montre, étonnée de découvrir qu'il était presque l'heure de déjeuner. Elle quitta la chaise longue, inconfortable, et tendit la main à Max.

— Avec un peu de chance, on aura droit à une fricassée de champignons, viens.

Ignorant la main tendue, il s'extirpa de son fauteuil sans aide.

— J'ai déjà dit que…

— Tu n'es pas gâteux, je sais, personne ne peut l'ignorer !

Il leva les yeux au ciel, mais son expression était si affectueuse que Daphné en fut émue. Malgré tous ses défauts, Max demeurait un homme extraordinaire. Appartenir à son clan était un honneur et un bonheur.

3

Hubert ferma son livre avec un petit soupir exaspéré. Durant quelques instants, il considéra le titre prometteur : *Rôle de la femme dans la société du troisième millénaire.* Un ramassis de lieux communs et d'âneries. Déjà, mettre « société » au singulier, comme s'il n'y en avait qu'une seule ! Et puis pourquoi, à en croire les auteurs, fallait-il absolument que les femmes aient leurs enfants de plus en plus tard et les élèvent de moins en moins ?

Contrarié, il savait très bien d'où lui venait sa mauvaise humeur. Le choix de Béatrice de rester à la maison pour s'occuper de leurs deux petits garçons ne faisait pas d'elle une « ménagère de moins de cinquante ans » affublée d'un tablier à carreaux, avec pour seul horizon la télé en fond sonore ! Quand on l'interrogeait sur le métier de son épouse, la réponse de femme au foyer attirait presque à coup sûr une petite grimace de commisération. Pourquoi ? En réalité, Béatrice s'épanouissait à La Jouve où elle était heureuse avec ses deux fils et toute sa famille.

Ah, la famille Bréchignac… Une tribu d'aimables cinglés, aurait estimé Hubert s'il n'avait pas été psychiatre. Mais il l'était et ne pouvait pas se permettre un jugement aussi abrupt. Parfois, il se surprenait à les observer d'un œil très professionnel, avec une prédilection pour Maximilien qui aurait fait un passionnant sujet d'étude. Pourtant, il l'aimait bien, et les autres aussi, quasiment tous les autres. Bon, Ève l'agaçait un tantinet avec ses angoisses dissimulées sous son goût du mystère, et Dimitri le laissait perplexe. Voilà un homme charmant, à qui tout réussissait, mais qui était impossible à cerner. Un solitaire sociable, un sombre plein d'humour, un coléreux toujours calme : le feu sous la glace en quelque sorte. Heureusement, il y avait Nelly. Condensé de toutes les mères, sa tendresse vous enveloppait comme du sirop d'érable, et sous son aile protectrice, rien de grave ne pouvait arriver. Valorisante pour chacun, elle tenait Hubert pour le seul médecin digne de confiance, Vladimir pour l'unique banquier honnête, Ève pour la plus inspirée des couturières, Béatrice pour la seule digne de lui succéder à la tête de La Jouve, Diane pour une infirmière modèle, et enfin Dimitri pour un génie, bien entendu. Ce qui, à l'évidence, froissait Maximilien. Mais ce dernier avait un véritable problème, celui d'avoir été et de ne plus être, or, dans ce domaine, personne ne pouvait rien pour lui. Sa réaction après la mort de son fils n'avait pas surpris Hubert. À la prostration avait succédé une folle colère débouchant sur ces horribles statues qui avaient bu ses dernières forces. D'un seul coup d'œil, Hubert avait compris qu'il y aurait eu une thèse à faire sur des sculptures pareilles. La main qui les avait façonnées exprimait la douleur, le refus, mais aussi de la culpabilité. De quoi Max se sentait-il coupable ? D'avoir été celui à qui Ivan parlait en se penchant au-dessus de la maudite rambarde ? Et d'ailleurs, de quoi discutaient-ils à ce moment-là ? Qu'est-ce qui justifiait qu'Ivan ne soit pas descendu tranquillement tout en continuant à s'adresser à son père ? Personne ne s'était risqué à le demander à Max.

Hubert posa le livre sur la table de nuit puis jeta un coup d'œil à Béatrice qui dormait. Elle était belle dans son sommeil, avec son visage serein et ses lèvres entrouvertes sur un souffle régulier. Dans un quart d'heure, quand le réveil allait sonner, elle aurait une petite moue enfantine avant son premier sourire de la journée.

Il tendit la main, la posa sur l'épaule douce de sa femme. Elle le rendait heureux, il s'en félicitait chaque matin et refusait que ce bonheur tranquille soit soupçonné d'être trop simple. La journée qui s'annonçait serait peut-être semblable aux autres, et alors ? Tant mieux ! Il aimait se rendre à l'hôpital, il s'intéressait à ses patients, et quand venait le moment de rentrer à La Jouve pour y retrouver sa femme et ses fils, il était content.

Une nouvelle fois, il vérifia l'heure. En dix minutes, avant qu'il soit temps de se lever et de réveiller les enfants, ils pouvaient s'offrir un de ces câlins matinaux qu'ils partageaient avec le même plaisir. Délicatement, il releva la nuisette de Béatrice.

*
* *

Chargé de paquets, Dimitri descendit du TGV et alla récupérer sa voiture au parking de la gare. Il rapportait de Paris des mocassins, deux pulls, quatre chemises sur mesure et un pardessus. De quoi affronter l'hiver dans le style de vêtements qu'il appréciait. Même sans y consacrer trop de temps, il profitait toujours de ses voyages pour, entre deux rendez-vous professionnels, faire un peu de shopping dans ses adresses de prédilection. Ève allait encore demander : « Où as-tu trouvé ça ? » en pointant son doigt sur lui. Il s'en amusait mais ne recherchait pas particulièrement les compliments de sa sœur. Son métier le faisait évoluer dans un univers de luxe, et être élégant lui semblait nécessaire lorsqu'il se rendait dans une prestigieuse maison de parfums désireuse de créer une nouveauté. D'autant plus qu'avec son mètre quatre-vingt-treize, il ne trouvait pas toujours sa taille et refusait l'à-peu-près.

Une fois rentré chez lui, il suspendit ses affaires et alla se préparer du thé. Le contrat signé la veille représenterait un véritable pactole s'il parvenait à satisfaire son client. Ensemble, ils avaient longuement discuté des premiers essais apportés par Dimitri et s'étaient mis d'accord sur la ligne à suivre. Il avait commencé à y songer tandis que le train roulait à trois cents à l'heure vers Montpellier. Une dimension carrément sulfureuse, avec une touche de caractère, voilà ce qu'il allait chercher. Il y mettrait de l'iris, la matière première la plus noble, et peut-être du jasmin, aux pétales capiteux. Pas de pivoine blanche, trop délicate, pas d'œillet, trop poivré. De la rose de mai ? Probablement… et aussi du santal. Le but n'était pas un parfum de charme, mais un parfum opulent, raffiné, fait pour envoûter.

Sa tasse à la main, il ouvrit la baie vitrée conduisant à la terrasse, marcha de long en large quelques minutes tout en buvant son thé à petites gorgées, puis il décida qu'il allait filer à La Jouve sans tarder. Impatient de se mettre au travail, il avait besoin d'être dans son laboratoire pour reprendre ses recherches. Et tel qu'il se connaissait, il risquait d'y passer plusieurs jours d'affilée, n'émergeant qu'à l'heure des repas. Par acquit de conscience, avant de partir il jeta un coup d'œil dans son frigo, qui était vide. Tant mieux, il serait peut-être absent un moment.

En sifflotant, il dégringola les quatre étages, reprit sa voiture et s'engagea dans le flot de la circulation. Il se sentait gai, presque exalté à l'idée du défi qui l'attendait. Trouver un « jus » inimitable était son rêve, comme celui de tout chercheur. Trop de parfums voyaient le jour, lancés en grande pompe puis sombrant dans l'oubli deux ans plus tard. Le marché, très encombré par ces succès éphémères, ne laissait que peu de marge de manœuvre, néanmoins il y aurait toujours de la place pour quelque chose d'exceptionnel. Or son client, qui était l'un des plus grands noms de la parfumerie à travers le monde, disposait de tous les moyens voulus pour imposer une nouvelle création, à condition qu'elle soit hors pair et qu'elle fasse date. Ayant carte blanche, Dimitri était déterminé à ne pas laisser passer une chance pareille. Mais serait-il capable d'inventer puis de mettre au point une fragrance aussi sublime qu'un N°5 de Chanel ou un Shalimar de Guerlain ?

Plongé dans ses pensées, il constata qu'il avait machinalement pris le chemin de La Cave de Daphné, ce qui lui arracha un sourire. Depuis quelques jours, il s'était bien gardé de songer à la jeune femme, faisant même l'effort, à Paris, d'inviter à dîner une amie de longue date qu'il avait finalement ramenée à son hôtel pour y passer la nuit. Sa manière à lui de se changer les idées.

En s'engageant dans la rue, il vit de loin le gyrophare d'un véhicule de police arrêté juste devant la cave. D'abord intrigué, puis soudain très inquiet, il se rangea en double file, mit ses feux de détresse et se précipita dans le magasin. Daphné, qui appliquait une poche de glace contre sa joue, était en train de parler avec un des policiers en uniforme.

— Qu'est-ce qui t'arrive ? s'écria-t-il.

— Je me suis fait agresser par un gamin qui voulait la caisse.

— Vous êtes qui, vous ? lui demanda le flic.

— Mon beau-frère, répondit Daphné à sa place.

— Il t'a volé beaucoup d'argent ?

— Non, je n'ai rien voulu lui donner du tout, alors j'ai reçu son poing en pleine figure ! Mais j'ai sorti ça de sous le comptoir et il a détalé, l'idiot…

De sa main libre elle désigna un gros tire-bouchon, dérisoire, que le second policier examinait d'un air amusé.

— Il n'a pas dû prendre le temps de bien regarder, ironisa Dimitri.

— C'était un môme, il avait quinze ou seize ans à tout casser.

— Vous devrez passer au commissariat si vous voulez porter plainte, intervint le policier.

— Bien sûr que je veux ! Y en a marre que les petits commerçants se fassent agresser. Il me faudrait une arme, non ?

— Vous n'en avez pas le droit, madame.

Daphné haussa les épaules en marmonnant :

— Aucun droit, que des devoirs, on connaît la chanson du bon citoyen plus communément appelé le bon con.

Sans relever le propos, les deux hommes décidèrent de s'en aller puisque Daphné n'était plus seule.

— Regarde-moi ça, dit-elle après leur départ, pour se venger le gamin a cassé trois bouteilles au passage en prenant la fuite. Du puligny-montrachet de Louis Carillon ! Quelle misère…

— Je me charge de nettoyer. Ta glace est fondue, tu en as d'autre en réserve ?

— Ça ira, ne t'en fais pas.

Il alla chercher un balai et une pelle dans l'arrière-boutique afin de récolter les morceaux de verre, puis utilisa une serpillière pour éponger la flaque de vin blanc. Quand tout fut rentré dans l'ordre, il s'accouda sur le comptoir devant Daphné.

— Tu les additionnes, ces temps-ci !

— À savoir ?

— L'orage de l'autre soir, le casse manqué d'aujourd'hui…

— Mais je ne suis pas responsable ! protesta-t-elle, outrée.

— Équipe-toi donc d'une alarme. Le genre de truc qui déchire les tympans, qui ameute tout le quartier et qui fait fuir.

— Je n'ai pas d'argent à mettre là-dedans.

— Si tu veux, je…

— Non, je ne veux pas, merci.

Elle ôta la poche de glace, découvrant une belle ecchymose.

— Je me débrouille, Dimitri, je n'ai pas besoin qu'on veille sur moi ou qu'on me tienne la main.

Son air farouche aurait pu faire sourire Dimitri s'il ne s'était pas senti vexé. La protéger avait été un devoir pour toute la famille Bréchignac au moment de la mort d'Ivan, cependant, les années passant, elle en avait peut-être assez de leur attention. Surtout de la sienne, car il avait pris son rôle de beau-frère très au sérieux. De *beau-frère*. De grand frère, d'ami fidèle, de complice, et rien d'autre, forcément.

— Bien, dit-il d'un ton léger, je file à La Jouve. Tu montes, ce soir ?

— Je ne crois pas. Je vais me coucher tôt, j'ai un sacré mal de tête.

Il faillit proposer d'aller lui acheter de l'aspirine mais se souvint à temps qu'un certain Jean-François pourrait très bien s'en charger.

— Prends soin de toi, Daphné.

À contrecœur, il quitta le magasin en ayant l'impression de l'abandonner. Pourquoi ne s'était-il pas interrogé plus tôt sur tout ce temps qu'il passait avec elle et sur le plaisir qu'il y prenait ? Bien sûr, tout le monde l'adorait, Max le premier, elle faisait partie de la tribu, on ne se posait pas de questions à son sujet. Jolie Daphné, gentille Daphné, marrante Daphné. « Si tu te remaries un jour, je serai ton témoin. » Il se souvenait de l'avoir dit. Comment avait-il pu proférer pareille ineptie ? Mais non, il était sincère. D'ailleurs, aucune envie ni jalousie ne l'avaient habité lorsque Ivan s'était marié avec cette ravissante jeune femme. À l'époque, ses sentiments étaient authentiquement fraternels, il considérait Daphné comme une sœur supplémentaire. Si son regard sur elle avait changé, il ignorait quand ça s'était produit et pourquoi.

Une contravention l'attendait, coincée sous un essuie-glace, ce qui acheva de le mettre de mauvaise humeur. Une heure plus tôt, il était tout guilleret, prêt à se jeter dans le travail, et à présent il se sentait démotivé. Il aurait préféré rester en ville, emmener Daphné dîner, s'assurer qu'elle allait bien, puis finir la soirée par une séance de minuit au cinéma.

« Tu as du boulot, alors oublie ! Et je te préviens, il va falloir que ça te passe, ces idées absurdes. Remets-toi la tête à l'endroit, tu veux ? »

Il rangea la contravention dans son portefeuille, au lieu de la déchirer comme il en mourait d'envie pour se défouler. Ne pas être en accord avec lui-même était inhabituel, inconfortable. Pire encore, il risquait de ne pas trouver son parfum tant qu'il serait dans cet état-là.

Cinq minutes plus tard, il roulait vers la sortie de Montpellier, concentré sur les avantages et les inconvénients d'une pointe de tubéreuse.

*
* *

Maximilien fit plusieurs fois le tour du bloc. Une belle roche qu'il était allé choisir lui-même en Toscane dix ans plus tôt. S'il voulait s'y remettre, rien de plus simple, il n'avait qu'à commencer à ébaucher ce marbre. Donner un premier coup, même au hasard, tenter quelque chose, n'importe quoi.

Mais non. Non, il ne le ferait pas, il le savait, il ne suffisait pas de caracoler devant la pierre ni de la regarder intensément pour qu'une idée jaillisse. Avant, il pouvait « voir » à travers la matière, son esprit dictait à ses mains les gestes qui faisaient sortir la forme. Avant, il était un sculpteur, un artiste. Avant, et durant quarante années de travail illuminées par quelques véritables chefs-d'œuvre, il avait connu la maîtrise absolue de l'outil, une inspiration en constante évolution, le succès qui galvanise. Et aujourd'hui : plus rien. Rien du tout !

Se détournant du bloc, il traversa l'atelier, s'arrêta devant sa dernière série de statues couchées. Elles lui avaient tout pris, extirpant jusqu'à la dernière goutte de son talent. Il se pencha et saisit une longue bâche qu'il déploya rageusement sur elles. Parfois il les couvrait pour ne plus les voir, parfois il les laissait respirer. La bâche était sale à force de traîner par terre, et quand il n'y prenait pas garde, un bras ou un pied en dépassait, comme pour le narguer.

Paris… Avait-il réellement envie d'aller à Paris ? Le problème, maintenant, était qu'il avait annoncé son voyage à tout le monde. Et puis, il *devait* s'y rendre. Rencontrer les gens de son métier, faire savoir qu'il n'était pas mort tout en évitant de répondre à la question : « Que préparez-vous de beau en ce moment ? » Se tenir au courant, jeter un coup d'œil sur le travail des autres. Voir quelques amis, en particulier une amie très chère.

— Max, Max ! Ma-xi-mi-lien !

La voix de Nelly, dehors. L'avait-elle déjà appelé ? Était-ce l'heure de dîner ? Il leva les yeux, découvrit que la nuit était tombée, occultant d'un noir d'ardoise les vitres opaques. Un peu plus tôt, il avait allumé tous les halogènes pour mieux examiner ce bloc inutile dont il espérait toujours un signe. Il les éteignit un à un avant de sortir et trouva sa femme devant la porte.

— Tu aurais pu entrer, lui dit-il gentiment.

Une invitation bien inutile puisque Nelly avait décidé de ne plus jamais franchir le seuil de l'atelier.

— Dimitri est là, annonça-t-elle en le précédant vers la maison. Et lui aussi j'ai eu du mal à le sortir de son laboratoire, il est en pleine période de création !

« Lui aussi », deux mots qui firent mal à Maximilien. Dimitri ne cherchait à berner personne, il travaillait pour de bon. Mais son job ne consistait qu'à renifler des petits bouts de papier !

— Qui d'autre au dîner ? s'enquit-il d'un ton rogue.

— Rien que nous.

Donc Daphné n'était pas prévue ce soir, dommage.

— Et qu'est-ce qu'on mange ?

— Potage aux asperges, loup au fenouil.

Même en petit comité, ils étaient toujours dix ou douze à table avec les enfants. Comment Nelly et Béatrice se débrouillaient-elles pour tout assumer sans se plaindre ? Et financièrement, où en étaient-ils ? Max ne s'était jamais beaucoup soucié d'argent, laissant à Nelly le soin de gérer les comptes. Il s'était juste réservé une cagnotte à part, où il avait parfois versé le produit d'une vente effectuée sans rien dire à personne. Sa façon à lui d'être indépendant, un magot secret dont il usait à son gré.

— Tu t'en sors, sur le plan matériel ?

À deux pas de la maison, Nelly s'arrêta, se tourna vers lui. Dans la pénombre, il constata qu'elle avait encore un beau visage bien qu'elle ait vieilli. Comme lui.

— Oui, Max, ça va. J'ai conservé quelques parts dans l'atelier d'Ève, tu le sais.

— S'il le faut, je peux me séparer de certaines sculptures, je t'assure qu'il y aura des amateurs ! lança-t-il avec une intonation de défi.

— Bien sûr, mon chéri, mais il n'est pas question de déprécier ton œuvre.

— Tu as raison, elle aura beaucoup plus de valeur après ma mort. Tu ne te retrouveras pas sans rien, Nelly.

Il n'avait pas le droit d'ignorer que, pour faire bouillir la grande marmite de La Jouve, sa femme tirait sur ses fonds propres. Lorsqu'elle avait laissé l'atelier de couture à Ève, il ne s'était pas mêlé de leurs arrangements, mais sans doute ne s'agissait-il pas d'un don sans contrepartie. Nelly était assez prévoyante pour ne pas s'être totalement démunie.

— Pourquoi ne demandes-tu pas un loyer à Dimitri ?

Horrifiée, elle le dévisagea comme s'il était devenu fou.

— Tu plaisantes, Max ? Ton père se retournerait dans sa tombe si tu faisais payer ses petits-enfants pour avoir le droit de s'abriter à La Jouve !

— Oh, mon père..., gronda-t-il tout bas.

Toute allusion à Roger Bréchignac rendait Max morose. Peintre engagé politiquement, il avait eu sa petite heure de gloire, mais rien de très mémorable, et, durant les dernières années de sa vie, il avait vendu presque toutes ses toiles pour subsister. Il n'en restait qu'une grande, accrochée dans le séjour, et une autre plus petite, emballée au grenier parce que personne n'en avait voulu dans sa chambre. Était-il possible que Maximilien finît un jour comme lui, monnayant ses statues de moins en moins cotées ? La perspective avait de quoi le faire frémir.

— Il faudra qu'on parle d'argent, Nelly. Qu'on en parle sérieusement.

Elle éclata d'un rire perlé, très gai.

— Ne dis donc pas de bêtises et allons manger, mon loup va se dessécher.

— Béatrice s'en occupera, attends une seconde.

Tendant les mains vers elle, il la prit par la taille et l'attira à lui.

— Je tiens à ce que nous ayons une bonne fin de vie toi et moi, chuchota-t-il. Je ne suis pas un artiste enfermé dans sa tour d'ivoire, je peux m'occuper de la réalité aussi. En cas de besoin, peut-être que... que j'arriverais à m'y remettre. Tu sais, je n'ai pas de problème d'inspiration, ce sont mes mains qui me font souffrir. Les rhumatismes, tu comprends ? Mais je ne veux pas pour autant devenir la dernière roue du carrosse, ici. Le vieux qui ne fait plus rien mais qu'on préserve, épargnez-moi ça !

Comme chaque fois qu'il énonçait une vérité, il l'accompagnait d'un mensonge. Il avait tellement menti, et depuis si longtemps !

— Ne t'inquiète pas, dit-elle à voix basse, tu es toujours l'essieu du carrosse.

De manière inattendue, un souvenir s'imposa à Max. Nelly toute jeune fille, vêtue d'une robe d'été à fleurs, plantée au milieu de son petit atelier parisien. Belle à ravir avec ses grands yeux si clairs et son allure un peu exotique, car elle n'avait pas du tout l'air d'une Parisienne. *Ma princesse russe*, l'appelait-il alors, et il la présentait ainsi à ses amis. Il était fou amoureux. D'elle, et aussi de la pierre qu'il taillait avec tant d'aisance. Il avait fait d'elle un buste admirable, qu'elle regardait la bouche ouverte, émerveillée. À cette époque-là, la vie de Max flamboyait, un grand feu de joie qui aurait pu durer toujours mais n'était plus désormais qu'un tas de cendres.

Des deux mains, Nelly était en train de le recoiffer, rejetant ses cheveux en arrière.

— Il faut que tu ailles chez le coiffeur avant de partir à Paris. Tu t'en vas bientôt ?

— Lundi prochain, je pense. J'ai beaucoup de gens à voir, ce sera un voyage constructif.

— Je n'en doute pas. Viens, maintenant.

Au même instant, la porte de la cuisine s'ouvrit, découpant un rectangle de lumière dans la nuit.

— Je rêve ! s'esclaffa Dimitri. Vous flirtez dehors ?

Il s'avança et sa haute silhouette projeta une ombre immense devant la maison.

— Et quand bien même ? riposta Max. Tu nous trouves trop vieux pour ça ?

— Oh que non… À mon avis, il n'y a pas d'âge pour l'amour. Pas d'âge, pas de logique, pas même de simple bon sens.

— Si tu avais connu ta mère à vingt ans, tu serais tombé amoureux d'elle. Je crois bien que tout le monde l'était, mais c'est moi qui l'ai eue ! Et toi, mon garçon, tu t'y mets quand ? Tu aimes les femmes, au moins ?

— Et quand bien même ? railla Dimitri en l'imitant. Allez, on se met à table. D'ailleurs, il commence à faire froid dehors.

Sourire aux lèvres, il s'effaça pour laisser entrer ses parents.

*
* *

Daphné referma la porte puis s'y adossa, très soulagée. Son mal de tête était passé grâce à la gentillesse de Jean-François qui lui avait apporté des bouchées vapeur de chez le traiteur chinois. Ils avaient bavardé en grignotant au pied du lit, bu un verre de bon bordeaux, puis fait l'amour sagement. Mais malgré le plaisir qu'elle y avait pris, Daphné ne tenait pas à ce que Jean-François dorme là et elle s'était débrouillée pour qu'il parte.

Elle alla jeter les emballages et les baguettes à usage unique dans la poubelle de la kitchenette. Son studio était trop petit pour supporter le moindre désordre, mais, même bien rangé, elle n'arrivait pas à s'y plaire. Pourtant, elle se revoyait battre des mains lorsqu'elle l'avait visité la première fois. Elle comptait alors louer le magasin, qui lui convenait parfaitement, et l'opportunité de ce logement, situé tout en haut de l'immeuble, l'avait comblée. À ce moment-là, elle n'avait que vingt et un ans et la ferme intention de prendre son existence à bras-le-corps. Ses débuts de caviste n'avaient pas été évidents, loin de là, mais la rencontre avec Ivan avait aplani bien des difficultés. Plus âgé qu'elle, il connaissait déjà le monde du vin, toutes leurs discussions tournaient autour des crus et des viticulteurs. Lorsqu'ils étaient devenus amants, ils avaient pris l'habitude de dormir chez lui, où ils disposaient de deux grandes pièces, et, une fois mariés, ils s'étaient partagés entre l'appartement d'Ivan et La Jouve, où ils montaient souvent. Un temps, Daphné avait sous-loué le studio à des étudiants, mais elle avait connu pas mal d'ennuis avec eux, et finalement l'endroit était resté vide. Après la mort d'Ivan, elle avait pu y trouver refuge. Toutefois, elle avait tant pleuré entre ces quatre murs qu'elle s'y sentait toujours un peu triste. Elle avait bien essayé de donner congé à son propriétaire, mais le magasin et le studio se trouvaient sur le même bail, indissociables. Alors elle avait repeint les murs en jaune, changé la moquette, installé un comptoir avec des tabourets de bar pour séparer la kitchenette du séjour. L'ensemble était plus chaleureux ainsi, néanmoins elle l'habitait toujours à contrecœur.

Sous la douche, son ecchymose se rappela douloureusement à elle. Quel abruti, ce gamin ! Qu'espérait-il lui prendre en venant la braquer ? La plupart des clients payaient par carte bancaire ou par chèque, dans la caisse il devait y avoir à peine deux cents euros. Mais c'était son argent, elle se démenait pour le gagner, elle l'avait défendu bec et ongles. Ne devrait-elle pas songer à une alarme, comme Dimitri l'avait suggéré ? Elle pouvait au moins se renseigner sur le coût de l'installation, peut-être moins onéreuse qu'elle ne le supposait. En tout cas, pas question d'emprunter un seul euro, et sûrement pas à Dimitri.

Dieu qu'elle avait pu sangloter sur son épaule, quelques années plus tôt… Le jour du drame, elle avait cru qu'elle ne s'en remettrait jamais, qu'elle allait mourir elle aussi, incapable de se résigner à la mort de son mari. Une mort si brutale et si stupide qu'elle en était inacceptable. Des heures durant, Dimitri l'avait bercée comme une enfant. Par la suite, il s'était constamment montré affectueux et protecteur, affirmant qu'elle pouvait compter sur lui.

— Pas au point de lui demander du fric pour mes travaux ! claironna-t-elle en se séchant les cheveux. J'ai beau être ric-rac, mon compte n'a pas sombré dans le rouge. Je verrai ça avec la banque.

Sauf que, la banque, c'était Vladimir, car tous les Bréchignac, elle comprise, étaient clients de son agence. Elle se mit à rire, sa mélancolie soudain envolée, et fila se lover sous sa couette. Bien calée contre les oreillers, elle eut enfin une pensée pour Jean-François. Si la soirée avait été bonne, excellente même, elle ne se sentait pourtant pas très amoureuse. Séduite, attendrie, amusée, mais *pas* amoureuse. Pas encore, du moins.

— Et peut-être jamais, hélas !

Faudrait-il encore rechercher un autre homme ? La quête d'une relation durable se révélait usante, cependant Daphné ne pouvait pas rester seule toute sa vie, jeune veuve inconsolable dont l'existence se serait arrêtée à vingt-sept ans. De gré ou de force, avec ou sans passion, elle devait tenter autre chose.

Éteignant sa lampe de chevet elle murmura, comme presque chaque soir :

— Demain, il fera jour…

Cette prière-là, au moins, était toujours exaucée.

*
* *

Béatrice salua les deux employées d'Ève qui partaient, leur journée finie. Dans l'atelier de couture régnait un désordre proche du chaos avec des coupons de tissu à moitié déroulés, des flots de dentelles et de rubans épars, des boîtes débordantes de boutons, des tiroirs ouverts sur des fermetures Éclair, des brandebourgs et des pressions. Partout chatoyaient le satin, la soie sauvage, le velours frappé. Piquées sur des coussinets, des myriades d'aiguilles scintillaient sous les rangées de spots, des ciseaux voisinaient avec des bobines de fil multicolores près des machines à coudre, des aigrettes étaient à moitié fixées sur des chapeaux.

— C'est vraiment la caverne d'Ali Baba ! s'exclama Béatrice.

— Et encore, répliqua Ève, tu n'as rien vu, les filles ont rangé avant de partir. Mais j'adore cette atmosphère d'opulence. Ici, on trouve de quoi tout inventer, on peut réaliser n'importe quel modèle, même le plus fou. Tiens, regarde ce petit bibi, c'est un tambourin sans charme, sauf si j'ajoute un morceau de tulle blanc qui fait voilette comme ça, devant, et qui se termine par un joli nœud derrière…

En quelques instants, Ève fut coiffée d'une chose ravissante, posée de biais sur ses cheveux et ombrant délicatement son regard.

— Très élégant, apprécia Béatrice. Tu as des doigts de fée.

— À côté de maman, je suis empotée. Souviens-toi, elle aurait pu customiser un chapeau avec trois carottes et deux poireaux.

Elles rirent ensemble jusqu'à ce qu'une voix joyeuse les interrompe.

— On s'amuse, on dirait !

Daphné apparut en haut de l'escalier, un sac en papier au bout du bras.

— Je peux me joindre à vous ? À force de voir de gros machos qui essaient toute la journée de me coincer sur tel ou tel cru, telle ou telle année, persuadés qu'un caviste est forcément un homme, je rêvais d'une discussion futile entre filles !

— Tu es la bienvenue, affirma Ève d'un ton enthousiaste.

— Je t'ai apporté du travail. J'ai là deux vestes que je voudrais remettre un peu au goût du jour.

Elle sortit les vêtements du sac et alla les déposer devant Ève qui déclara aussitôt :

— Trop d'épaulettes, pas assez de pinces, des boutons démodés, mais les tissus sont bons. Je peux t'arranger ça pour la semaine prochaine. À condition que tu m'expliques pourquoi tu ne t'en achètes pas carrément une neuve ?

— Disons que ce n'est pas le moment. À vue de nez, la transformation va me coûter combien ?

— Je te ferai un prix, tu sais bien, répondit Ève en souriant.

— Aucune raison que tes employées travaillent pour rien.

— J'ai dit un prix, pas un cadeau ! Viens par ici.

Saisissant un mètre ruban, Ève prit les mesures de Daphné en quelques gestes précis.

— Tu n'es pas bien épaisse, la cuisine de maman ne te profite pas du tout. Diane lirait ces chiffres, les yeux lui sortiraient de la tête. Je passe ma vie à élargir et à reprendre ses jupes, elle fait le yoyo en permanence.

Daphné s'abstint de tout commentaire car elle n'avait pas envie de se moquer de Diane. Elle les aimait bien toutes les trois, Ève, Béatrice et Diane, et ne souhaitait montrer aucune préférence.

— Pour la bleue, décida Ève en installant l'une des vestes sur un mannequin de toile, je transformerais bien le col.

Avec dextérité, elle ajusta quelques épingles.

— Comme ça, c'est mieux, non ?

— Indiscutablement.

— Affaire conclue.

Pendant ce temps-là, Béatrice s'était mise à arpenter l'atelier, curieuse des modèles en cours de réalisation. Arrêtée devant une robe du soir vert émeraude, elle laissa échapper un long soupir.

— Ah, je me damnerais pour la porter...

— Dieu nous préserve, on ne tiendrait plus ton mari.

— Ève !

— Eh bien quoi ? Ne joue pas les oies blanches avec moi, tu as épousé un chaud lapin, ce n'est pas un secret. Certains soirs, Hubert te regarde avec l'air plutôt pressé d'aller au lit. Je me trompe ?

Béatrice éclata de rire tandis que sa sœur venait lui taper dans le dos.

— Mais c'est formidable pour toi, ma vieille. Comme quoi un psychiatre peut s'intéresser à autre chose qu'à la tête. Après quatorze ans de mariage et deux enfants, qui dit mieux ?

— Les parents, figure-toi ! Dimitri a découvert qu'ils s'embrassaient au clair de lune, l'autre soir.

— Papa avait sûrement quelque chose à se faire pardonner. D'ailleurs, il s'en va à Paris la semaine prochaine pour un de ces mystérieux séjours...

Ève se tourna brusquement vers Daphné qui écoutait l'échange en silence.

— Tu y crois, toi ?

— À quoi ?

— À ces déplacements *professionnels*. Que peut-il dire à un directeur de galerie, lui qui n'a rien fait depuis des années ?

— Il est coté, il a un nom. Et il détient un certain nombre d'œuvres inédites qu'il pourrait mettre sur le marché. Peu importe qu'il les ait sculptées hier ou il y a dix ans.

— Tu prends toujours sa défense, protesta Ève.

— Non, pas toujours, mais je l'aime beaucoup.

— Oh, il te le rend bien !

— Je peux l'essayer ? intervint Béatrice qui était toujours en extase devant la robe émeraude.

— Si ça t'amuse, mais je ne vois pas à quel genre d'occasion tu pourrais la mettre.

— On n'a qu'à en créer une, suggéra Béatrice, les yeux brillants.

Les deux sœurs échangèrent un regard qui en disait long sur leur complicité.

— Qu'est-ce qu'on pourrait bien trouver, voyons…, marmonna Ève. Tu as une idée, Daphné ?

— Les deux cents ans de La Jouve, le jubilé de Max ? À quel âge a-t-il exposé pour la première fois ?

— Dis donc, tu es une vraie perle, toi !

Ravie par la proposition, Ève aida machinalement Béatrice à enfiler la robe tout en continuant à s'adresser à Daphné.

— Si on en parle à maman, elle craque, c'est sûr. Le jubilé de papa… Tu te souviens qu'il n'a pas voulu fêter leurs cinquante ans de mariage ? Eh bien, cette fois, on lui fera la surprise et il ne pourra pas y échapper !

— Waouh ! s'exclama Daphné. Tu as vu ta sœur ?

Ève se retourna pour regarder Béatrice à qui la robe allait comme un gant.

— Tu es splendide, chérie. Bouge un peu qu'on t'admire. Franchement, je me demande pourquoi tu t'enterres ici à jouer les Cendrillon.

— Tu voudrais que j'aille parader dans les rues de Montpellier ?

— Je te jure que tu me ferais de la pub. Robes de soirée pour dames de quarante ans et plus, tout un programme. Attention, l'ourlet n'est pas cousu, tu vas marcher dessus.

Le cynisme d'Ève, qui ne ménageait jamais personne, finit par faire sourire Daphné malgré elle.

— Vous voulez vraiment inventer une fête, les filles ?

— On ne parle jamais en l'air chez les Bréchignac. Toi qui es du clan, tu devrais le savoir. À propos de savoir quelque chose, quand vas-tu nous donner des détails, croustillants de préférence, sur ton nouveau copain ?

— Il n'y a pas grand-chose à raconter pour l'instant.

— Round d'observation ?

— À peu près.

— Ma récréation est finie, déclara Béatrice qui se rhabillait, il faut que j'aille aider maman pour le dîner.

— Elle s'en sortira sans toi.

— Je ne tiens pas à ce que les enfants la fassent tourner en bourrique.

— Même s'ils le voulaient, fit remarquer Daphné, je ne crois pas qu'ils y parviendraient. Nelly a du caractère.

— Sauf avec papa. Qui, lui, se contente d'avoir *mauvais* caractère.

Béatrice traversa l'atelier d'un pas pressé mais, en haut de l'escalier, elle se retourna pour lancer à sa sœur :

— Je me suis toujours demandé pourquoi tes mannequins de toile n'ont qu'un seul pied ?

— Pour les empêcher de s'enfuir. Tu ne voudrais pas que je leur dessine des yeux et une bouche, aussi ?

Le rire de Béatrice résonna tandis qu'elle dégringolait les marches.

— Je t'aide à éteindre et à fermer ? proposa Daphné à Ève.

— Volontiers. Il va y avoir un apéritif sympa puisque tout le monde est là. Enfin, à condition que Dimitri émerge de son labo… Je sais qu'il est en pleine période de recherche, mais je le trouve sombre, ces jours-ci.

— Et très moralisateur. Je ne devrais pas m'arrêter sous un arbre les soirs d'orage, je devrais m'équiper d'une alarme au magasin, je devrais troquer ma Mini contre une vraie voiture…

— Ta Mini rouge ? Oh, non, elle est géniale ! Mais évidemment, pour un homme de la taille de Dimitri, ça ressemble à une boîte à chaussures.

— Je devrais me remarier, aussi.

— Il est mal placé pour donner ce genre de conseil.

— C'est vrai qu'il est très discret sur sa vie privée… Exactement comme toi.

— Rien à voir. Je suis obligée de me préserver parce que je vis ici. Pas lui ! Quand je descends à Montpellier pour faire des achats ou pour dîner au restaurant avec des amis, il m'est arrivé de le croiser en compagnie de très jolies femmes, mais jamais la même. Je suppose qu'il les emmène ensuite chez lui ? Il a un bel appartement, il peut y recevoir à sa guise, ce qui n'est pas mon cas.

— Pourquoi ne prends-tu pas un studio en ville ?

— Pour ne pas payer de loyer, cette blague ! Quand j'en ai envie, une chambre dans un hôtel confortable me revient moins cher.

Ève vérifia que les machines à coudre étaient débranchées, puis elle commença à éteindre. Daphné traversa l'atelier pour en faire autant. Au-dessus des grandes tables où s'étalaient des patrons, les tubes de néon projetaient une lumière proche de celle du jour, cependant, quand tout fut plongé dans la pénombre, l'atmosphère chaleureuse de l'atelier disparut. Les silhouettes des mannequins de toile avaient même quelque chose d'inquiétant.

— Vu comme ça, on se croirait presque dans l'antre de Max, fit remarquer Daphné.

— Ah bon ? Je n'y mets jamais les pieds.

Elles se rejoignirent en haut de l'escalier où brillait la dernière lampe.

— À ton avis, Daphné, on a tort de vivre tous ensemble ici ?

La question, posée sur un ton désinvolte, semblait néanmoins contenir un peu d'angoisse, ce qui incita Daphné à prendre son temps pour répondre.

— Tort ? Je ne sais pas… Bien sûr, de nos jours, il faut absolument être chacun chez soi, dans son petit habitat personnel, pour prétendre à la normalité. Autonomie, indépendance, maturité, Hubert nous expliquerait tout ce fatras, sauf qu'il est le premier à se plaire chez ses beaux-parents. Est-ce que ça te pèse, à toi ?

— Non, admit Ève. Il y a tellement de place ! Et tous ces bâtiments seraient à l'abandon si on ne travaillait pas à La Jouve. En ce qui me concerne, je n'imagine pas un local pareil à Montpellier, ce serait ruineux. Même Dimitri est revenu bosser à la maison parce qu'il a pu s'y installer un labo de cent mètres carrés. Dans cette formule communautaire, chacun trouve son compte, au moins sur un plan professionnel. Mais, parfois, j'ai l'impression que les gens me prennent soit pour une ado attardée qui vit encore chez papa-maman, soit pour une profiteuse.

— J'étais persuadée que tu n'avais strictement rien à faire de ce que pensent les gens, répliqua Daphné.

— Exact. À une ou deux exceptions près.

Comme elle ne précisa pas lesquelles, Daphné comprit qu'il s'agissait d'une de ses très rares allusions à sa vie privée. Elles avaient le même âge, trente-cinq ans, celui de toutes les questions cruciales pour une femme. Jusqu'ici, Ève n'avait pas jugé bon de se confier à quiconque au sein de la tribu Bréchignac, où tout semblait pourtant permis. D'après ses frères et sa sœur, elle cultivait son goût du mystère depuis l'enfance. Même à ce moment-là, elle n'amenait pas ses camarades de classe à la maison. Secrète, solitaire, elle travaillait beaucoup et sortait souvent, sans jamais préciser à quoi elle occupait ses soirées. Longtemps, elle avait prétendu que son modèle était Dimitri, le premier à avoir quitté La Jouve pour aller travailler à Grasse durant quelques années, mais finalement Dimitri était revenu et Ève jamais partie.

Dehors, un petit vent frais s'était levé, qui les fit frissonner tandis qu'elles traversaient l'esplanade vers la maison. L'atelier de Max était éteint, le labo aussi, mais Anton avait pensé à allumer les lanternes.

— Nous serons les dernières, constata Ève.

Une seconde, elle renversa la tête en arrière pour regarder les étoiles.

— J'aime cet endroit, ajouta-t-elle à voix basse.

— Il est sûrement magique, renchérit Daphné. Sinon, pourquoi serions-nous là, toi et moi ?

Elle adressa un clin d'œil à Ève avant d'ouvrir la porte de la cuisine.

Le lundi, Maximilien partit pour Paris. Il n'emportait aucun bagage puisqu'il laissait toujours ses costumes les plus élégants et ses chemises les plus neuves dans la penderie de son petit atelier, rue Lamarck.

Comme chaque fois qu'il y retournait, il se sentit extraordinairement bien à peine eut-il franchi le seuil. Dans la grande pièce claire où il avait si bien travaillé, jeune homme, et où il avait tant fait la fête, il retrouvait avec plaisir ses souvenirs de jeunesse. Au fil du temps, il avait pourtant changé le décor. Sur le parquet dépoussiéré et reverni ne subsistaient plus que quatre bustes d'homme sur de hautes sellettes et deux statues de femme sur socle, qu'illuminait le moindre rayon de soleil à travers la verrière. Des œuvres qu'il avait sculptées entre vingt et trente-cinq ans, avant de quitter la capitale, et qui montraient l'étendue de son talent. Pour les protéger, bien qu'elles soient assurées, il avait fait poser une porte blindée et un système d'alarme.

Au fond de l'atelier, un paravent dissimulait le coin cuisine, réaménagé de manière ultramoderne, et une porte conduisait à l'unique chambre prolongée d'une minuscule salle de douche. La qualité des matériaux et les éclairages soignés dénotaient l'importance que Max attachait à ce lieu dont il ne s'était jamais séparé. Il était en quelque sorte redevenu sa garçonnière, mais dans une version plus luxueuse. En fermant les yeux, il pouvait se revoir jeune homme, avec tout son avenir devant lui, et quand il les rouvrait, il mesurait plus ou moins gaiement le chemin parcouru.

Une seule fois, bien des années plus tôt, Nelly avait manifesté le désir d'accompagner Max à Paris, et elle s'était récriée devant les changements, ne retrouvant pas l'atmosphère bohème du passé. Par la suite, elle l'avait laissé y aller seul, exactement comme il le souhaitait.

Cette solitude lui était nécessaire, indispensable. Elle représentait une bouffée d'oxygène loin de La Jouve et de ses bruyantes tablées, et, surtout, elle lui permettait la parenthèse de sa double vie.

À peine arrivé ce lundi-là, il prit une douche puis s'habilla avec soin, mettant un temps infini à choisir une cravate parmi la trentaine accrochées dans le placard. Quand le carillon de la porte se fit entendre, un peu avant dix-neuf heures, il était prêt.

*
* *

— Il va détester ça, prophétisa Dimitri.

— Pas forcément, mon chéri. Votre père a toujours apprécié les choses qui…

Nelly se tut, cherchant une expression adéquate, et ce fut Béatrice qui acheva à sa place :

— … qui le flattent.

— Mais pas venant de nous ! insista Dimitri d'un ton agacé. Si la galerie Saint-Roch ou Art Émoi lui concoctait un grand hommage pour son jubilé, là il serait tout sourire… Non, je vous assure, il aura l'impression qu'on lui a bricolé un lot de consolation.

— Alors, intervint Vladimir, il faut voir les choses autrement. En faire une fête amicale où seront présents tous les gens qui l'aiment et qui l'admirent. Un grand truc chaleureux, gai, informel.

— Comme si on voulait lui souhaiter son départ à la retraite, c'est ça ?

— Quel rabat-joie tu peux faire, Dimitri ! lâcha Daphné de l'autre bout de la cuisine.

— Ah bon ? Je me demandais seulement si vous voulez lui faire plaisir à lui, ou avoir un prétexte pour vous amuser.

Ève leva les yeux au ciel et apostropha son frère :

— L'idée est de le flatter. Parce que, Béatrice a raison, papa a été beaucoup encensé dans sa vie, mais aujourd'hui il n'y a plus grand monde pour le faire et ça doit lui manquer.

Peu convaincu, Dimitri esquissa une grimace dubitative.

— Peut-être… Pourtant je continue à croire que c'est une mauvaise idée.

— Je ne suis pas d'accord avec toi, déclara Hubert. Maximilien a envie qu'on se souvienne de temps en temps qu'il est, ou au moins qu'il a été, un grand artiste. Comme nous savons tous qu'il ne fait plus rien, on évite scrupuleusement le sujet, ce qui revient à l'ignorer, à le mettre à l'écart, et il n'est pas dupe. Quand il s'enferme dans son atelier, il prend l'attitude d'un gosse qui va bouder.

— Je ne pense pas qu'il boude, dit Nelly, mais plutôt qu'il se désespère.

— Et tu imagines qu'un grand raout lui rendra la joie de vivre ?

— Bon sang ! s'exclama Daphné, c'est quoi ton problème, Dimitri ? Le jubilé, j'ai lancé ça en plaisantant, mais après réflexion on y a vu le moyen de faire plaisir à ton père. Maintenant, si ça doit devenir une affaire d'État…

Sur le point de répliquer, Dimitri se contenta de hausser les épaules.

— Si on prévoit vraiment une grande nouba, je me mets au régime dès ce soir, annonça Diane.

Sa plaisanterie détendit l'atmosphère et Vladimir en profita pour déboucher les deux bouteilles de vin blanc apportées par Daphné.

— Ce condrieu devrait être un régal, précisa la jeune femme.

— J'aimerais que tu viennes les mains vides, ma jolie, soupira Nelly. Max serait là, il te gronderait.

— Arrête de vider ta cave pour nous, ajouta Dimitri, sinon ton comptable finira par croire que tu bois ton fonds de commerce.

Il espérait la faire sourire mais n'obtint qu'un regard froid. Prenant l'une des deux bouteilles, il alla la servir.

— Eh bien quoi, Daphné, tu perds ton humour ?

— Et c'est toi qui dis ça ! En ce moment, Dimitri, tu es gai comme une porte de prison. Tu as des soucis avec ton parfum ?

— Non... Chercher est parfois un peu anxiogène mais toujours exaltant.

Après avoir trinqué avec elle, il savoura une gorgée.

— Il est ample, apprécia-t-il, et très singulier. Une note de violette, une pointe de confiture d'abricots. Je me trompe ?

À la manière dont elle le dévisagea, il comprit qu'il venait de se montrer maladroit. Même si tous les arômes avaient pour lui quelque chose de familier, la connaissance des vins avait été le domaine d'Ivan, et c'était aujourd'hui celui de Daphné. Un territoire sur lequel il ferait mieux de ne pas s'aventurer.

— Je n'utilise peut-être pas les bons mots, dit-il pour se racheter.

— Bien sûr que si !

À présent, elle semblait exaspérée.

— Tu m'en veux pour cette histoire de fête ? Vous pouvez organiser ce que vous voulez, de toute façon je suis le seul de mon avis contre une écrasante majorité.

Levant la main, il attira l'attention de Vladimir.

— À quelle date envisage-t-on ce jubilé ?

— Daphné t'a convaincu, ça y est ? railla son frère. Eh bien, si tout le monde est d'accord, on le fera en novembre.

— Sa première exposition à Paris a eu lieu le 22 novembre 1959, expliqua Nelly. Il avait vingt-trois ans et on venait juste de se marier. Je me souviens que je n'en revenais pas de m'entendre appeler madame Bréchignac ! Pourtant, j'étais bien l'épouse de ce jeune sculpteur de talent que des tas de gens félicitaient. Quand je dis « des tas de gens », j'exagère, car c'était une toute petite galerie, dans le quartier de Saint-Michel, et on ne se marchait pas sur les pieds le soir du vernissage !

Elle se mit à rire mais, presque aussitôt, elle eut les larmes aux yeux.

— Cinquante ans, ça passe vite, ajouta-t-elle à mi-voix.

Béatrice, qui était la plus proche, la prit par les épaules et la secoua gentiment.

— Ce sera génial, maman, tu vas voir !

— Mais ça risque de coûter très cher ?

— On va tous mettre la main à la poche, ne t'inquiète pas.

Du regard, elle consulta les autres qui acquiescèrent en silence.

— Les perdants paient aussi, glissa Daphné à Dimitri.

— Évidemment.

— Et au prorata de nos revenus respectifs, tu vas le sentir passer.

Abandonnant le buffet sur lequel elle était juchée, Daphné rejoignit Béatrice pour l'aider à mettre le couvert. Durant quelques instants, Dimitri l'observa. Elle n'était pas très aimable avec lui ces jours-ci. Avait-elle remarqué un quelconque changement d'attitude ? Se trahissait-il lorsqu'il s'adressait à elle ? Il ne devait absolument rien laisser deviner de cet étrange sentiment qui le bouleversait désormais. Un sentiment *amoureux*, à détruire de toute urgence. Il n'avait pas le droit de s'intéresser à elle autrement que de manière affectueuse, surtout après avoir tant proclamé qu'il était comme son frère, son ange gardien, son meilleur ami. S'il tentait de modifier les choses, elle risquait de le prendre pour un traître ou un salaud.

Tandis qu'elle s'affairait, de dos, il remarqua les reflets d'ambre de certaines mèches dans sa chevelure, la délicatesse de sa nuque, et puis, plus bas, ses petites fesses rondes moulées par son jean. L'avait-il déjà détaillée de cette façon ? Il s'obligea à baisser les yeux sur son verre. Le condrieu s'était un peu réchauffé mais il le but d'un trait pour se donner une contenance. Il en était donc là, à devoir se surveiller ? Par bonheur, il n'avait jamais eu ce genre de pensées lorsque Ivan était encore parmi eux. Et même après sa mort, il n'avait pas ressenti d'attirance équivoque pour Daphné. Aujourd'hui, il était tout à fait conscient qu'elle avait de jolis seins en forme de pommes, sous son pull.

— Tu n'as pas l'air bien, remarqua Diane qui s'était approchée. Tu ne devrais pas rester enfermé dans ton labo douze heures par jour, c'est malsain.

— Malsain ?

— Tu respires toute la journée des odeurs puissantes qui…

— Mais non, Diane, pas du tout. Je ne fabrique pas de la colle forte, rassure-toi ! Je travaille sur des formules chimiques et je fais assez peu d'essais. Presque toutes les senteurs sont dans ma mémoire, c'est suffisant pour inventer des assemblages sans avoir le nez au-dessus.

— Bon, d'accord, je comprends. Alors dis-moi ce qui ne va pas.

Dimitri haussa les épaules, agacé par la compassion de Diane qui, en bonne infirmière, voyait toujours quand quelque chose clochait chez les autres.

— Juste un peu de fatigue, marmonna-t-il. Et trop de vie de famille ! Je vous adore, mais j'ai aussi besoin d'être seul.

— Tu l'es du matin au soir. Tu n'as même pas déjeuné aujourd'hui. D'ailleurs, tu maigris.

— Tant mieux, je me trouvais trop gros, ricana-t-il.

— Tu plaisantes ?

— Il n'est pas du tout trop gros, il est franchement trop grand ! lança Daphné qui avait dû écouter la fin de leur échange.

Dimitri posa son verre vide sur une desserte, traversa la cuisine et sortit en claquant la porte, laissant les autres stupéfaits.

— Que lui avez-vous dit ? demanda Nelly. Vous devriez le laisser tranquille, il n'est pas à prendre avec des pincettes en ce moment. Max était pareil quand il sculptait.

— C'est ma faute, s'excusa Daphné. Je vais le chercher.

Dehors, la nuit était claire, avec un petit vent froid qui faisait bruire les feuilles des arbres. Au milieu de l'esplanade, Dimitri marchait de long en large, les mains dans les poches. Serrant ses bras autour d'elle, Daphné alla le rejoindre.

— Tu boudes ? Quel ours tu fais ! Tu es grand, bon, ce n'est pas une révélation pour toi. Vous êtes tous des géants dans la famille...

Elle ne distinguait pas ses traits mais elle devina qu'il souriait.

— Viens dîner, ajouta-t-elle, sinon Nelly m'en voudra.

— Personne ne t'en veut jamais, tu sais bien.

— C'est pourtant moi qui t'ai mis de mauvaise humeur ce soir. Tu n'apprécies pas cette perspective de fête en l'honneur de ton père, hein ?

— Aucune importance.

— Ou alors... tu as une peine de cœur ? Oh oui, dis-moi que tu es amoureux !

Il fit deux pas en arrière, secouant la tête.

— J'adorerais ça, poursuivit-elle avec enthousiasme. Te voir pour une fois romantique, séduit, éperdu ! Allez, avoue, il y a enfin une femme qui compte dans ta vie ?

— Non, répondit-il d'une voix rauque.

Il éprouvait un tel malaise qu'il eut envie de fuir, sauter dans sa voiture et rentrer à Montpellier sur-le-champ. Avec son instinct de femme, Daphné avait compris quelque chose, et désormais il allait devoir peser chacune des paroles qu'il lui adresserait, chacun de ses regards.

— Tu es trop curieuse, ma belle, ajouta-t-il plus légèrement.

Pour sa part, il n'avait pas besoin de l'être, il savait très bien comment était Daphné lorsqu'elle aimait. La manière dont elle dévorait Ivan des yeux, dont elle appuyait parfois sa tête contre lui, dont elle lui souriait. Son frère et elle se tenaient presque toujours par la main, restaient physiquement en contact par un geste, un frôlement ou une attitude. Dimitri s'aperçut qu'il avait tout gardé en mémoire, mais dans ses souvenirs ce n'était pas un couple qu'il revoyait, pas son frère, juste Daphné. À l'époque, c'était donc déjà elle qu'il regardait ?

La porte de la cuisine s'ouvrit, loin derrière eux, et Vladimir leur cria gaiement :

— À table !

— On arrive, répondit Dimitri sur le même ton.

Tout ce qui lui restait à faire était de se mettre au diapason de la famille pour la soirée, ensuite il prendrait ses distances, unique moyen de se préserver.

*
* *

Lorsqu'il ouvrit les yeux, Maximilien eut un peu de mal à se souvenir de l'endroit où il était, puis il poussa un soupir de satisfaction en reconnaissant la petite chambre de son atelier parisien. Un rayon de soleil jouait sur le parquet de chêne blond bien ciré, la journée s'annonçait belle. Il se redressa sur son oreiller, passa les mains dans ses cheveux pour les discipliner. Avoir encore une telle chevelure à son âge le flattait, aussi avait-il exigé de son coiffeur, à Montpellier, une coupe très légère.

— Déjà réveillé ? demanda Nathalie en entrant.

Elle portait avec précaution le plateau du petit déjeuner, lourdement chargé. Après l'avoir déposé au pied du lit, elle s'installa sous la couette à côté de Max et se mit à servir le café. Son déshabillé de mousseline rose était un peu démodé mais lui allait bien, laissant deviner des formes encore agréables pour une femme de cinquante-neuf ans. Elle s'occupait beau-coup d'elle, entre instituts de beauté et salles de sport, avait même avoué quelques petites piqûres de jeunesse dans le creux de ses rides. Max s'amusait de ces arti-fices et de la coquetterie qu'elle manifestait toujours lors de leurs rencontres, comme, par exemple, ce léger maquillage de ses yeux sans doute appliqué dès son réveil. Il la regarda beurrer un toast avec soin, attendit qu'elle le lui tende.

— Merci, ma chérie.

Il l'appelait ainsi depuis le début, de peur de se tromper entre les prénoms trop proches de Nelly et Nathalie. Ce qui était bien l'unique similitude entre les deux femmes ! D'ailleurs, pour autant qu'il s'en souvienne, jamais Nelly ne lui avait monté son petit déjeuner au lit.

Alertée par le claquement sec du grille-pain, elle se releva pour aller chercher de nouveaux toasts tout chauds.

— Attends un peu, dit-il en tendant le bras pour la retenir.

Il la prit par la taille, la retourna, souleva le dés-habillé pour la regarder.

— Max..., minauda-t-elle, ravie.

La veille, leur étreinte avait été brève, un peu bâclée parce que Max était fatigué et craignait de ne pas y arriver. Ce matin, il se sentait plus en forme, mais il avait tout son temps et comptait en profiter. Il lui donna une petite tape affectueuse sur les fesses avant de la laisser partir, se délectant par avance de la mati-née qui les attendait. Lorsqu'elle revint, il lui demanda avec un grand sourire :

— Parle-moi un peu de notre fille, veux-tu ?

— Elle va très bien et m'a chargée de t'embrasser, comme toujours. Auras-tu le temps de la voir cette fois-ci ?

— Invite-la à déjeuner si elle est libre, proposa-t-il. Je vous emmènerai manger des fruits de mer dans une bonne brasserie.

Aux anges, Nathalie se précipita sur le téléphone pour appeler leur fille. Celle-ci, moins arrangeante que sa mère, ne bouleverserait peut-être pas son programme de la journée dans le seul but de se retrouver à table avec Max. Elle lui en voulait de n'avoir jamais été reconnue, de ne pas porter son nom. Partagée entre admiration et rancune, sa relation avec ce père fantôme lui posait des problèmes depuis l'enfance. Max, lui, s'en accommodait. Par chance, Nathalie ne lui avait créé aucun ennui, sa nature docile avait facilité leur longue liaison secrète. Sa seule exigence avait été d'avoir un enfant de Max, un enfant qui demeurerait caché mais qui remplirait sa vie solitaire. En cédant, Max s'était bien rendu compte qu'ils agissaient comme deux grands égoïstes, Nathalie et lui, néanmoins il tenait à conserver cette maîtresse pulpeuse et docile qui ne demandait qu'un bébé pour pouvoir accepter tout le reste.

— Elle ne peut pas se faire remplacer, annonça piteusement Nathalie après avoir raccroché. Mais elle est désolée, tu penses bien ! En tout cas, moi, j'accepte ta proposition, je rêve d'une bonne douzaine d'huîtres.

— Viens là, dit-il en tapotant l'oreiller à côté de lui. On a bien le temps de penser au déjeuner.

Non seulement elle s'était un peu maquillée, mais elle avait dû mettre une goutte de parfum derrière ses oreilles. Une senteur fleurie et musquée dont il raffolait. Il faudrait qu'il pense à se renseigner auprès de Dimitri sur le pouvoir érotique des parfums.

Pas Dimitri, non, mauvaise idée. Son fils était beaucoup trop malin pour qu'on puisse lui poser ce genre de question de façon anodine. Il voudrait en savoir davantage, et son humour était parfois mordant. D'ailleurs, Max parlait peu avec ses fils, il préférait discuter avec ses filles, avec les femmes en général. Depuis toujours il était ce qu'on appelle un *homme à femmes*, et il s'en trouvait très bien.

— Tu es tout rêveur, remarqua Nathalie de sa voix douce.

Pourquoi songeait-il à sa famille quand il était avec sa maîtresse ? Il ne lui consacrait que quelques journées par an, dont elle savait se satisfaire, en conséquence elle avait droit à toute son attention dans ces moments-là.

— J'ai des amis à voir, des gens à rencontrer ce soir et demain, annonça-t-il pour justifier sa distraction. Mais en attendant, tu es tout à moi...

Il l'attira à lui et chercha dans son cou cette odeur qui l'excitait tant.

4

Daphné avait lu jusqu'à deux heures du matin, incapable de s'endormir, puis avait fini par sombrer dans
un sommeil agité. À cinq heures, elle se réveilla en
sursaut, émergeant d'un cauchemar. Elle était trempée
de sueur, et des larmes semblaient avoir collé ses pau-
pières.

— Oh, Ivan…, chuchota-t-elle.

La vision était encore si présente dans sa tête
qu'elle se redressa d'un bond, ses genoux repliés
contre elle. Dans ce rêve affreux, qu'elle faisait parfois, elle voyait son mari basculer d'un pont, d'une
falaise ou d'un toit. Le décor n'était jamais celui de
La Jouve, et durant l'interminable chute qu'elle sui-
vait en hurlant mais dont elle ne voyait pas la fin,
une atroce angoisse finissait par lui couper le souffle.

Elle s'obligea à respirer lentement, puis elle alluma
sa lampe de chevet, prit la bouteille d'eau et but à
longs traits. Autour d'elle, la grande maison était silen-
cieuse, tout le monde dormait. Le seul bruit était celui
du vent sifflant dans les cheminées et faisant battre
un volet mal calé. Daphné aimait cette chambre au
papier peint un peu défraîchi, aux meubles agrémentés
de dessins au pochoir, au tapis usé. Un endroit où elle
avait été très heureuse. Presque chaque week-end, à

l'époque de leur mariage, Ivan et elle montaient à La Jouve pour le plaisir de retrouver l'ambiance familiale, les joyeuses tablées, les jeux de société dont on changeait les règles avec de grands éclats de rire, les siestes langoureuses derrière les persiennes.

Bien sûr, elle aurait pu prendre ce lieu en horreur, Ivan s'étant tué ici, mais, de façon paradoxale, elle restait attachée à La Jouve. Elle s'y sentait aimée et en sécurité, elle y retrouvait des souvenirs qu'elle ne voulait pas oublier. Et pour elle qui n'avait pas de famille, hormis ce père qui s'était si peu occupé d'elle, les Bréchignac représentaient ses véritables attaches. Ils l'avaient adoptée puis gardée auprès d'eux, l'entourant d'une affection exubérante mais solide. Où serait-elle mieux qu'ici lorsqu'elle avait du vague à l'âme ?

Elle se leva, enfila sa robe de chambre. Inutile d'espérer se rendormir maintenant, autant descendre se faire un bon café. En passant devant les portes, tout le long du couloir, elle marcha sur la pointe des pieds afin de ne réveiller personne. Au niveau du palier, elle eut une ultime pensée pour Ivan. Après le drame, toutes les rampes et balustrades avaient été surélevées par Anton qui s'était donné un mal de chien, néanmoins chacun avait pris l'habitude de descendre du côté du mur, comme si le vide de la cage d'escalier restait terrifiant. Cet accident ne s'expliquerait jamais, ils avaient épuisé toutes les hypothèses, et plus personne ne voulait en parler. Les gendarmes eux-mêmes avaient conclu à une distraction, une affreuse malchance, peut-être un vertige, bref une explication rationnelle pour une chute absurde.

Huit ans s'étaient écoulés depuis le jour de sa mort. Et ce temps avait apporté l'apaisement, Daphné s'en rendait compte. À part les cauchemars qui ravivaient le chagrin de façon aiguë mais ponctuelle, elle avait retrouvé la paix et se sentait prête à refaire sa vie. Alors pourquoi aucun homme ne parvenait-il à l'intéresser pour de bon ? Pas assez de rencontres ? Entre ses semaines à La Cave de Daphné et ses week-ends familiaux à La Jouve, elle n'avait guère l'occasion de nouer de nouvelles relations. Dans un roman, un beau jeune homme subjugué serait venu lui acheter chaque jour une bouteille différente et elle aurait attendu sa venue le cœur battant, mais dans la vraie vie aucun de ses clients ne lui inspirait le coup de foudre. Même Jean-François, avec qui elle passait d'agréables soirées, était appelé à disparaître de son existence, car elle n'éprouvait pour lui qu'une sympathie vaguement affectueuse.

Dans la cuisine, elle alluma toutes les lumières et brancha le four pour avoir un peu de chaleur. L'automne était bien installé à présent, avec des nuits fraîches et des journées maussades. En attendant que le café soit prêt, elle regarda autour d'elle avec plaisir. Le décor familier de cette immense cuisine la séduisait toujours. Pièce à vivre, cœur de la maison, on ne pouvait qu'y être à l'aise. Là régnait le gentil fouillis des Bréchignac, augmenté de toutes les toquades de Nelly pour un meuble ou un ustensile. L'influence du Midi s'y faisait sentir avec des rideaux et une nappe en toile de Cerdagne aux couleurs vives, ou encore des bouquets de lavande et de chardons séchés dans des poteries artisanales. Mais il y avait aussi la collection de samovars de Nelly exposée dans la crédence et, sur les murs, soigneusement encadrées, quelques affiches des années folles qui avaient autrefois orné le premier atelier de couture parisien, celui de la mère de Nelly.

Daphné emplit un bol de café fumant avant d'aller s'asseoir tout au bout de la table, au plus près du four. Elle réprima un frisson et resserra la ceinture de sa robe de chambre. Chauffer une maison de cette taille n'était pas une mince affaire, d'autant plus que les huisseries, trop vieilles, laissaient passer les courants d'air. En hiver, Max ou Vladimir se chargeaient d'entretenir une flambée dans la grande cheminée qui, le reste du temps, était fermée par une trappe.

La porte donnant sur l'extérieur s'ouvrit à la volée derrière Daphné qui sursauta, renversant un peu de café sur son menton.

— Ah, c'est toi ! s'exclama Dimitri. Je me demandais pourquoi la cuisine était allumée. J'ai vu ça des fenêtres du labo…

Vêtu d'un col roulé et d'un jean noirs, il ne s'était pas rasé, et peut-être même pas couché.

— Tu travailles à cette heure-ci ? s'étonna-t-elle.

— Une insomnie. Comme toi, j'imagine.

Il arracha une feuille au rouleau d'essuie-tout pour la lui présenter d'un air narquois.

— Tiens, un bavoir, tu as du café dans le cou.

— Tu m'as fait peur, figure-toi ! Tu n'entres pas dans une pièce, tu défonces carrément la porte.

Ignorant la remarque, il désigna la cafetière.

— Je peux me servir ou il est réservé à ton usage personnel ?

— Je t'en offre.

— Merci !

Il emplit un bol puis vint s'asseoir en face d'elle, sur l'autre banc.

— Je progresse mais ce n'est pas encore ça, annonça-t-il avec une grimace.

— Tu cherches toujours le parfum du siècle ?

— À peu près… Mon commanditaire en a les moyens, à condition que je mette au point quelque chose d'exceptionnel, de fracassant, et surtout d'indémodable. Je n'ai pas le droit de me tromper sur ce contrat-là, Daphné. Si je réussis, ça changera mon existence.

Son regard gris était si clair qu'il illuminait son visage. Les yeux russes des Iakov côté maternel, car Nelly avait les mêmes, Vladimir aussi, et Ivan les avait eus.

— Et toi, dit-il d'une voix très douce, tout va bien pour toi ?

Il ne parlait jamais beaucoup de lui, et après cette confidence spontanée à propos de son travail sans doute préférait-il changer de sujet.

— Je crois que je vais prendre quelques jours de vacances.

L'idée venait de lui traverser la tête car, à la question de Dimitri, elle n'avait pas grand-chose à répondre. Oui, ça allait à peu près, ni bien ni mal en réalité, et soudain, elle avait envie de mettre un peu de sel dans sa vie.

— Une plage lointaine, un océan bleu turquoise, et des cocktails à base de rhum qui te font t'endormir sur le sable fin, récita-t-elle d'un ton gourmand.

— Tu attraperas des coups de soleil et tu te transformeras en homard ébouillanté. Après, tu pèleras, ce sera affreux. Mais si c'est pour trouver le prince charmant, lance-toi !

— Je n'attends pas un conte de fées, Dimitri. Je voudrais seulement avoir le cœur qui bat. Pour retrouver cette sensation, je donnerais n'importe quoi.

Il la considéra durant quelques instants avec une expression énigmatique, puis il murmura :

— Tu as bien raison. Amuse-toi, va voir d'autres horizons. Libère-toi un peu de nous.

— Oui, mais pas tout de suite. Octobre est une bonne saison pour le commerce, je suis en train d'écouler une partie de mon stock. En novembre, il va y avoir la fête que nous organisons pour Max, ensuite j'aurai toutes mes commandes de champagne à faire en vue des réveillons, la meilleure période ! Si j'arrive à partir, ce sera plutôt à la mi-janvier.

— Et ton projet d'embaucher un jeune pour te seconder ?

— J'y pense. Il faut que je fasse mes comptes. Tu sais, je ne roule pas sur l'or.

Elle eut l'impression qu'il allait dire quelque chose mais il s'abstint. Dimitri était sûrement celui qui, aujourd'hui, gagnait le mieux sa vie dans la famille. Son appartement, ses vêtements, sa voiture – une superbe Lancia noire qu'il bichonnait –, tout prouvait qu'il était à l'aise financièrement, cependant il ne parlait jamais d'argent. Un jour, Nelly avait déclaré d'une voix vibrante que Dimitri était très généreux. Aidait-il sa famille ? Contribuait-il à l'entretien de La Jouve depuis que Max ne sculptait plus ? Les affaires des Bréchignac étaient assez imbriquées entre l'atelier de couture, le labo, la maison qui abritait trois générations, et la participation de chacun était laissée à son appréciation.

— Au lieu de louer ton commerce à fonds perdus, suggéra-t-il, pourquoi ne songes-tu pas à acheter les murs ? Vladimir pourrait t'arranger un prêt intéressant.

— Pour l'instant, le propriétaire ne veut pas vendre. Et puis, tu imagines mes mensualités ?

— À ton âge, tu peux étaler ton crédit sur vingt ou vingt-cinq ans. Je suis sûr que ça en vaut la peine, Daphné. Parles-en à Vlad, ensuite essaie de convaincre ton proprio avec une offre ferme.

Elle secoua la tête, sceptique. S'endetter sur une aussi longue période l'effrayait.

— J'hésite, mon vieux, j'hésite. Et si, un beau jour, je décidais de quitter Montpellier ?

— Oh, non ! s'exclama-t-il. Enfin, oui, peut-être… Tu feras comme tu veux, mais en attendant, ce serait bête de rester comme l'oiseau sur la branche. Si tu achètes, tu pourras toujours revendre.

Il avait paru contrarié à l'idée qu'elle s'en aille, mais il s'était vite repris, et à présent, il lui souriait.

— Tu es un vrai frère pour moi, dit-elle en tendant la main à travers la table pour la poser sur la sienne.

Bizarrement, le contact dut lui déplaire car il se leva aussitôt et alla chercher la cafetière pour les resservir.

— À cette heure-ci, pas question de se rendormir. Je vais retourner travailler, j'emporte mon bol.

Daphné le suivit des yeux tandis qu'il sortait. C'était un homme charmant, adorable sous son allure de géant au visage taillé à coups de serpe. Pourquoi n'était-il pas marié ? Elles devaient être nombreuses à lui courir après et, dans son métier, les rencontres ne manquaient sûrement pas. Pourtant, jamais, du plus loin qu'elle se souvienne, il n'avait amené une femme à La Jouve. Par désir d'indépendance ? Parce qu'il n'entretenait aucune liaison sérieuse ?

— Comme moi, marmonna-t-elle.

Elle n'allait pas aller se recoucher non plus, toutefois elle pouvait prendre un bain bien chaud dans la vieille salle de bains qui jouxtait sa chambre. La baignoire aux pattes de lion rouillées était grande et elle aurait tout loisir de s'y prélasser tant que les autres ne seraient pas levés. La maison comptait trois salles de bains et une douche, ce qui était à peine suffisant lorsque la tribu Bréchignac se trouvait au complet avec dix adultes et deux enfants.

— Quand Juliette reviendra pour Noël, nous serons treize à table !

Pas une seconde elle n'envisageait de passer les fêtes de fin d'année ailleurs qu'ici. Qu'avait voulu dire

Dimitri en lui suggérant de se libérer et d'aller voir d'autres horizons ? Estimait-il qu'elle n'était pas tout à fait à sa place à La Jouve, qu'elle s'y enterrait ?

Dehors, le jour n'était pas encore levé, et pour l'instant il n'y avait toujours pas un seul bruit dans la maison. Le bain chaud envisagé était décidément une excellente façon d'attendre l'aube. Après avoir mis son bol dans la machine, Daphné quitta la cuisine.

*
* *

Deux heures plus tard, Dimitri tournait toujours comme un tigre en cage dans son laboratoire. Il n'était pas arrivé à se remettre au travail, obsédé par sa conversation avec Daphné. Ainsi, elle rêvait d'avoir le cœur qui bat ! Celui de Dimitri avait battu très fort et très vite pendant qu'elle cherchait des solutions pour rencontrer un homme, évoquant un lointain voyage ou parlant même de quitter Montpellier. Et il n'avait rien trouvé de mieux à lui conseiller que s'éloigner de La Jouve ! Mais, au fond, que pouvait-il faire d'autre ? Voir en Daphné une femme désirable, une femme dont il était tombé amoureux par surprise, revenait à piétiner la tombe de son frère !

Un coup léger frappé au carreau lui fit cesser ses rondes. Il ouvrit la porte et sortit, surpris par le ciel laiteux qui avait remplacé la nuit.

— Salut, vieux ! lui lança Hubert d'un ton jovial. Il paraît que tu as passé la nuit à bosser ? Écoute, si ça t'embête d'aller chercher Max à la gare tout à l'heure, je peux très bien m'en charger. De toute façon, je dois déposer les enfants à Montpellier en fin de matinée, ils ont une compétition de basket avec des copains.

Dimitri se souvint qu'il avait promis de récupérer son père à sa descente du TGV. Le séjour parisien était terminé, et peut-être rapportait-il de bonnes nouvelles de la capitale avec une exposition en perspective ou, par miracle, l'envie de se remettre au travail.

— D'accord, accepta Dimitri. Inutile qu'on fasse tous les deux l'aller-retour. Son train arrive à midi dix.

Il n'avait pas vraiment envie de se retrouver enfermé dans sa voiture avec son père sans savoir quoi lui dire. Ces temps-ci, il y avait une sorte d'agressivité latente entre eux, que Hubert avait peut-être sentie, son métier l'aidant à interpréter les attitudes et à décrypter les silences.

— Très bien, je te laisse, dit Hubert.

Mais il venait de jeter un coup d'œil plein de curiosité par-dessus l'épaule de Dimitri qui, compréhensif, lui proposa d'entrer une minute. Pour lui permettre de mieux voir, il remonta le store à lamelles qui occultait la baie vitrée, et la lumière du jour inonda le laboratoire.

— Quel endroit agréable tu t'es arrangé ! s'exclama Hubert. Et, au moins, tu as toute la place voulue.

Discret, il n'était jamais venu visiter cette pièce depuis les travaux d'aménagement. S'arrêtant devant une longue paillasse carrelée, il contempla les flacons et les éprouvettes.

— Je trouve ça fascinant, ajouta-t-il. À La Jouve, chaque porte de bâtiment que tu pousses te propulse dans un univers différent. L'atelier de couture avec ses machines et ses mannequins, les terrifiantes sculptures de ton père, et puis ici, tout ce matériel de chimiste… Imagine un cambrioleur visitant la propriété de nuit, à la lueur d'une torche, il s'enfuirait en hurlant !

— Tu as de drôles d'idées, fit remarquer Dimitri.

— En fait, enchaîna Hubert, j'aime assez cette notion de ruche. Parce qu'il y a aussi Nelly dans sa cuisine, et Anton qui trafique des trucs improbables dans sa remise. Ce n'est plus une maison, c'est un village que nous habitons. Mais quand tout est endormi, ne serait-ce pas plutôt un décor de théâtre, voire un train fantôme ?

— Je crois que tu es fou, comme tous les psychiatres.

Hubert se retourna, dévisagea Dimitri puis éclata de rire.

— Toi, tu as les pieds sur terre, n'est-ce pas ? Le nez sur une bandelette, peut-être, mais le sens des réalités. Profites-en pour me dire ce qui ne va pas entre Max et toi.

La question était si abrupte qu'elle prit Dimitri au dépourvu. Il n'avait pas imaginé que Hubert aborderait ce sujet de front. Il le pensait moins direct et plus diplomate.

— Rien de grave, répondit-il en pesant ses mots. Papa vieillit, il s'aigrit un peu, son égoïsme se remarque davantage. Pour ma part, j'ai moins d'indulgence qu'avant, ou moins d'admiration.

Hubert hocha la tête, mais ce n'était pas pour acquiescer.

— Sacré menteur, va… Allez, je file, mes fils m'attendent le ballon à la main !

Dimitri referma la porte derrière lui et s'y adossa, sourire aux lèvres. Si Max ne parvenait plus à le surprendre, ce n'était pas le cas de Hubert. Il avait parfaitement compris que Dimitri cachait quelque chose. Quoique le mot « cacher » soit excessif. Néanmoins, huit ans plus tôt, un doute s'était immiscé dans un coin de sa tête, que rien n'avait pu déloger. Certaines remarques d'Ivan à propos de leur père le hantaient toujours. Quelques jours avant sa mort, son frère avait lâché deux ou trois phrases très dures, accusant Max d'égocentrisme et d'inconséquence, toutefois il n'avait pas voulu en dire davantage. Au moment de l'accident, Dimitri avait immédiatement pensé qu'Ivan et leur père étaient en train de se disputer. Ivan s'était-il mis dans une telle colère qu'il s'était penché au-delà de toute prudence ? Mais pourquoi cette fureur de la part d'un jeune homme si calme et si aimable ? Sous le choc du deuil, Dimitri avait repoussé ses interrogations et ses hypothèses à plus tard puis, devant la douleur de ses parents, et surtout devant les abominables statues « éclatées au sol » sculptées par un Max au bord de la folie, il avait enfoui tout le drame au fond de sa mémoire. Le temps avait passé, la vie reprenant ses droits. Dimitri avait soutenu sa mère et Daphné de son mieux. S'éloignant un peu de son père sans en avoir vraiment conscience, il s'était mis à le tenir à distance. À peu près au même moment, sa carrière de formulateur dans la parfumerie de luxe avait pris un réel essor. Il réussissait, gagnait de l'argent, était de plus en plus sollicité, or ce succès semblait agacer Max. Plus Nelly s'extasiait, béate devant Dimitri, plus Max se renfrognait. Craignait-il de ne plus être l'artiste incontesté de la famille, le seul à posséder un talent de créateur ? Quand on disait de Dimitri qu'il avait inventé telle ou telle fragrance sublime, Max bougonnait que son fils n'inventait rien mais trouvait par hasard ou par chance, et que « tout ça » n'était pas sérieux.

Il traversa le labo et alla se réinstaller devant sa paillasse où il travaillait debout. Pas sérieux ? Voire… Il chassa la famille de son esprit, Daphné comprise, et considéra d'un regard aigu la dernière formule qu'il avait écrite.

Nelly laissa retomber ses bras, découragée. L'âge était là, avec ses rides, ses taches, ses fripures inévitables, et quelle que soit la posture prise devant le miroir, elle avait l'air de ce qu'elle était : une vieille dame. Pourtant, aujourd'hui, elle voulait être à son avantage en l'honneur de Max. De nouveau, elle regarda les vêtements pendus dans l'armoire, puis elle choisit résolument une jupe de velours taupe, un pull crème à col boule qu'elle agrémenterait d'une broche, et de jolies bottes marron glacé qu'elle gardait pour ses sorties à Montpellier. En cinq minutes elle fut changée et s'astreignit à refaire son chignon. Avait-elle raison de ne pas teindre ses cheveux ? Ils étaient devenus blancs assez tôt, et Max avait prétendu que ça lui allait très bien. Avec ses yeux gris, son teint pâle, elle avait encore une certaine allure, elle le savait, mais où étaient donc passées la très jolie jeune fille, puis la belle femme mûre qu'elle avait été ?

— Maman ! appela Béatrice depuis le couloir.

Elle entra dans la chambre de sa mère tout excitée, et annonça qu'elle avait mis le turban de poisson dans le four.

— Il faut compter une petite demi-heure pour cuire les filets de julienne, et après il faudra qu'ils refroidissent. Tu me diras des nouvelles de cette recette ! De toute façon, nous serons dans les temps, Hubert et papa n'arriveront pas avant treize heures.

— As-tu planté deux gousses d'ail dans le gigot ?

— Oui, oui, c'est fait, ne t'inquiète pas. Tiens, tu es bien élégante...

Un sourcil levé, Béatrice examina sa mère avant de lui sourire.

— À chaque retour de papa, tu arrives à m'épater.

Nelly se mit à rire et eut un geste insouciant.

— Quand j'étais jeune je savais m'habiller, c'était la moindre des choses pour une couturière, n'est-ce pas ? J'adorais mon métier, et les petites astuces de mode ne s'oublient pas.

Elle accrocha sa broche avec dextérité, puis jeta un dernier coup d'œil dans le miroir.

— Ah, soupira-t-elle, être jeune à Paris… Je regrette que vous n'ayez pas eu cette chance, ta sœur et toi.

— Mais nous étions très bien ici, maman ! J'adore Montpellier, Ève aussi, sinon elle serait partie. En revanche, si ça te manque, pourquoi n'accompagnes-tu jamais papa quand il y va ?

— Je ne crois pas qu'il apprécierait. À Paris, ton père voit des tas de gens, il a conservé des amis et des relations professionnelles, il navigue dans ce milieu artistique qu'il aime, je ne ferais que l'encombrer. Maintenant, descendons, il faut penser au gigot.

Elles gagnèrent la cuisine où Vladimir, Diane, Ève et Daphné s'affairaient à mettre un couvert de fête.

— Vous m'avez pris le beau service ! se récria Nelly.

En fait, elle était ravie de constater qu'ils voulaient tous bien accueillir Max.

— Un déjeuner sans enfants, lança Ève à Béatrice pour la taquiner, on va avoir une paix royale…

— Ils sont toujours sages à table, répliqua sa sœur sans s'émouvoir de la réflexion.

Ève se mit à galoper à travers la cuisine en piaillant :

— C'est Daphniii qui arrive, c'est Daphniii ! C'est pôpa qui rentre de l'hôpital, c'est pôpa !

Béatrice leva les yeux au ciel tout en enfournant le gigot.

— À propos d'arrivée, annonça Diane, voilà la voiture de Hubert.

Trois minutes plus tard, Maximilien entra dans la cuisine, suivi de son gendre.

— Ah, quel plaisir d'être chez soi ! s'exclama-t-il.

Son premier mouvement fut d'aller embrasser Nelly qu'il complimenta sur sa tenue.

— Te voilà bien belle, ma chérie. Et tu as très bonne mine. C'est mon absence qui te repose à ce point-là ? Pour ma part, je suis à plat, Paris est crevant.

— Ce fut un bon séjour ? s'enquit-elle d'un ton enthousiaste.

— Pas mauvais. On me propose une expo qui pourrait être intéressante.

— Magnifique !

— Oui et non. Il faut que je négocie les conditions. Aujourd'hui, les marchands d'art ont de ces prétentions…

— Les statues vont voyager ? demanda Anton. Ça tombe bien, j'ai réparé le portail du fond, Dimitri m'a aidé à le démonter, et maintenant un semi-remorque peut entrer.

Comme toujours, Anton voyait l'aspect pratique des choses. Max lui adressa un sourire, amusé à l'idée que, lors de l'embarquement, Anton marmonnerait devant chaque œuvre : « Sacré truc ! » La perspective d'exposer de nouveau à Paris le flattait mais l'angoissait. Le directeur de la galerie avait évoqué une *rétrospective*. Dans le milieu, tout le monde savait que Maximilien Bréchignac ne faisait plus rien. S'il avait été considéré comme un génie, la chose aurait eu peu d'importance car son œuvre était conséquente, mais il était seulement un artiste de talent dont on attendait encore des progrès à travers de nouvelles créations. Et cette foutue *rétrospective* ne semblait pas susciter l'engouement des professionnels pour l'instant. On n'avait parlé que d'une « bonne idée », d'un projet « intéressant », un critique d'art avec qui il avait dîné s'était même interrogé sur le bien-fondé de cette exposition. De quoi laisser un goût très amer à Max. Néanmoins, personne ne l'avait oublié, il était toujours reçu partout. Et les nuits passées avec Nathalie avaient été de bons moments, comme toujours. Or, à son âge, chaque bon moment était une faveur des dieux.

Il s'installa au bout de la table, présidant comme à son habitude, tandis que les autres prenaient place en désordre. Béatrice posa l'appétissant turban de julienne à côté de lui, fière de sa nouvelle recette dont elle lui offrait la primeur.

— À toi l'honneur, papa !

Debout devant les fourneaux, Nelly l'observait avec bienveillance et il lui rendit son sourire. Il aimait sa femme, peut-être davantage qu'il n'aimait sa maîtresse, et il était réellement heureux d'être rentré à La Jouve. Néanmoins, sa double vie avait fini par le satisfaire, il ne se posait plus de questions à ce sujet. Puisque personne ne souffrait de la situation, pourquoi aurait-il dû s'amputer d'une partie de son existence ? Nathalie l'avait inspiré à une époque, et un certain nombre de statues portaient ses traits et ses courbes. Tout comme Nelly en son temps avait été une muse féconde. Max avait besoin des femmes pour tirer le meilleur du marbre. D'une certaine manière, c'était son excuse.

Dimitri entra discrètement et alla s'asseoir à côté de Vladimir, saluant son père d'un petit signe de la main. Max aurait bien voulu l'interpeller pour cette façon cavalière de dire bonjour, mais les conversations allaient bon train et, penchée vers lui, Daphné lui demandait des détails sur sa prochaine exposition.

— Je me réjouis pour toi, Max ! Est-ce que la date et l'endroit sont déjà fixés ? En tout cas, je ferai le voyage, je ne manquerai ça pour rien au monde. J'en ai marre de voir tes sculptures au milieu de la poussière et mal éclairées.

La sincère admiration de la jeune femme le toucha. Elle était la seule à qui il ouvrait les portes de son atelier, la seule qui pouvait venir y frapper quand ça lui chantait parce qu'elle savait regarder les sculptures. Elle tournait autour, s'attardait, faisait des commentaires inattendus mais toujours pertinents.

— Tu vas exposer ? lui lança Dimitri.

— Peut-être. Je ne suis pas très chaud mais ils insistent.

Et voilà, il mentait d'emblée, poussé par le besoin de briller. Mais depuis des années qu'il se morfondait dans son atelier, devenu une salle de méditation plus qu'un lieu de travail, il avait enfin un dérivatif et comptait l'exploiter jusqu'au bout. « Ils » insistent ? Non, personne ne se traînait à ses pieds, toutefois quel mal y avait-il à le faire croire ? Enjoliver un peu la réalité, et surtout oublier de préciser que la série des statues « éclatées au sol » devait expressément faire partie de la rétrospective. Des statues que nul n'avait revues depuis huit ans et qui suscitaient encore une certaine curiosité. À elles seules, elles justifiaient une nouvelle exposition, un catalogue photo bien léché, une mise en valeur définitive. Mais, bien entendu, pas question de les vendre ! Sauf si… Quel était le prix qu'on pouvait en exiger ?

Le regard insistant de Dimitri, toujours posé sur lui, finit par irriter Max. Qu'est-ce que son fils attendait de plus ?

— Et toi ? lâcha-t-il avec un petit sourire. As-tu enfin réussi à trouver ton...

Pendant qu'il hésitait sur le mot, Anton acheva à sa place :

— Soir de Paris.

Dimitri éclata d'un rire spontané, tonitruant, assez communicatif pour entraîner Vladimir avec lui, puis Diane qui n'avait pourtant pas entendu la réplique. Ève voulut savoir ce qu'il y avait de si drôle, souriant déjà de confiance, tandis qu'Anton s'essuyait les yeux avec sa serviette, gagné par l'hilarité générale.

— S'il te plaît, réussit à lui dire Dimitri, fais-moi cette blague jusqu'à ma mort !

N'étant plus le centre d'intérêt, Max haussa les épaules, puis il attendit que le silence revienne pour complimenter Béatrice sur son turban de poisson.

*
* *

En milieu d'après-midi, Vladimir réussit à entraîner une partie de la famille en promenade, persuadé qu'ils avaient tous trop mangé et qu'une marche dans les bois ne pourrait que leur faire du bien. Max déclina l'offre, se retirant dans son atelier, Nelly déclara qu'il n'était pas question de salir ses jolies bottes de ville, et Anton prétexta des bricolages à finir, mais les autres acceptèrent la balade.

— Pas trop longue, hein ? exigea Hubert. Il faut que je redescende chercher les garçons à sept heures au plus tard.

— De toute façon, la nuit tombe tôt maintenant, on rentrera vers six heures, promit Vladimir.

Il marchait en tête avec la détermination d'un berger

conduisant son troupeau. Dans sa jeunesse, il avait arpenté les bois qui entouraient La Jouve à longueur de week-end. En compagnie de Dimitri, ils avaient même campé ou carrément dormi à la belle étoile quand ils avaient la flemme d'emporter une tente.

— Maman détestait ça, tu la connais, raconta-t-il à Daphné, mais papa disait de nous laisser faire, que sinon nous ne grandirions jamais. Il avait beau être rivé à son marbre, il voyait bien qu'elle était trop protectrice avec nous et ça l'agaçait. Comme nous n'avions que deux ans d'écart, Dimitri et moi, nous en avons profité pour faire les fous ensemble ! Il faut dire que nous étions de petits Parisiens fraîchement débarqués, pas très à l'aise dans la nature. Par chance, Anton est arrivé peu de temps après nous à La Jouve, et il nous a pris en sympathie alors que nous devions être insupportables, à peu près comme Louis et Paul aujourd'hui. Anton nous a expliqué plein de trucs à propos des animaux, des arbres, ce qu'on peut manger ou pas dans la forêt, la façon de faire du feu sans provoquer un incendie…

— Et Ivan ? Vous ne l'emmeniez pas camper avec vous ?

— Il n'avait que cinq ans, Daphné ! J'avais sept ans de plus que lui, c'est une différence énorme quand on est gamin. Moi, j'étais proche de Dimitri, Béatrice d'Ivan, et Ève était toute seule dans son couffin puis dans son parc. On s'entendait tous très bien mais on n'avait pas les mêmes jeux. Et puis assez vite, avec Dimitri, ce sont les filles qui ont commencé à nous intéresser !

— Max était d'accord, je suppose ?

— Oh, oui ! Il nous a acheté nos premiers cyclomoteurs, et il nous donnait un surplus d'argent de poche le samedi soir, avec quelques conseils très crus en prime. Ce qui est drôle car aujourd'hui, il s'inquiète pour sa petite-fille, il ne comprend pas que nous ayons laissé partir Juliette toute seule en Amérique. Un peu plus, il nous traiterait de parents irresponsables, Diane et moi.

Amusée par ces révélations inattendues sur Max, Daphné se mit à rire et trébucha.

— Marche bien au milieu du chemin, lui recommanda Vladimir en la rattrapant par le bras.

Malgré les traits plutôt durs de son visage – mâchoire carrée, joues creuses et pommettes hautes –, il était très gentil, comme tous les hommes de la famille. Daphné se retourna pour jeter un coup d'œil vers Dimitri qui marchait derrière, bavardant avec Ève. Les deux frères se ressemblaient vraiment, même si Dimitri était un peu plus grand, avec des yeux plus clairs encore et plus étirés vers les tempes. Ivan aurait-il vieilli comme eux s'il avait vécu ? Aurait-il eu ces mêmes rides au coin du sourire ? Quelques cheveux blancs au milieu des mèches blond cendré ?

— Et regarde devant toi, ajouta Vladimir, sinon tu vas te prendre les pieds dans une racine.

— Ton frère m'a suggéré d'acheter les murs de mon magasin. À ton avis, c'est une bonne idée ?

Il eut une moue dubitative, choisissant ses mots avant de répondre.

— Avec la crise, je ne sais pas. En ce moment, conseiller aux gens de s'endetter n'est pas très raisonnable, mais tout dépend de la situation. Au fond, la pierre déçoit rarement. Apporte-moi tes bilans comptables, on en discutera à l'agence. Tes affaires sont florissantes ?

— Elles ne sont pas mauvaises. Mais je préférerais embaucher quelqu'un pour m'aider que payer des traites.

— De toute façon, tu paies déjà un loyer.

— C'est vrai… Bon, je t'appellerai pour prendre rendez-vous. Juste pour un conseil, hein ?

— Je ne te forcerai pas la main, sois tranquille. D'ailleurs, Dimitri a beau jeu de te dire d'acheter, il n'a pas de soucis d'argent, il gagne bien sa vie. Remarque, quand il a fait l'acquisition de son appartement, il était davantage sur la corde raide. Parfumeur junior, son salaire n'était pas mirobolant ! Je suis content qu'il ait réussi.

La sincérité de Vladimir ne faisait aucun doute, il savait se réjouir pour les autres.

— Je me demandais, hasarda Daphné prudemment, comment s'en sortent tes parents ? À force de tenir table ouverte, La Jouve doit être un gouffre ?

— Pas tant que ça. On s'arrange.

Diane venait de les rattraper et elle tapa sur l'épaule de son mari.

— Qu'est-ce que vous pouvez bien vous raconter de si sérieux ?

— On parlait d'argent, expliqua Vladimir.

— Oh, mon Dieu ! Un dimanche en forêt ne t'inspire rien d'autre ? Ne te laisse pas faire, Daphné, il est obsédé par sa banque.

— Non, c'est ma faute, je lui pose des tas de questions. Une sorte de consultation gratuite.

— Les conseils d'un banquier sont *toujours* gracieux, précisa-t-il.

— Je ne vois pas comment tu peux accoler ce mot à la finance, ironisa Diane. Vous feriez mieux de ramasser des châtaignes, des champignons, bref de faire un truc bucolique.

Ils s'arrêtèrent pour attendre les autres. Derrière Dimitri et Ève, toujours en pleine discussion, Hubert et Béatrice fermaient la marche, se tenant par la main comme deux amoureux.

— Ils sont trop mignons ! s'esclaffa Vladimir. Personne ne peut les photographier avec un téléphone ?

Diane sortit le sien et s'exécuta, puis elle montra l'image à son mari en claironnant :

— Prends-en de la graine !

— On devrait rentrer en passant par le calvaire, proposa Dimitri.

— C'est un peu un sentier de chèvre, fit remarquer Vladimir. Mais si tout le monde est d'accord, on sera plus vite de retour.

Ils n'avaient pas vu le temps passer, et déjà le jour baissait. En file indienne, ils s'attaquèrent à la montée plutôt raide qui les ramènerait vers La Jouve. Daphné se sentait vaguement nostalgique et s'efforçait de ne pas penser à Ivan, à l'époque joyeuse où elle marchait main dans la main avec lui.

De nouveau, elle trébucha, glissa dans la pente, et fut retenue brutalement par Dimitri.

— Si tu dévales, dit-il en la remettant debout, tu devras tout recommencer. Mais, ma pauvre, tes mocassins ne sont pas faits pour ce genre de grimpette !

— J'aurais dû mettre de gros godillots ? ronchonna-t-elle. Je n'en ai pas, figure-toi. Et puis arrête avec tes conseils, merde !

Elle se dégagea et essaya de grimper dignement devant lui. Consciente d'avoir été injuste, elle s'en voulait déjà. Pourquoi agresser Dimitri, qui ne manifestait que de la gentillesse à son égard ? Trop de gentillesse ! Elle en avait assez de sa compassion, de sa protection, et aussi de l'humour grinçant dont il usait parfois à ses dépens. Une attitude de grand frère, d'accord, pourtant, tout ce qu'elle demandait était qu'on la laisse vivre à sa guise.

Reprenant son souffle, elle ralentit un peu, les muscles des cuisses douloureux. Elle avait envie de se retourner et de s'excuser, mais elle ne voulait pas s'arrêter maintenant, alors qu'ils étaient presque au sommet. Dimitri était-il susceptible ? Coléreux, d'accord, mais pas boudeur, alors sans doute ne se souviendrait-il plus de sa petite réflexion désagréable d'ici la fin de la promenade.

Autour d'elle, les bois s'éclaircissaient en laissant apparaître la plaine. Arrivée en haut de la pente, elle se laissa tomber près d'un des derniers arbres pour s'adosser au tronc. Un peu plus loin, Vladimir et Diane s'étaient assis sur une souche et l'observaient avec un sourire amusé.

— Dure balade, hein ?

Daphné hocha la tête en leur rendant leur sourire, tandis que Dimitri passait devant elle en répondant à son frère :

— Et tu vas voir que ça nous aura ouvert l'appétit !

Sans la regarder, il tendit la main à Daphné et l'aida à se relever. Apparemment, il ne lui en voulait pas, il avait oublié.

— Quand dois-tu revenir de New York ? demanda Vladimir à son frère. On se disait avec Diane que tu pourrais peut-être prendre le même vol que Juliette ?

Étonnée, Daphné leva la tête vers Dimitri.

— Tu fais un voyage aux États-Unis ?

— Oui, début décembre. Juste après votre fameux « jubilé ».

— Tu pars longtemps ?

— Deux semaines, je pense.

Trouvant étrange qu'il n'en ait pas parlé jusqu'ici, et supposant qu'il se déplaçait pour son métier, Daphné n'ajouta rien. Néanmoins, son absence allait créer un vide, elle avait l'habitude de compter sur lui pour sortir certains soirs, voir un film au cinéma ou encore partager une côte de bœuf à la brasserie du théâtre, dans la vieille ville.

— Rapporte-moi deux tee-shirts *I love New York,* demanda Ève.

— Deux ?

— Oui.

— Quelle taille ?

— Small, les deux.

Dimitri avait l'air de s'amuser. Il adressa un clin d'œil de connivence à sa sœur, comme s'il savait très bien ce que signifiait sa requête.

— Je verrai Juliette dès mon arrivée là-bas, dit-il à Vladimir. Si nous pouvons rentrer ensemble, ce sera avec plaisir.

— J'ai tellement hâte qu'elle soit là, soupira Diane.

Daphné savait que Diane se languissait de sa fille, et que peut-être elle regrettait ce choix d'un enfant unique lorsqu'elle voyait jouer Louis et Paul aujourd'hui.

— Veux-tu que je te rapporte quelque chose de particulier ? lui demanda Dimitri.

— Une boule à neige. Tu sais, on la secoue et les flocons retombent sur...

— Sur la statue de la Liberté, par exemple ?

Il se moquait d'elle mais, cette fois-ci, elle n'en prit pas ombrage.

— C'est l'inspiration que tu vas chercher là-bas ? ironisa-t-elle à son tour.

— Pourquoi pas ?

Son sourire énigmatique et charmeur la fit rire.

— Oh, garde tes secrets ! Et, tiens, trouve-moi de la doc sur les vins californiens.

— J'essaierai même de te trouver des échantillons.

Ils se remirent en route afin de ne pas retarder Hubert qui commençait à s'inquiéter de l'heure. Devant eux, au loin, les bâtiments de La Jouve se détachaient sur le ciel sombre. D'ici dix minutes, ils seraient rentrés dans ce grand nid que Nelly rendait si douillet, si chaleureux. Avec un petit pincement au cœur, Daphné songea à la semaine de travail solitaire qui l'attendait au magasin. Aux guirlandes de Noël qu'il faudrait accrocher bientôt, comme tous les autres commerçants de son quartier. Elle se dit qu'elle était soit trop jeune, soit trop vieille, mais que quelque chose clochait dans son mode de vie puisqu'elle n'était pas heureuse.

5

Anton estimait tout à fait stupide d'organiser une fête au mois de novembre alors que le climat du printemps ou de l'été s'y prêtait tellement mieux ! Moralité, il avait fallu louer une énorme tente équipée d'un parquet, des appareils de chauffage, des éclairages, et un groupe électrogène pour alimenter tout ça.

— Je ne vois pas bien comment vous allez pouvoir surprendre Maximilien avec tout ce bazar, ricana-t-il.

— L'entreprise est censée s'occuper de la mise en place, répondit Nelly. Trois employés arriveront le matin avec un camion, et ce sera prêt pour le soir. Si on réussit à éloigner Max toute la journée, il découvrira le décor en même temps que les invités.

— Qui va se charger de lui bander les yeux ?

— Hubert. Figure-toi qu'il a réussi à persuader Max de faire un bilan de santé ! Ils passeront la journée ensemble à l'hôpital, avec au programme une prise de sang, des radios, une échographie cardiaque, mais rien de fatigant, bien entendu. Et on fait d'une pierre deux coups puisque Max ne va jamais voir de médecin.

— Il est malin, ton gendre !

— Pendant ce temps-là, les filles et moi préparerons le buffet.

Nelly avait réussi, en plus de Béatrice, à enrôler

Ève, Diane et Daphné pour l'aider à confectionner des quiches, pâtés en croûte, tourtes, terrines de poisson et autres assortiments de pâtisseries. En se passant de traiteur, l'économie réalisée était substantielle.

— Vladimir se charge des plateaux de fromages et du pain, Dimitri apportera tous les alcools.

— Il les a achetés chez Daphné, j'espère ?

— Évidemment. Chacun met la main à la pâte et la main à la poche. Ils sont formidables, tu sais !

— Et moi ? s'inquiéta Anton. C'est quoi, ma participation ?

— Je ne te demande rien.

— Eh bien, elle est raide, celle-là !

Rouge de fureur, Anton se sentait exclu de la famille, ce qui n'arrivait jamais, aussi Nelly se dépêcha-t-elle de rectifier :

— Tu vas avoir beaucoup de travail supplémentaire. Une fois la fête finie, j'imagine le triste spectacle de la pelouse piétinée, des mégots traînant partout, enfin, tu vois ce que je veux dire.

— C'est mon job, de toute façon, maugréa-t-il. Mais je tiens à payer quelque chose, sinon j'irai me coucher tout droit.

Nelly le dévisagea puis, lentement, son visage s'éclaira d'un sourire.

— D'accord, Anton, d'accord. Il y a encore un poste non pourvu, celui des sodas et jus de fruits. Les gens boivent moins d'alcool de nos jours, surtout ceux qui conduisent, et il faut prévoir des boissons pour eux aussi.

— Marché conclu.

Il allait s'éloigner mais elle le retint par l'épaule.

— Je ne voulais pas te froisser, Anton. Au contraire.

— Je sais bien. Mais j'ai mon salaire, je ne suis pas dans le besoin. Du moment que tout le monde offre quelque chose, moi aussi. Est-ce qu'on dansera, après le dîner ?

— Danser ? répéta-t-elle. Eh bien... Pourquoi pas ? Y a-t-il de quoi faire de la musique ?

— Oui. Ève a une chaîne convenable, et je peux y ajouter mes enceintes. Je verrai ça avec les jeunes, mais je voulais ton feu vert d'abord.

L'expression « les jeunes » provoqua un nouveau sourire de Nelly. Vladimir avait tout de même quarante-sept ans. Et la benjamine, la seule à posséder une *chaîne convenable*, déjà trente-cinq. Elle essaya de se souvenir de l'âge d'Anton. Cinquante-quatre ? Dire qu'elle l'avait connu à vingt ans ! Il était pour elle comme une sorte de neveu ou de filleul, et lui verser un salaire chaque mois n'atténuait pas cette impression de parenté. À partir du jour où il était arrivé à La Jouve, elle l'avait traité en tant que membre de la famille, ce qu'il était devenu en un rien de temps. Au début, la mère d'Anton avait pris de ses nouvelles par téléphone, s'étonnant ouvertement des réponses enthousiastes de Nelly. Celui qui avait été, à Paris, un jeune homme instable et difficile, se révélait aussi agréable à vivre que dur à la tâche, et Nelly remerciait son ancienne employée – qui n'en revenait pas – de lui avoir envoyé un si gentil garçon. Quelques années plus tard, lorsque cette femme était morte d'un cancer, Anton n'était plus allé à Paris pour ses vacances, et il n'avait même plus jugé utile d'en prendre. S'il avait envie d'une escapade, il annonçait un beau matin : « Je m'en vais pour trois jours. » Et il s'offrait une petite virée touristique, jamais bien loin, jamais longtemps. Seule la nature semblait le passionner, et c'était pour explorer les environs qu'il bouclait son sac à dos. Il avait ainsi parcouru au fil du temps les gorges de l'Hérault et tous les sentiers des petites montagnes comme La Fage ou la Seranne, entraînant parfois Vladimir et Dimitri avec lui. Aujourd'hui, un peu usé, il ne bougeait plus guère de La Jouve, excepté certains dimanches de printemps où il filait à Montpellier pour ce qu'il appelait des « thés dansants ». Nelly n'avait jamais cherché à en savoir davantage, persuadée que l'expression recouvrait bien d'autres choses, mais après tout, peut-être qu'Anton aimait vraiment danser...

Le laissant à ses bricolages, elle quitta la remise et traversa l'esplanade en direction de l'atelier de couture. De préférence, elle évitait de s'y rendre afin de laisser Ève tranquille, mais aussi pour s'épargner la nostalgie du bon vieux temps, celui où elle avait monté cet atelier et l'avait fait prospérer. À ce moment-là, elle travaillait d'arrache-pied, Maximilien aussi, et le soir venu, lorsqu'ils quittaient leurs ateliers respectifs pour se retrouver dans la maison avec les enfants, ils étaient pleinement heureux. Du moins Nelly l'avait-elle vécu ainsi. Aujourd'hui, les enfants avaient pris la relève, tout était en ordre, à condition de savoir s'effacer.

Elle s'engagea dans l'escalier de bois un peu raide qu'elle avait si souvent grimpé et, comme par le passé, eut une petite pensée pour les magnanarelles qui avaient élevé des vers à soie sous ces toitures durant des décennies. En entrant dans l'atelier, elle entendit la voix joyeuse d'Ève qui devait téléphoner car, à cette heure-ci, ses employées étaient parties.

— Je me réjouis que tu les connaisses enfin, depuis le temps que je te parle d'eux ! Et aussi que tu voies l'endroit où je vis. J'en profiterai pour te faire visiter tous les recoins de La Jouve... Mais non, n'aie pas peur, c'est l'occasion rêvée... Au milieu de tous ces gens, personne ne te...

Pour ne pas être indiscrète, Nelly se racla la gorge. Ève, qui était assise derrière l'une des hautes tables à tréteaux, leva la tête et se figea en découvrant sa mère. Puis son visage pâlit, se décomposa, ensuite elle referma son téléphone sans avoir pris congé de son interlocuteur.

— Tu étais là ? réussit-elle à dire en se forçant à sourire.

— J'arrive juste. Je voulais discuter avec toi de la journée de samedi. Je te dérange ?

Nelly s'était appliquée à utiliser un ton neutre afin de dissiper le malaise évident de sa fille.

— Pas du tout. J'appelais… une amie.

— Chérie ! Pourquoi te justifier ? Tu peux bien téléphoner à qui tu veux, une ou un ami, qu'est-ce que ça peut me faire ? Oh, mais dis-moi, c'est ravissant, ça…

S'approchant d'un des mannequins, elle détailla d'un œil critique une robe de moire rouge à moitié achevée.

— Tu es douée pour l'élégance, tes clientes doivent t'adorer.

— J'ai beaucoup de commandes pour les fêtes de fin d'année, reconnut Ève avec un sourire. Les filles croulent sous le travail, je vais devoir leur donner une sacrée prime !

Plus détendue à présent, elle désigna un autre mannequin.

— Et celle-ci, qu'en penses-tu ?

— Superbe. Innovante. Où puises-tu tes idées ?

Ève eut un geste vers les nombreux magazines et catalogues ouverts un peu partout sur les tables.

— J'achète toute la presse féminine, surtout en période de collections des grands couturiers. Je m'en inspire, mais je ne copie jamais.

— Tu fais un travail magnifique, estima Nelly qui continuait à se promener à travers l'atelier.

À voir les machines à coudre, les coupons de tissu et les patrons de feutre, elle se sentait vaguement nostalgique mais néanmoins heureuse pour sa fille cadette.

— Chérie, dit-elle en se retournant, si tu veux nous présenter quelqu'un, j'en serai la première ravie. Tu sais que mon rêve est de te voir mariée, te...

— Maman ! s'écria rageusement Ève.

De nouveau sur la défensive, elle toisait sa mère comme une ennemie. Agacée, Nelly haussa les épaules.

— Je ne t'ai rien dit de désagréable, fit-elle remarquer.

— Oh, bon sang, est-ce qu'on va me foutre la paix un jour !

Furieuse, Ève se précipita vers l'escalier qu'elle dévala, laissant Nelly abasourdie. Pourquoi cette colère ? Et cinq minutes plus tôt, au téléphone, pourquoi cette gêne ? Incapable de comprendre, Nelly resta longtemps immobile au milieu de l'atelier, les bras ballants. Ève était quelqu'un de secret, d'accord, mais elle était aussi totalement libre de faire ce qui lui plaisait sans demander l'avis de personne. Si elle fréquentait un repris de justice ou un curé, ça la regardait, inutile de monter sur ses grands chevaux. Quoi qu'il arrive, Nelly s'abstiendrait de juger sa fille et lui donnerait raison. Elle tendit la main vers le haut d'un tailleur en cours de confection, examinant distraitement les boutonnières. Lorsqu'elle était toute jeune fille, on remarquait la bonne ouvrière à ce genre de détail. Un ourlet invisible sur un tissu délicat, une boutonnière discrète, un liseré bien droit. Avec un soupir, elle reposa le morceau de tissu. Elle-même n'aurait jamais osé répondre à sa mère sur ce ton, mais les mœurs étaient différentes aujourd'hui.

Longeant les tables, elle gagna le fond de l'atelier où Ève s'était installé un petit bureau. Souvent, après le départ de ses employées, elle y faisait ses comptes ou rédigeait ses chèques. Était-il possible que sa mauvaise humeur soit liée à des problèmes d'argent ? À cette idée, Nelly se sentit mal. L'arrangement passé entre elles deux mettait-il Ève en difficulté ? Pourtant, en échange de tout l'atelier, machines et fournitures comprises, ainsi que toute la clientèle fidèle, Nelly n'avait demandé à sa fille qu'un pourcentage dérisoire sur les bénéfices. Peut-être devrait-elle y renoncer à présent, et se considérer comme remboursée, même si ce n'était pas vrai. Mais, dans ces conditions, Nelly se retrouverait sans aucune ressource, et d'une certaine manière elle aurait favorisé Ève au détriment de Béatrice.

Perturbée par toutes ces questions, elle se pencha sur le bureau. Avait-elle le droit de jeter un petit coup d'œil aux relevés de banque ? Ce serait très indiscret, mais plus facile que d'interroger Ève. Répugnant à ouvrir les tiroirs, elle se contenta de regarder ce qui se trouvait devant elle : un carnet de commandes ouvert sur une page bien remplie, des factures de fournisseurs, une pile de cartes professionnelles. Et le coin d'une photo dépassant de sous un livre comptable. Malgré elle, Nelly avança les doigts, tira sur le coin. Le cliché n'avait rien d'extraordinaire, on y voyait Ève et une amie se tenant par les épaules, avec la mer en toile de fond. Carnon-Plage ? Palavas-les-Flots ? En tout cas un jour de grand vent car les longs cheveux blonds de l'amie flottaient autour d'elle, une mèche venant frôler la joue d'Ève. Nelly allait remettre la photo en place lorsque, au contraire, elle la rapprocha de ses yeux. L'attitude des deux jeunes femmes exprimait autre chose qu'une simple joie de vivre. À l'évidence, il existait entre elles une grande complicité, ou plutôt une certaine... sensualité. Nelly détailla le sourire alangui de la jeune femme blonde, la manière dont Ève l'enlaçait tendrement, et soudain la vérité lui sauta au visage. Il s'agissait d'une photo de couple, un couple heureux et amoureux.

Durant quelques instants, Nelly resta figée, puis elle lâcha la photo comme si elle était en train de se brûler. Bien plus gênée par son indiscrétion que par sa découverte, elle pensa aussitôt à Max. Comment allait-il réagir en apprenant la nouvelle ? Mais après tout, pourquoi l'apprendrait-il ? Elle n'était pas censée fouiller dans les papiers de leur fille cadette, en conséquence elle ne savait rien, elle ne dirait rien. D'ailleurs, elle ne faisait que supposer, peut-être à tort, et tant qu'Ève ne la mettrait pas dans la confidence elle n'aurait aucune certitude et n'irait pas se répandre en bavardages inconsidérés.

Elle replaça la photo sous le livre comptable, prenant garde que le coin dépasse. Se détournant du bureau, elle observa avec un peu d'effarement l'atelier de couture. Pendant un moment, elle avait oublié où elle se trouvait tant elle s'était projetée sur cette plage. Et, à propos, pourquoi n'allait-elle jamais à la mer ? Elle avait laissé passer tout l'été sans y mettre les pieds pour échapper à l'affluence des vacanciers et des touristes, mais elle y faisait toujours deux ou trois escapades au début de l'automne. Cette année, elle n'y avait même pas songé. Décidément, elle vieillissait.

Contente d'avoir trouvé quelque chose sur quoi fixer son esprit, elle cessa de s'obséder au sujet de la jeune femme blonde, franchement jolie, qu'elle reconnaîtrait sans problème parmi la foule des invités de samedi.

*
* *

Dimitri chargea la dernière caisse dans sa voiture et ferma le coffre.

— Tu crois qu'on boira tout ? demanda Daphné d'un air songeur.

— Nous serons quatre-vingts, et la soirée risque de se prolonger. Anton compte même mettre de la musique pour faire danser les gens, ça risque de leur donner soif !

Haussant les épaules avec fatalisme, il ajouta :

— Si ton carnet de bal n'est pas tout à fait plein, je retiens mon tour.

— Très bien, je te prends au mot pour un rock. Mais un vrai, hein ? Avec des passes acrobatiques et tout. Ou alors un slow langoureux qui nous fera pleurer. En attendant, je dois encore fermer le magasin avant d'aller chercher ma voiture qui est garée au diable. Je te retrouve à La Jouve.

Elle regagna La Cave de Daphné tandis qu'il s'installait au volant de sa Lancia. Pourquoi ne parvenait-il plus à être naturel avec elle ? Durant des années il avait su se montrer spontanément affectueux, alors que, désormais, il se réfugiait derrière l'ironie. Leurs échanges s'en ressentaient, devenant un peu acides. Un mois plus tôt, par exemple, il lui aurait proposé de l'emmener pour lui éviter de courir après sa Mini. Il lui aurait aussi demandé ce qu'elle comptait mettre ce soir. Il se serait penché sur elle pour l'embrasser dans le cou, ce qu'il n'osait plus faire aujourd'hui. Et si vraiment il devait danser avec elle, il serait fichu de la tenir à bout de bras au lieu de la serrer contre lui.

— Pathétique ! Tu es pathétique, mon pauvre…, grogna-t-il.

Jamais il ne s'était montré timide ou emprunté avec une femme. Le jeu de la séduction l'amusait, il savait savourer ses victoires ou accepter ses échecs. Il lui était déjà arrivé d'être malheureux après une rupture, ou parfois soulagé, un certain nombre d'aventures plus ou moins réussies avaient forgé son expérience, mais il n'avait pas eu l'occasion d'affronter une situation aussi ambiguë. Si seulement il avait pu s'éloigner de Daphné assez longtemps pour ne plus y penser ! Hélas, les deux semaines prévues à New York n'allaient pas suffire, à peine rentré il se retrouverait avec elle à La Jouve pour Noël, pour le jour de l'an, pour quasiment tous les week-ends. Alors, quoi ? Fuir Montpellier et sa famille ? S'installer à Paris, changer de pays ? Non, il ne pouvait pas chambouler son existence pour une faiblesse qu'il espérait passagère. Et comme son salut viendrait forcément d'une autre femme, il n'avait qu'à sortir tous les soirs, dire oui à toutes les invitations qu'il recevait, organiser des dîners avec tous ses amis au lieu d'aller seul au cinéma.

Il évita de justesse une voiture qui venait de freiner brutalement devant lui, et il injuria le conducteur en le dépassant. Ce n'était vraiment pas le jour à avoir un accident, surtout avec autant de bouteilles d'alcool dans son coffre. De toute façon, l'idée de cabosser sa précieuse Lancia le faisait frémir.

En arrivant à La Jouve, il découvrit la longue tente blanche qui trônait au milieu de l'esplanade, à peine montée. À l'intérieur, Anton s'activait avec deux inconnus pour terminer l'installation électrique, pendant que Béatrice et Diane commençaient d'installer de la vaisselle sur le buffet. Dimitri déchargea les caisses de vin puis alla garer sa voiture sur le parking préparé par Anton, derrière l'un des bâtiments. Il en profita, au retour, pour fermer à clef son laboratoire.

— J'ai dit à Ève d'en faire autant avec l'atelier de couture ! lui cria Nelly qui traversait l'esplanade, chargée d'un lourd plateau.

Il vint le lui prendre des mains et l'accompagna jusqu'à la tente.

— Mieux vaut que tout soit fermé, ajouta-t-elle, on ne sait jamais ce qui peut se passer dans la tête des gens. Pour ton père, je suis tranquille, sa porte est systématiquement verrouillée. Ah, bien sûr, on aurait dû faire une exception ce soir ! J'avais imaginé qu'Anton pourrait donner un coup de balai et que, avec quelques beaux éclairages…

— N'y pense même pas, l'interrompit-il en souriant.

— Mais c'est bien son œuvre qu'on fête, non ? Et j'ai mon copain du *Midi Libre* qui vient, il espère faire quelques photos, alors toutes ces statues inédites seraient…

— Vraiment, tu rêves.

Déçue, elle repartit vers la maison en se hâtant. Comme toujours, elle se donnait un mal fou pour que son mari soit content, et sans doute avait-elle mille choses en préparation dans la cuisine. D'ici ce soir, elle serait épuisée.

— Que puis-je faire pour me rendre utile ? demanda Dimitri à Béatrice après avoir déposé son plateau.

— Verse la glace pilée dans les grands bacs et mets-y les bouteilles à rafraîchir.

Louis et Paul s'engouffrèrent dans la tente au pas de course, faisant résonner le parquet.

— Et nous ? Qu'est-ce qu'on fait, nous ?

135

— D'abord vous vous calmez, répliqua leur mère, ensuite vous allez chercher les serviettes en papier.

Ils repartirent comme des flèches, dans un grand bruit de cavalcade.

— Je les laisserai veiller ce soir, ajouta-t-elle d'un ton résigné.

— Tu ne peux pas faire autrement, ce serait méchant.

— Ah oui ? Eh bien, je commence à comprendre pourquoi ils aiment tellement leur oncle Dimitri ! Tiens, voilà Daphné... Viens par ici, ma jolie, deux bras supplémentaires ne sont pas de refus.

Vêtue d'un jean usé, d'un gros col roulé et de baskets, Daphné avait l'air d'une gamine. Elle rejoignit les autres, manifestement ravie par toute cette activité.

— On va disposer les tables et leur mettre des nappes, lui proposa Béatrice. Pendant ce temps-là, si Vladimir et Dimitri veulent bien aller chercher les chaises pliantes dans le camion...

— Mais non, c'est affreux ! s'écria Ève qui, à l'autre bout de la tente, contestait la disposition des guirlandes lumineuses. On n'est pas au bal du 14 Juillet, laisse-moi faire.

Docile, Anton ramassa un paquet de câbles électriques et la suivit.

— Elle a toujours de bonnes idées pour la déco, souffla Béatrice à Daphné.

— Moi, je me demande ce que Max va penser de tout ça, dit Diane en déposant un panier de couverts sur le buffet.

— Il a intérêt à apprécier, grogna Vladimir. Avec le mal qu'on se donne !

— Oui, mais tu sais bien comment il est.

— Ronchon ?

— Susceptible, orgueilleux, contrariant, énuméra-t-elle.

— Égoïste, ajouta Béatrice.

— Râleur et méprisant, renchérit Ève.

— N'en jetez plus, la coupe est pleine ! protesta Daphné, toujours prête à défendre Max.

En haut de l'échelle, où elle était juchée pour arranger ses lumières, Ève partit d'un grand éclat de rire communicatif. Anton riait tellement qu'il dut s'asseoir par terre, au milieu de ses câbles.

— Vous n'êtes pas charitables, marmonna Daphné qui souriait malgré elle.

L'arrivée de Nelly les empêcha de poursuivre sur ce thème et ils se remirent au travail. Petit à petit, l'intérieur de la tente prenait bonne allure, mais il y faisait très froid.

— Quand penses-tu brancher le chauffage ? demanda Nelly à Anton.

— Deux heures avant l'arrivée des invités, ce sera suffisant. Ces machins-là pompent une énergie folle.

— Où sont les enfants ? s'inquiéta Béatrice. Ils devaient rapporter les serviettes.

— Pour l'instant, ils goûtent.

— Maman ! Tu les as laissés seuls dans la cuisine ? Je te préviens, ils vont mettre la pagaille dans tous les plateaux.

— Mais non, fais-leur un peu confiance.

Vladimir, qui s'était éloigné, revint avec son téléphone à la main.

— Hubert vient de m'appeler. Il paraît que papa est insupportable, pourtant jusqu'ici ses résultats sont excellents ! Si tu t'inquiétais pour lui, maman, son cœur est en bon état, ses artères aussi.

— À quelle heure rentreront-ils ?

— Hubert espère faire durer les choses. Au pire, il l'emmènera boire un verre quelque part pour arroser ces bonnes nouvelles. Ils seront à la maison vers sept heures. D'ici là, tout devrait être prêt, non ?

— En principe, acquiesça Nelly.

Elle s'assit sur l'une des chaises que Dimitri venait de déplier.

— Je me repose une seconde, mes enfants.

De son échelle, Ève scruta les traits de sa mère.

— Vous deux, dit-elle à ses frères, empêchez-la de bouger, elle n'en peut plus. Moi, je file à l'atelier prendre des rubans, j'ai une idée de décoration originale.

Anton avait lâché ses câbles et s'était approché de Nelly.

— Tu veux un verre d'eau, quelque chose ?

— Non, j'ai seulement mal aux pieds, je suis debout depuis ce matin.

— Je vais te chercher d'autres chaussures, proposa-t-il. Tes ballerines qui sont dans l'office ?

— Tu es gentil, merci.

Il sortit aussitôt sous le regard médusé des autres.

— Le fils modèle, c'est lui, plaisanta Dimitri. Nous, nous sommes nuls. Bon, maman, tu as entendu Ève, tu ne quittes pas cette chaise.

— D'accord, mais viens par ici, il faut que je te parle.

Elle sortit une feuille de la poche de son gilet et la lui tendit.

— Voilà ma liste d'invités. Et je commence à m'inquiéter d'avoir oublié quelqu'un d'important.

— Mais non, sois tranquille, on a vérifié plusieurs fois. Tous ses amis seront là, il n'y a quasiment pas de défection.

Toutefois, ses parents, en raison de leur âge et de la façon dont Max s'était mis en retrait de toute vie publique, n'avaient pas énormément de relations. En le constatant quelques semaines plus tôt, lors d'une conversation avec sa mère, Dimitri s'était arrangé pour que ses sœurs et son frère invitent eux aussi quelques amis. Il connaissait le désir de sa mère : que Max soit le plus entouré possible. Que cette fête remplace celles qu'on ne donnait pas à Paris pour lui. Que les gens soient nombreux à l'encenser, à le reconnaître comme un artiste irremplaçable.

— Tout ira bien, dit-il en se penchant vers elle.

Il l'embrassa derrière l'oreille, amusé de constater qu'elle portait l'un de ses parfums.

— Tu sens bon.

— Et toi, tu es un bon fils. Il n'y a pas qu'Anton qui s'occupe de moi, vous êtes tous merveilleux.

Elle lui souriait avec une telle tendresse qu'il en eut le cœur serré. S'il quittait Montpellier parce qu'il n'arrivait pas à assumer son attirance pour Daphné, Nelly serait la première à en souffrir. Tout ce qu'elle demandait à la vie était d'avoir sa tribu autour d'elle, ses petits dans le nid.

— Vladimir ! Dimitri ! Vite !

Daphné criait, affolée, arc-boutée contre le buffet qui menaçait de s'effondrer. Dimitri fut le premier près d'elle, soulevant la planche lourdement chargée tandis que son frère remettait un tréteau en place.

— C'est ma faute, avoua Daphné, j'ai donné un coup de pied dedans sans le vouloir, et après j'ai essayé…

— Si tu l'as fait, remarqua Dimitri, n'importe qui d'autre pourra le refaire. Je crois qu'il faut les reculer, ce sera plus sûr.

Daphné hocha la tête puis elle ajouta, d'un air malicieux :

— Tu ne m'as pas dit que j'étais maladroite, c'est très généreux de ta part.

— On fait la trêve, répliqua-t-il, mais aujourd'hui seulement.

— Jusqu'à minuit, comme Cendrillon ? Et après les douze coups, tu recommenceras à me dire des trucs désagréables ?

— Moi ?

— Dimitri, se plaignit Vladimir, je porte tout, et ça penche !

— Désolé. Voilà. Pousse les tréteaux vers le fond, Daphné, en les laissant bien droits. Encore un peu… Parfait.

Il se redressa, s'assura de la solidité de l'ensemble, puis se tourna vers Daphné.

— J'espère que tu plaisantes.

— Pas tout à fait.

— Regardez-moi ça ! claironna Ève, qui revenait les bras chargés de larges rubans multicolores. Je vais mettre des nœuds aux tables, au buffet, bref un peu partout, ce sera beaucoup plus chaleureux que tout ce blanc. Qui m'aide ?

— Moi, proposa Nelly. Des nœuds, ce n'est pas fatigant, et pendant ce temps-là j'abandonne la cuisine à Béatrice et à Diane.

— De toute façon, il n'y a que toi qui saches les faire, ricana Ève. Remarque, la cuisine aussi.

— Merci ! s'indigna Béatrice.

— Je parlais pour Diane.

— Trop aimable.

— Non, ne le prends pas mal, mais enfin toi, moi ou Daphné aux fourneaux, ce serait la disette.

— Il n'y en a pas un pour racheter l'autre dans cette famille, railla Daphné.

Anton était revenu avec les ballerines de Nelly, et il se mit à ramasser tout ce qui traînait.

— Faut accélérer le mouvement, lança-t-il à la cantonade, l'heure tourne !

Vladimir déplia les dernières chaises pendant qu'Ève commençait à accrocher ses nœuds.

— Allons chercher les derniers plateaux, décida Béatrice, et je voudrais vérifier ce que font les enfants.

— Tu fais une drôle de tête, dit Daphné à Dimitri en le prenant par la taille. Dans quelques heures, cette fête qui t'insupporte sera terminée.

— Mais ça ne me…

— Si, si. Tu n'étais pas d'accord, souviens-toi. Et je suis sûre que tu m'en veux d'avoir eu cette idée de jubilé.

— Pas du tout. D'ailleurs, je n'y mets aucune mauvaise volonté. J'en viens même à penser qu'on va s'amuser !

Il la sentait contre lui et il avait envie de refermer ses bras sur elle.

— En ce moment, poursuivit-elle, tu ne m'aimes pas du tout. Tu ne m'appelles plus jamais pour aller au cinéma, tu ne passes plus au magasin. Il y a un problème entre nous ?

— Ne sois pas stupide, répondit-il en se dégageant trop vite. Tu es ma… ma petite Daphné, tu sais bien.

Les mots étaient comme du sable sur sa langue, il devait avoir l'air d'un fieffé menteur. Mais que pouvait-il inventer d'autre ? Il s'obligea à la regarder en face et lut de la tristesse dans ses yeux pailletés.

— Des soucis professionnels, expliqua-t-il. Rien à voir avec toi. Ce voyage à New York me préoccupe.

On planche déjà sur le flacon alors que je n'ai pas mis au point le parfum, tu imagines la pression ?

— Oublie tout ça ce soir et sois un gentil chevalier servant. Tu as promis de me faire danser !

— Avec moi aussi, il a promis, dit Ève en passant à côté d'eux. C'est le meilleur partenaire que je connaisse, à croire qu'il s'entraîne en douce toutes les nuits dans les discothèques. Mais fais attention quand il te jette en l'air, il n'a aucune conscience de sa force.

Béatrice et Diane revenaient, suivies des enfants, et elles achevèrent l'installation du buffet.

— Je crois qu'il est temps d'aller se changer, suggéra Nelly.

Elle resserra autour d'elle le châle qu'Anton avait pensé à lui rapporter avec ses ballerines.

— Branche le chauffage maintenant, ou on va geler toute la soirée.

— Oui, je m'en occupe et j'installe la stéréo. Sauvez-vous tous.

Comme s'il était maître de cérémonie, Anton les accompagna jusqu'à la sortie de la tente et referma soigneusement la toile derrière eux.

*

* *

La réaction de Max avait failli compromettre toute la soirée. En rentrant de Montpellier avec Hubert, il était resté en arrêt devant la tente où se tenaient déjà les premiers invités. Et lorsqu'il avait compris qu'il s'agissait d'une réception en son honneur pour fêter ses cinquante ans de carrière, il n'avait même pas essayé de dissimuler sa contrariété. Par chance, Nelly était arrivée à cet instant, très élégante dans une robe de velours noir, et elle semblait tellement heureuse de lui avoir fait une surprise qu'il n'avait pas eu le mauvais goût de bouder. Néanmoins, le rappel, cinquante ans plus tard, de sa première exposition parisienne ne le réjouissait pas, et ça se voyait.

Comme prévu, personne ne manquait à l'appel, et rapidement la tente fut pleine de gens qui bavardaient et riaient bruyamment. Inconsciente du malaise de son mari, Nelly racontait à qui voulait l'entendre que Max allait bientôt faire une grande exposition à Paris, dont tout le monde parlerait tant l'événement serait d'importance. Aussitôt avertis, les amis allaient féliciter Max qui grimaçait un sourire de plus en plus crispé.

À plusieurs reprises, et dans l'espoir de le dérider un peu, Dimitri lui apporta un verre de vin, une assiette de viande froide, une part de tarte. Au bout du compte, il eut droit à un commentaire acerbe sur cette « fête de patronage totalement absurde ».

Un peu avant minuit, un premier couple d'un certain âge donna le signal du départ, et Max en profita pour dire au revoir à tout le monde, expliquant qu'il avait eu une journée exténuante. Une demi-heure plus tard, tous les gens de sa génération étaient partis, ce qui permit à Anton de pousser les tables et de mettre de la musique. Ils n'étaient plus qu'une vingtaine, mais bien décidés à s'amuser.

— Ça me rappelle notre jeunesse, décréta Vladimir. Quand les parents allaient se coucher, à nous la fiesta !

Il tendit la main à Diane et, ensemble, ils esquissèrent quelques pas de danse.

— On les accompagne ? proposa Hubert à Béatrice.

Les enfants, épuisés, avaient été emmenés par Nelly malgré leurs protestations, aussi Béatrice accepta-t-elle avec enthousiasme.

— *Rock Around the Clock !* annonça Anton, ça va faire chauffer l'ambiance !

Il alla inviter une jeune femme qui n'avait pas quitté Ève de la soirée, tandis que Dimitri prenait la main de Daphné. En quelques secondes, les quatre couples trouvèrent leurs places pour ne pas se gêner, puis se lancèrent dans des passes effrénées. Daphné avait déjà eu l'occasion de danser avec Dimitri, et elle se laissait conduire en toute confiance, certaine qu'il rattraperait sa main quoi qu'il arrive.

— Tu as vu ? lui cria-t-il. Anton nous dame le pion, on dirait un danseur professionnel ! Accroche-toi, on va tenter de rivaliser.

Le morceau était long et ils finirent tous à bout de souffle.

— On a passé l'âge, haleta Vladimir en allant se servir un grand verre d'eau.

— Vous avez gagné la première manche, dit Dimitri à Anton, mais on prendra notre revanche tout à l'heure.

— C'est grâce à ma cavalière, elle connaît toutes les figures, et pourtant on n'est pas de la même génération.

— Voulez-vous essayer avec moi, mademoiselle ?

— Maud, répondit la jeune femme en souriant à Dimitri.

— Maud, c'est vrai. Ève me l'avait dit.

Ils échangèrent un regard complice qui étonna Daphné. Apparemment, même s'ils faisaient semblant de ne pas se connaître, ils s'étaient déjà rencontrés. Elle les regarda danser un moment puis alla rejoindre Ève à qui elle glissa :

— Ta copine a l'air d'être du goût de Dimitri.

— Ah, tu trouves ? Eh bien, dommage pour lui, mais elle est déjà avec quelqu'un.

— Tant pis… Moi qui espère tellement voir un jour Dimitri amoureux !

— Je ne l'ai pas souvent connu amoureux. Séduit, oui, mordu, non.

— Jamais ?

— Si, il y a longtemps. Depuis, il se méfie.

Daphné s'abstint de toute réflexion sur le célibat de Dimitri car le sujet concernait Ève aussi. Quand un ami de Diane vint l'inviter à danser, elle accepta d'emblée, bien décidée à s'amuser. Anton leur passa encore quatre rocks, puis un tango dont il se régala avec Maud en épatant tout le monde, et enfin il éteignit quelques lumières avant de mettre une série de slows.

Échevelée, en sueur, Daphné s'était affalée sur une chaise. Elle jeta un coup d'œil à sa montre et découvrit qu'il était presque deux heures du matin. Pourtant, elle voulait continuer à profiter de la soirée, se demandant même pourquoi elle ne s'offrait pas régulièrement ce genre de distraction. Il existait plein d'endroits où danser à Montpellier, mais elle n'y mettait jamais les pieds. Elle regarda les couples enlacés qui profitaient du rythme lent de la musique pour reprendre haleine. Béatrice avait la tête appuyée sur l'épaule de Hubert, Vladimir tenait dans ses bras une femme inconnue, Diane se laissait guider par Anton qui inventait une chorégraphie spéciale tenant de la valse lente, et Dimitri parlait à l'oreille de Maud serrée contre lui. Daphné se leva et alla farfouiller dans les piles de CD en vrac près de la stéréo. Certains titres ne lui disaient rien, d'autres lui rappelèrent l'époque où elle avait rencontré Ivan.

— Tu veux quelque chose de spécial ? demanda Anton en s'arrêtant près d'elle.

Comme elle ne répondait pas et que le morceau se terminait, il lui fit un clin d'œil.

— Je mets un vieux truc fantastique, va te choisir un cavalier.

Les danseurs profitaient de l'interruption pour se désaltérer. Daphné rejoignit le buffet et tapa sur l'épaule de Dimitri.

— Une dernière ? lui proposa-t-elle tandis que démarrait un tube de Frank Sinatra.

Il tenait un petit verre de vodka, qu'il vida d'un trait avant de la prendre par le poignet.

— Il n'y a pas d'autre homme disponible sous cette tente ? Personne qui t'ait tapé dans l'œil ?

— Un copain de Diane, un médecin, il s'appelle Rémi. On a pas mal dansé avant d'échanger nos numéros de téléphone, mais maintenant, il est parti.

L'attirant à lui, il glissa une main dans son dos, au creux de sa taille.

— Et vous n'aviez pas invité beaucoup de jeunes premiers, ajouta-t-elle en riant.

Face à lui, elle se trouvait vraiment toute petite malgré les talons de ses escarpins, en tout cas trop petite pour appuyer sa tête sur son épaule, alors elle se contenta de mettre sa joue contre son torse.

— J'ai peur de tacher ta chemise avec mon fond de teint.

— Tu es maquillée ?

— Et dire que personne ne l'a remarqué !

L'autre main de Dimitri frôla sa nuque et vint se poser entre ses omoplates. S'abandonnant à la voix de crooner de Sinatra, elle ferma les yeux. Leurs pas s'accordaient à merveille, ils bougeaient sans y penser en suivant la musique.

— Elle te plaît cette Maud, n'est-ce pas ?

— Non, pas du tout.

— J'avais cru.

— Ne crois rien.

Il parlait doucement, la tête penchée au-dessus d'elle, son souffle lui effleurant les cheveux.

— On a toujours l'impression d'être en sécurité avec toi, dit-elle sans trop savoir pourquoi.

Elle était bien, elle n'avait pas envie que Sinatra s'arrête de chanter. Une des jambes de Dimitri s'était glissée entre les siennes, et elle s'aperçut qu'ils étaient absolument collés l'un à l'autre. Sur le point de se détacher un peu de lui, elle sentit soudain, contre sa cuisse, le désir qu'il avait d'elle. L'espace d'un instant, elle fut incapable de réagir tant la situation la dépassait. Plaisanter ne serait pas très habile, elle savait bien que les hommes n'aiment pas qu'on se moque de leurs érections incontrôlables, mais elle ne pouvait pas rester plaquée contre lui, comme si elle trouvait du plaisir à l'exciter.

— Dimitri, chuchota-t-elle en levant la tête vers lui.

Au même instant, la voix de Sinatra était en train de s'éteindre et les couples autour d'eux apostrophaient déjà Anton pour qu'il remette un autre morceau tout aussi langoureux.

— Je suis désolé, articula Dimitri d'une voix blanche.

Il enleva ses mains avec un temps de retard, recula d'un pas et bredouilla :

— Je crois que j'ai trop bu, ou bien c'est cet air irrésistible…

Dans les lumières tamisées par Anton, son visage semblait creusé et ses yeux encore plus clairs que d'habitude, presque transparents.

— Vraiment, Daphné, navré de t'infliger ça, je suis ridicule.

— Mais non, ne t'en fais pas.

Elle manquait de conviction, encore abasourdie par ce qui venait de se produire. Ils hésitaient, aussi embarrassés l'un que l'autre et toujours face à face. Enfin il se détourna, prêt à l'abandonner, puis se ravisa et la prit délicatement par le coude pour la ramener vers le buffet dévasté. En fouillant parmi la vaisselle il trouva deux verres propres, mit dans chacun une dose de vodka qu'il noya sous du tonic.

— Oublie ça, d'accord ? demanda-t-il en trinquant avec elle.

— Bien sûr. N'en fais pas toute une histoire. Au fond, c'est humain, c'est marrant.

Le regard de Dimitri était totalement indéchiffrable. Il la considéra avec insistance durant quelques secondes, puis il vida son verre sans respirer.

— Je te verrai demain. Je vais me coucher, j'en ai marre.

Il traversa la tente, ramassant au passage sa veste abandonnée sur le dossier d'une chaise, et il disparut. Daphné avait soif, elle but à longs traits, les yeux dans le vague. Elle n'aurait pas cru Dimitri aussi susceptible. Ni d'ailleurs qu'il puisse manifester un désir si incongru pour elle. Mais, en réfléchissant à ce petit incident, elle devait bien admettre qu'elle avait trouvé agréable la manière dont il l'enlaçait, et que le contact de ses mains sur elle, d'une évidente sensualité, ne l'avait pas choquée. Donc, elle était aussi fautive que lui. Esseulés tous les deux, ils avaient poussé le plaisir de la danse trop loin et s'étaient laissé surprendre. Pas de quoi épiloguer là-dessus. Au contraire, il faudrait qu'ils arrivent à en rire, ils étaient assez complices pour ça. Et puis quoi, qu'un homme ait envie d'elle n'avait rien de vexant, n'importe quel homme, même son meilleur copain !

— Il ne pousse pas le bouchon un peu loin, Dimitri ? lui glissa Ève qu'elle n'avait pas vue approcher.

Embarrassée, Daphné haussa les épaules, mais déjà Ève enchaînait :

— Il pourrait attendre que les derniers invités soient partis avant de déserter ! Bien sûr, papa a donné un très mauvais exemple, mais il a au moins l'excuse de l'âge.

— Je crois qu'il avait un peu trop bu, expliqua Daphné avec un petit sourire, soulagée qu'il ne soit pas question d'autre chose.

— On a tous trop bu, et alors ? Ce n'est pas une excuse. Mais tu as raison, lui a dû exagérer parce que sa façon de se coller à toi il y a cinq minutes était carrément… celle d'un mâle en rut. Ah, les mecs, quel cauchemar !

— On est bien contentes de les trouver quand on a besoin d'eux, protesta Daphné qui voulait prendre la défense de Dimitri.

— Toi, peut-être, mais pas tout le monde.

Les derniers invités, imitant Dimitri, récupéraient leurs manteaux et prenaient congé. Lorsqu'ils furent partis, les membres de la famille se rejoignirent, épuisés mais heureux. Devant le chaos qui régnait sous la tente, Béatrice décida que le rangement attendrait jusqu'au lendemain.

— C'était une bonne soirée, déclara Vladimir, on en a bien profité !

— Plus que papa, soupira Béatrice. Comme prévu, il n'a pas eu l'air d'apprécier notre idée. Mais au moins, j'ai pu porter cette robe ravissante…

Hubert vint la prendre par les épaules et lui déposa un baiser gourmand sur la bouche.

— Sauvez-vous vite, je vais débrancher les lumières, avertit Anton.

En file indienne, ils se dirigèrent vers la sortie, déçus que tout soit terminé. Dehors, la nuit était froide, avec un ciel plein d'étoiles. Daphné, qui fermait la marche, s'arrêta un instant pour observer les constellations. S'il y avait une vie après la mort, Ivan était là-haut, parmi les astres scintillants, et elle le retrouverait un jour.

*
* *

Dimitri vérifia la mallette de fer où il venait de ranger avec soin ses flacons, un classeur et quelques accessoires dont il aurait besoin s'il voulait continuer à travailler. Il ne comptait pas remettre les pieds à La Jouve d'ici son départ pour New York, et la perspective de devoir y passer les fêtes dans moins d'un mois le désespérait. Comment avait-il pu être assez stupide ou assez inconséquent pour croire qu'il se dominerait ? Mais non, beau résultat, il s'était mis à bander comme un taureau contre la pauvre Daphné ! Avait-il supposé que sa bonne éducation suffirait à mater la nature ? En tout cas, il n'aurait pas pu choisir pire moment, au milieu de sa famille et de ses amis, pour se comporter de la sorte. Bien sûr, Daphné était compréhensive, elle ne lui en voudrait pas, toutefois elle ne le regarderait plus comme un frère.

— Eh bien, tant mieux ! explosa-t-il.

En quittant la tente il était allé tout droit au laboratoire, déterminé à quitter les lieux après avoir rassemblé ses affaires. Pas question de petit déjeuner familial tout à l'heure, de blagues et de tapes dans le dos. Pas question du regard ironique d'Ève, la moins bien placée pour se moquer de lui puisqu'elle n'avait même pas eu le courage de présenter Maud comme sa compagne aux Bréchignac. Pas question de voir son père demander à la cantonade, un sourcil levé, la raison de cette « fête de patronage ». Et, le pire de tout, avoir droit à la gentille camaraderie de Daphné. Il ne voulait plus se torturer, subir en secret un désir lancinant que finalement tout un chacun avait pu remarquer ! Mais pourquoi, pourquoi était-il tombé amoureux d'elle ? Il y avait des femmes partout, jeter son dévolu sur celle-là était absurde, voire pervers. Sa petite Daphné si marrante, attendrissante, qu'il avait pu bercer dans ses bras sans la moindre arrière-pensée au moment de la mort d'Ivan, sa bonne copine Daphné qui, à l'évidence, ne pourrait jamais l'aimer d'amour parce qu'il ressemblait trop à son frère disparu.

Furieux contre lui-même et contre le reste du monde, il ferma la mallette. D'un coup d'œil, il s'assura qu'il n'oubliait rien. À partir de maintenant, la seule chose qui comptait et pour laquelle il devait mobiliser toute son énergie était ce parfum insaisissable dont la formule continuait à lui échapper.

6

— Je les ai rendues vertes de jalousie ! Pour l'étudiante américaine moyenne, un type comme Dimitri est un ovni.

Intarissable, Juliette avait raconté ses derniers mois dans la prestigieuse université Columbia, puis l'arrivée de Dimitri qu'elle s'était empressée de présenter à toutes ses amies.

— L'oncle qui invente des parfums célèbres, avec son prénom russe et ses yeux « comme des lacs » – là, je cite une copine en pâmoison –, sa stature de géant et ses costards sur mesure *from* Paris, ça les a laissées rêveuses. Surtout quand j'ai annoncé qu'il m'emmenait dîner le soir même chez Daniel, dans l'Upper East Side. Après ça, ma popularité est montée d'un cran. Merci tonton !

Jolie fille, Juliette tenait sa grande taille de Vladimir, mais elle était aussi brune que Diane, avec un beau regard sombre et velouté. Brillante élève, elle espérait pouvoir travailler un jour dans le monde de la finance, à une tout autre échelle que son père. À chacun de ses retours à La Jouve, on la sentait plus mûre et plus sûre d'elle, prête à voler bientôt de ses propres ailes malgré sa jeunesse. Néanmoins, au bout de vingt-quatre heures, elle se laissait prendre au piège de l'affection des Bréchignac, à l'atmosphère fantaisiste de la maison, aux souvenirs d'une enfance très joyeuse, et elle ne repartait qu'à regret, en traînant les pieds, avant de se laisser happer de nouveau par les vertiges du rêve américain.

— Nous, on n'a pas vu Dimitri depuis des semaines, fit remarquer Maximilien d'un ton acide. Ni avant son départ, ni depuis son retour. Il doit avoir mieux à faire, j'imagine.

— Il a du travail, protesta Nelly.

— Son labo est fermé !

— Il bosse chez lui, d'après ce qu'il m'a expliqué au téléphone, intervint Daphné. Moi non plus je ne le vois plus, mais il ne sait plus où donner de la tête parce qu'il a accepté d'autres contrats, en plus du parfum mythique après lequel il court.

— Oh, il ne vous a rien dit ? s'exclama Juliette. Il ne court plus après. Figurez-vous qu'il a eu une révélation dans l'avion à l'aller. Quand il est venu me chercher sur mon campus, il était tout fou, il prétendait avoir réglé quatre-vingt-quinze pour cent de son problème. Ne restait qu'une question de tenue, je crois.

— Bien entendu, ricana Max, on sera les derniers informés, même s'il obtient le prix Nobel. Il doit bien en exister un pour les fabricants d'eau de toilette ?

Nelly le foudroya du regard, très contrariée, et, pour manifester sa désapprobation, elle repartit vers ses fourneaux, leur tournant le dos. Ils étaient tous installés devant le feu, Max dans le vieux fauteuil cabriolet au cannage fatigué, les autres sur les chaises basses provençales ou carrément sur la marche de la cheminée. Daphné attendit que la conversation reprenne puis elle rejoignit Nelly devant la cuisinière et lui glissa à l'oreille :

— Ne t'en fais pas, tu sais bien comme il est...

Elle ne voulait pas trahir Max, mais elle était la seule à connaître la raison de sa mauvaise humeur. Le matin même, lors d'une de ces visites qu'elle aimait lui rendre à l'atelier, Max lui avait raconté une petite anecdote qui l'avait mis hors de lui. La veille, un journaliste parisien l'avait appelé. Il voulait rencontrer Dimitri et interviewer ce formulateur « de génie ». Max avait ri devant l'excès de langage et répondu que non, désolé, il n'était pas Dimitri mais seulement son père, le sculpteur. Et il avait attendu une exclamation admirative qui n'était pas venue. Le journaliste avait juste eu une phrase très malheureuse en rétorquant qu'il ne connaissait aucun sculpteur de ce nom. Bien entendu, Daphné avait compris le désarroi de Max. Après avoir été célèbre, voilà qu'il tombait dans l'oubli. Ses enfants n'étaient plus les « fils de », comme par le passé, c'était lui qui devenait le « père de », un changement de statut insupportable à son orgueil. Apprendre du jour au lendemain que personne ne savait plus qui il était avait déjà de quoi le déstabiliser, mais découvrir de surcroît que Dimitri pouvait s'illustrer dans un domaine aussi futile que la parfumerie de luxe le mettait carrément en colère. En quelque sorte, Dimitri détenait désormais tout ce qui faisait défaut à Max : un bel âge, une ascension professionnelle indiscutable, un avenir plein de promesses. Bientôt la gloire ? Tout ça pour un pschitt ? Daphné avait tenté de le raisonner, de l'apaiser, et comme il l'aimait beaucoup il avait fait semblant de l'écouter. Mais, apparemment, la frustration demeurait, ravivée par une Juliette en extase devant son oncle.

— Alors, grand-père, demanda la jeune fille, il paraît qu'on a fêté ton jubilé ?

— Une petite réunion amicale, rien d'officiel. Mes enfants ont voulu me faire une surprise, c'était très sympathique.

Fine mouche, Juliette dut percevoir l'agacement de Max car elle changea radicalement de sujet en s'adressant à Hubert.

— Et toi, Hub, toujours chez les fous ?

La boutade le fit sourire, il en avait l'habitude.

— Les malades, corrigea-t-il. Je me plais à l'hôpital, le service de psychiatrie est bien structuré, même si nous sommes en sous-effectif.

— Tu peux le dire, marmonna Diane.

Debout derrière la chaise de Juliette, elle lui caressait les cheveux d'un geste maternel.

— Tous ceux qui travaillent à mi-temps sont priés de choisir entre partir ou prendre un temps plein.

— Qu'est-ce que tu vas faire ? s'inquiéta sa fille.

— Je ne sais pas encore. J'avoue que les horaires me convenaient très bien et que je ne suis pas enthousiaste à l'idée de bosser cinquante ou soixante heures par semaine. Parce que la vie d'une infirmière, c'est ça.

— Mais enfin, maman, il y a des lois qui protègent les salariés et qui…

— Peu importent les lois ! Tu crois vraiment qu'on peut laisser les malades sans soin ou sans surveillance à dix-huit heures une ? Si on a un minimum de conscience professionnelle, on ne regarde pas sa montre.

— Mets-toi en libéral. Tu feras la tournée des villages avoisinants et tu décideras de ton planning à ta guise.

— Oh, ma chérie, ce serait pire, je rentrerais à dix heures du soir.

À voir la mine peu convaincue de Juliette, Daphné réprima un sourire. En jeune fille moderne, désormais imprégnée de culture américaine, Juliette estimait avoir une solution toute prête pour chaque problème. Avec le temps, elle risquait de déchanter. Daphné aussi avait eu des illusions et des certitudes de ce genre au même âge, mais il n'en restait pas grand-chose aujourd'hui.

Louis et Paul firent irruption dans la cuisine, réclamant à grands cris leur cousine Juliette qui avait promis de décorer le sapin de Noël avec eux. Les deux petits garçons ne juraient que par Juliette et, à chacun de ses retours, tentaient de l'accaparer. À leurs yeux d'enfants elle incarnait une héroïne de feuilleton américain, se disputant pour savoir lequel l'épouserait quand il serait grand.

— Tu viens aussi, Daphné ? demanda Louis d'un ton plein d'espoir.

Leur tante Daphné venait juste après Juliette dans l'ordre de leurs préférences lorsqu'il s'agissait de s'amuser. Au pire, s'il avait été là, Dimitri aurait été admis dans la grande affaire du sapin, mais tous les autres adultes rejetés d'emblée.

— Pourquoi le font-ils dans le salon ? demanda Max après leur départ. On n'en profite jamais !

— De l'arbre de Noël ? s'exclama Nelly. Mais parce que, ici, entre la cheminée et la cuisinière, il prendrait feu, mon pauvre !

Ce dernier mot, pour s'adresser à son mari, était tout à fait inhabituel. Béatrice regarda Hubert qui, pour sa part, considéra Nelly avec intérêt. Max se leva et jeta une bûche dans la cheminée, provoquant une gerbe d'étincelles. Deux ou trois escarbilles sautèrent sur les tomettes, ce qui le fit rire avant de reconnaître :

— Je crois bien que tu as raison. D'ailleurs, tu as presque toujours raison, ma Nathalie !

La louche à la main, Nelly se retourna pour le dévisager.

— Comment m'as-tu appelée ?

Maximilien n'eut qu'une fraction de seconde d'hésitation. Puis il s'avança vers sa femme en se mettant à chanter, d'une belle voix de basse :

— *La place Rouge était vide, devant moi marchait Nathalie. Il avait un joli nom mon guide, Na-tha-lie… Moscou, les plaines d'Ukraine et les Champs-Élysées, on a tout mélangé et l'on a dansé. Hoï !*

Il l'entraîna malgré elle dans trois tours de polka puis s'arrêta, essoufflé.

— Tu te souviens de la chanson de Gilbert Bécaud, hein ? Nathalie, Natacha, c'est comme ça que tes parents auraient dû te baptiser. Pourquoi Nelly, le diminutif anglais d'Hélène, alors qu'ils étaient Russes ?

Haussant les épaules, Nelly retourna vers ses fourneaux tandis qu'il prenait le ridicule accent russe des espions du KGB dans les vieux films.

— Natacha Iakov, répéta-t-il, voilà qui sonne bien !

Puis il alla se réinstaller dans le fauteuil cabriolet et fit mine de s'absorber dans la contemplation des flammes. Sa peur refluait lentement mais il avait encore le cœur battant. Comment avait-il pu commettre pareille bourde ? Avec sa maîtresse, qu'il appelait « chérie » par précaution, il ne risquait pas de se tromper et de la vexer. Mais jamais il n'aurait imaginé que ce prénom de Nathalie, qu'il n'utilisait donc jamais, lui viendrait aux lèvres en s'adressant à Nelly. Seigneur ! Avait-elle cru à sa pitoyable prestation ? Et les autres, qu'en avaient-ils déduit ? Il releva enfin les yeux et croisa le regard de Hubert. Celui-là était le plus dangereux, évidemment, avec son habitude de sonder les âmes. Pour lui, un lapsus devait être du pain bénit. Quant à la petite Daphné, la plus vive d'esprit, oserait-elle l'interroger sur cette erreur de prénom lorsqu'ils seraient en tête-à-tête ? De nouveau, il fixa le feu sans le voir. Il fallait qu'il se surveille, qu'il fasse très attention. Peut-être son esprit vieillissait-il et n'avait plus la force de cloisonner sa double existence. Faudrait-il qu'il en vienne à se séparer définitivement de Nathalie ? Renoncer à leurs étreintes dans le petit atelier parisien était au-dessus de ses forces pour l'instant. Et puis il y avait sa fille, cette jeune femme illégitime qui ne portait pas son nom mais qui était la plus jeune de ses enfants. La plus jolie, aussi.

Du salon s'élevaient des éclats de rire et des cris de gamins surexcités.

— Je vais voir comment ils se débrouillent avec les guirlandes lumineuses, décida Anton.

Il abandonna le coin de table sur lequel il s'acharnait à réparer une serrure défectueuse depuis une bonne demi-heure. Max avait complètement oublié sa présence, mais il ne fallait pas négliger ce redoutable observateur. Anton vénérait Nelly et remarquait le moindre détail susceptible de la contrarier.

— Ne te dérange pas, lui dit Max d'un ton aimable, les enfants ne sont pas seuls.

— Oui, ben chaque année c'est pareil, il y en a une qui fait court-circuit et qu'on remet toujours dans le carton, grogna Anton.

À peine eut-il le temps de finir sa phrase que le disjoncteur sauta, plongeant la maison entière dans le noir.

*
* *

Le mercredi 23 décembre, une vague de froid s'abattit sur la région de Montpellier. Les branches des arbres étaient couvertes de givre, les trottoirs verglacés, et la plupart des gens avaient préféré se réfugier dans le centre commercial du Polygone pour faire leurs dernières courses de Noël à l'abri.

Daphné avait heureusement des clients fidèles qui s'étaient succédé dans sa cave durant toute la matinée. Lorsqu'elle ferma pour la pause du déjeuner, la caisse affichait déjà une belle recette. À ce rythme-là, d'ici demain soir elle serait quasiment riche ! L'idée la fit sourire tandis qu'elle traversait d'un bon pas le quartier de l'Écusson, le quartier le plus ancien de la ville. Non, elle ne serait jamais riche et elle n'en demandait pas tant. Mais elle songeait de plus en plus souvent à son avenir, au point d'avoir passé presque deux heures à en parler avec Vladimir, à la banque. Se constituer une retraite afin de pallier celle des commerçants, trop dérisoire, avait été la conclusion de leur discussion. Renonçant à s'endetter pour acheter les murs du magasin, elle avait souscrit un plan d'épargne. Dans la foulée, elle avait enfin embauché un jeune homme qui devait commencer à travailler avec elle début janvier. De bon conseil, Vladimir lui avait fait remarquer que prendre le temps de vivre serait de toute façon un meilleur investissement que se tuer à la tâche.

Parvenue rue Saint-Guilhem, elle était transie. Elle faillit glisser sur une plaque de verglas et se rattrapa de justesse.

— C'est vraiment une expédition, marmonna-t-elle.

Mais prendre sa voiture était devenu trop difficile dans Montpellier qui privilégiait depuis longtemps les voies piétonnes, de sorte que toutes les ruelles, certaines rues et même quelques grands axes du centre étaient interdits à la circulation.

Une fois dans l'immeuble de Dimitri, elle grimpa les étages en courant pour essayer de se réchauffer. S'il était là, tant mieux, sinon elle lui glisserait un petit mot sous sa porte, mais elle voulait en avoir le cœur net. Depuis des semaines, il ne donnait plus de nouvelles, il n'était même pas venu lui raconter son voyage, et elle avait dû laisser trois messages sur son répondeur avant qu'il se décide à la rappeler. Plus inquiétant encore, il ne lui avait rien dit au sujet de ses recherches, de cette « révélation » qu'il aurait eue dans l'avion, d'après Juliette.

Contre toute attente, il répondit au premier coup de sonnette mais, en la découvrant sur le seuil, son visage se figea.

— Daphné… Tu as un problème ? Entre.

Il s'effaça pour la laisser pénétrer dans le vaste séjour où plusieurs lampes étaient allumées. La décoration, dont elle se souvenait, était plutôt masculine, sobre, mais néanmoins chaleureuse. Contrairement à La Jouve, il régnait ici un ordre quasi parfait. Pas de livres et de journaux ouverts un peu partout, pas de bibelots ou photos dans des cadres, pas de vêtements abandonnés çà et là. Trois canapés de cuir ivoire étaient disposés autour d'une table basse carrée, couleur ardoise. Un tapis géométrique dans les tons gris et beige s'étalait sur le parquet de chêne, un grand écran plat était accroché au mur. À l'autre bout de la pièce, près de la baie vitrée donnant sur la terrasse, il y avait tout de même un peu de fouillis sur une table longue et étroite où Dimitri devait travailler.

— Tu m'offres un café ? Il fait un froid de loup, j'ai encore les mains gelées.

— Installe-toi, répondit-il en lui désignant les canapés. Je te mets quelque chose à grignoter avec le café ? J'étais en train de me préparer un sandwich, je peux en faire un pour toi.

— Volontiers !

Elle ôta sa doudoune puis se laissa tomber sur l'un des canapés qui, comme prévu, se révéla moelleux à souhait. Dimitri avait du goût et n'achetait que des choses de très bonne qualité. S'enfonçant davantage dans les coussins, elle remarqua un jeu d'échecs glissé sous la table basse. Avec qui y jouait-il ? Et d'ailleurs, à quoi occupait-il son temps, tout seul dans cet appartement, quand il ne cherchait pas une formule chimique ? Mais peut-être n'était-il pas seul. Une histoire d'amour justifierait son silence et son absence de La Jouve. Dans ce cas, pourquoi le poursuivre jusqu'ici s'il n'avait pas envie d'en parler ?

— Voilà le maximum de mes capacités culinaires, annonça-t-il en revenant.

Sur un plateau, il avait disposé des toasts, un pot de tapenade et des tranches de jambon roulées à côté de deux tasses fumantes.

— Tu as fait un effort de présentation avec le jambon.

— N'est-ce pas ? J'ai failli ajouter des feuilles de salade pour faire joli, mais elle n'avait pas très bonne mine dans son sachet, je crois qu'elle est périmée.

— Tu te nourris n'importe comment, hein ?

— Non, pas du tout, il y a d'excellents petits restaurants dans ce quartier.

— Aucune femme ne veut te faire la cuisine ?

— Ce n'est pas ce que je leur demande, en général...

Il souriait gentiment mais elle le sentait tendu, un peu sur la défensive.

— Maintenant, dis-moi pourquoi tu es là, ajouta-t-il en s'asseyant loin d'elle.

— Parce que tu me boudes, tu me fuis. Comme je ne t'ai rien fait, j'en déduis que c'est à cause de cette ridicule histoire de slow. Or tu sais bien que je m'en moque.

— Ridicule, le mot est adéquat. Mais je ne boude pas, Daphné, vraiment pas.

— Oh, ne me raconte pas d'histoires ! Tu es injoignable, tu ne m'as même pas appelée pour me dire que tu avais enfin trouvé ton parfum. Et quand tu as accompagné Juliette à La Jouve, tu l'as juste déposée, tu n'es pas descendu de ta voiture. Tu ne passes plus au magasin, tu ne donnes plus signe de vie. Bon, je ne te reproche rien, tu fais ce que tu veux de ton temps, mais tu ne m'avais pas habituée à ça.

— D'abord, je n'ai pas tout à fait trouvé. Il manque encore à ce parfum… trois fois rien, admettons. Pour l'instant, il est assez affolant, addictif, intemporel, mais je le voudrais plus animal. Enfin, bref, je l'ai cerné, je suis content, mais je ne veux pas crier victoire maintenant. D'autre part, j'ai plein d'autres contrats en cours que je dois honorer. J'ai même trouvé le moyen d'en signer un supplémentaire à New York.

Il eut un geste évasif vers sa table de travail, puis il secoua la tête et se tut. Daphné laissa le silence s'installer. Au bout d'une minute, elle se confectionna un sandwich qu'elle se mit à manger tout en continuant à regarder Dimitri.

— Tu n'es pas honnête avec moi, dit-elle enfin, entre deux bouchées. Peut-être as-tu décidé que tu en avais marre de ton rôle de grand frère, et mieux à faire que t'occuper de moi. Je le comprendrais très bien, imagine-toi ! Mais ça ne doit pas nous empêcher de rester proches l'un de l'autre. Je n'ai pas beaucoup d'amis, tu sais, alors forcément, tu me manques…

— Daphné, ne dis pas de bêtises. Je *suis* ton ami. Et je vais te le prouver tout de suite !

Se levant d'un bond, il alla ouvrir un placard dont il sortit un petit paquet enrubanné.

— Pour toi.

Un sourire de confiance aux lèvres, elle déchira le papier qui enveloppait une boule de verre.

— Si tu secoues bien fort, il se met à neiger sur la statue de la Liberté, l'Empire State Building et le petit taxi jaune. En plus, ça joue *New York, New York* ! Crois-moi, il faut un sens aigu de l'amitié pour oser acheter ça. J'étais avec un de mes commanditaires chez Saks, sur la Cinquième Avenue, quand j'en ai repéré tout un stock, et je n'ai pas hésité. Au risque de me discréditer à vie, j'ai dit au type que j'avais un cadeau à faire.

— Quelle abnégation ! Écoute, elle est magnifique, elle me plaît beaucoup. Toutefois…

— Il te faut quelque chose de plus ?

— Comment se fait-il que tu ne te sois pas précipité au magasin pour me la secouer sous le nez ? Trop froid pour sortir ? Trop de circulation dans Montpellier ? Moi, je suis venue à pied.

Elle rangea soigneusement la boule au fond de son sac puis leva les yeux sur lui.

— Dieu que tu es grand…

— C'est toi qui es petite. Tu veux un autre café ?

— Non, il faut que je rentre. Les clients se déchaînent toujours la veille de Noël. À propos, tu réveillonnes à La Jouve, demain, ou tu fais bande à part ?

Il lui tendit la main pour l'aider à s'extirper du canapé.

— Maman m'arracherait les yeux.

— Sûrement pas. Ils sont bien trop beaux et elle est bien trop fière de te les avoir donnés. Comme à Vladimir et Ivan.

Elle l'avait dit sans tristesse particulière mais elle le vit s'assombrir.

— Tu penses toujours à lui ? demanda-t-il d'une voix altérée.

— Je suppose que j'y penserai toujours un peu. Mais ce n'est pas douloureux.

Contournant la table basse, elle le rejoignit et se mit sur la pointe des pieds pour l'embrasser.

— À quelle heure fermes-tu la cave, demain soir ? demanda-t-il en se penchant vers elle. Si ça t'arrange, je pourrais passer te prendre.

Sans doute faisait-il cet effort supplémentaire pour achever de la convaincre qu'il n'était pas fâché.

— Bonne idée, accepta-t-elle avec empressement. La Mini démarre mal, elle n'aime pas quand ça gèle.

— Sois raisonnable, fais donc vérifier la batterie et les bougies.

— Oh, ça faisait longtemps que tu ne m'avais pas abreuvée de conseils !

Avec un grand sourire, elle lui déposa un nouveau baiser sur la joue.

— Je baisserai le rideau de fer à sept heures quoi qu'il arrive, promit-elle.

Il la raccompagna jusqu'au palier et l'écouta descendre l'escalier, puis il rentra chez lui, très songeur. Toute volonté l'avait abandonné lorsque Daphné avait dit : « Je n'ai pas beaucoup d'amis, alors forcément, tu me manques. » Pourquoi n'était-elle pas entourée d'une foule d'amis et d'amants, jolie comme elle l'était ? Mieux que jolie, attachante, attirante, séduisante, craquante ! Petite Daphné enfouie dans son canapé et qui réclamait son amitié. Serait-il encore capable de lui donner le change ? De ne pas la regarder avec des yeux de merlan frit ? Ils avaient plaisanté en bons copains, alors qu'il aurait voulu la voir au diable ou l'avoir dans ses bras. La toucher, passer les doigts dans ses cheveux, poser les mains sur ses seins ronds. Faire glisser son jean le long de ses hanches, caresser ses cuisses à l'intérieur, là où la peau est le plus douce. La humer derrière l'oreille et au creux de l'épaule pour démêler son odeur de celle de son eau de toilette.

— Mais arrête, bon sang…

Planté au milieu du séjour, il considéra sa table de travail avec découragement. Dans la matinée, il avait mis au point une fragrance très délicate pour une gamme de savons de luxe. À ce moment-là, il pensait à ce qu'il faisait, pas à Daphné. Certes, il n'avait pas réussi à l'oublier en quelques semaines, mais il se sentait moins obnubilé et moins nerveux depuis qu'il s'était mis à l'écart.

— Maintenant, voilà, c'est foutu.

De toute façon, il faudrait subir le réveillon du lendemain, incontournable. Après… Quelques jours plus tôt, il avait conçu le projet de mettre son appartement en vente et d'aller s'installer à Paris ou à Grasse, deux bonnes adresses dans son métier. Il avait assez de volonté pour s'éloigner définitivement, mais cette solution chagrinerait sa mère, toute sa famille, et Daphné.

Durant son séjour à New York, profitant de l'éloignement, il s'était plu à envisager diverses hypothèses, y compris la plus folle mais aussi la plus simple : avouer la vérité à Daphné. Si elle le repoussait, horrifiée, il n'en mourrait pas. Sauf qu'il y avait le fantôme d'Ivan, que Dimitri refusait d'affronter. À l'époque de son adolescence puis de sa jeunesse, quand il faisait les quatre cents coups avec Vladimir, on leur répétait sur tous les tons de veiller sur leur petit frère. De ne pas le faire enrager, de ne pas lui prendre ses jouets, de le protéger. Ivan avait cinq ans de moins que Dimitri, il était toujours resté le « petit » frère. Même adulte, même après son très sérieux diplôme d'œnologue, il avait conservé ce statut de cadet sur lequel Vladimir et Dimitri gardaient un œil bienveillant. Sa mort les avait frappés de stupeur. Ce n'était pas son tour, il n'avait que trente-deux ans, ses aînés avaient-ils failli ?

En général, il évitait d'y penser puisque rien ne ramènerait Ivan parmi les vivants. Mais le doute était toujours tapi dans un recoin de sa tête. Une dispute assez violente avec leur père pour qu'Ivan perde toute mesure et se penche jusqu'à basculer dans le vide était la seule explication plausible. Et dans ce cas, leur père était sûrement écrasé de culpabilité. Hubert avait tenté en vain quelques approches pour le faire parler. Enfermé dans un silence hostile, Max refusait d'aborder le sujet. Il avait tout dit avec ses statues éclatées au sol, il n'y reviendrait plus et ne livrerait jamais la raison de leur querelle.

Dimitri alla jusqu'à la baie vitrée et observa le ciel sombre, chargé de nuages menaçants. Ivan devait manquer cruellement à Daphné. Elle prétendait que ce n'était plus douloureux et que désormais elle n'y pensait pas trop souvent. Peut-être. Le temps avait fait son œuvre, tant mieux pour elle. Un autre homme allait la rendre heureuse un jour, bientôt. Mais cet autre ne pouvait pas être Dimitri, sinon il rouvrirait la plaie. Avec quelqu'un de différent, elle oublierait Ivan. À condition que ce ne soit pas un Bréchignac, et qu'il n'ait pas les yeux gris.

— En somme, n'importe qui, sauf moi !

Il allait probablement neiger avant la nuit. Demain, à La Jouve, le spectacle serait féerique. Un Noël blanc, enfin ! L'année précédente, il faisait très doux à la même période, et Dimitri ne désirait pas encore Daphné.

Se détournant de la vitre, il jeta un coup d'œil à sa table de travail. Il était moins bien installé ici que dans son laboratoire de La Jouve, néanmoins il se débrouillait. Penché sur ses notes, il relut les formules de ces savons de luxe qui l'amusaient. Celui destiné aux hommes était dominé par le cuir et le cumin, celui des femmes par la vanille, le santal et les fleurs blanches. Pour les petits, il avait dosé du chèvrefeuille, des agrumes et une pointe de néroli. Créer toute la gamme avait été un plaisir, presque un jeu. Au moins son métier lui apportait de grandes satisfactions, dont il allait devoir se contenter.

*
* *

Maximilien avait très mal dormi et il se sentait d'humeur morose. Aujourd'hui, toute la tribu serait surexcitée, comme de coutume le 24 décembre, à la perspective de la messe de minuit, du réveillon tardif et de la cérémonie des cadeaux. Trois jours auparavant, Max était descendu à Montpellier avec Diane, et tandis qu'elle effectuait sa demi-journée à l'hôpital, il avait musardé en ville à la recherche d'un présent pour Nelly. Pour tous ceux destinés à la famille, elle s'en chargeait en leurs noms à tous deux, mais il fallait bien qu'il lui offre quelque chose. Et aussi qu'il achète, écrive et poste deux belles cartes de vœux pour

Nathalie et pour leur fille. À elles, il n'expédiait aucun paquet, aucune surprise, il se rattrapait dans l'année, à un autre moment.

Toujours en robe de chambre bien qu'il soit déjà onze heures du matin, Max se résigna à aller s'habiller. Avec la neige qui recouvrait tout le paysage, il avait intérêt à mettre des vêtements chauds s'il voulait passer un moment dans son atelier. Il n'y aurait que là qu'il serait tranquille, car l'effervescence régnait déjà dans toute la maison à en croire les bruits de cavalcades, de rires et d'éclats de voix.

En enfilant un gros chandail tricoté par Nelly, il s'aperçut qu'il était très essoufflé, avec une sorte de poids sur la poitrine qui l'obligeait à respirer vite. Sans doute le froid, l'humidité, et les contrariétés. L'organisation de sa future exposition parisienne n'avançait guère à cause du peu d'enthousiasme du galeriste. « Faites-nous deux ou trois nouveautés, et là nous aurons la presse avec nous. » Une suggestion imbécile. Ce type s'imaginait peut-être qu'on pouvait sculpter à la commande, or il n'en était rien. Surtout pour Max.

Avec un soupir oppressé, il s'assit au bord du lit pour mettre d'épaisses chaussettes de laine.

— Papa ? cria la voix d'Ève derrière la porte.

Sans attendre la réponse, sa fille entra, toute guillerette.

— Est-ce que tu viendras à la messe ce soir ? s'enquit-elle avec un sourire engageant.

— Il n'en est pas question, on gèle dans les églises !

Fronçant les sourcils, elle l'observa quelques instants.

— Tu n'as pas très bonne mine... Eh bien, tu resteras au chaud devant la cheminée en nous attendant.

— Vous y allez tous ?

— Non, Dimitri et Daphné arriveront trop tard, et Hubert n'est pas croyant.

— Pas croyant ? s'étonna Max.

— Enfin, pas pratiquant, comme toi. Quant à ce qu'il croit ou pas… Va savoir !

Après un dernier coup d'œil à son père, elle s'éclipsa. En longeant le couloir, elle se dit que c'était toujours la même histoire avec lui, la gaieté des autres l'agaçait, il s'en dissociait. Et il passerait probablement toute la journée enfermé dans son atelier, à ruminer son manque d'inspiration en attendant de présider le réveillon.

Elle dévala l'escalier et gagna la cuisine où, depuis huit heures du matin, sa mère et sa sœur s'activaient.

— On aura un déjeuner léger à midi ! prévint Nelly.

— Et un dîner très lourd, je suppose ?

— Pas lourd, répliqua Béatrice, classique et festif. Foie gras maison, dinde farcie maison, bûche maison. Pour l'apéritif, nous faisons des gougères, des pruneaux au bacon, et des feuilletés aux escargots. On a mis du champagne au frais et Daphné doit nous apporter un grand vin rouge.

— Parfait ! Pour moi, à midi, ce sera une feuille de salade et une tomate cerise, d'accord ?

Toujours gaie, Ève se mit à virevolter dans la cuisine.

— Je ne serai pas là demain, annonça-t-elle, j'ai des amis à voir.

— Le jour de Noël ? s'étonna Béatrice.

Nelly, en revanche, ne fit aucun commentaire, et Ève lui en fut reconnaissante car elle ne voulait pas se lancer dans des explications. Elle ne s'était pas encore résignée à présenter Maud officiellement à sa famille, malgré les conseils de Dimitri. Il affirmait qu'elle pouvait le faire sans crainte, d'abord parce qu'elle en avait le droit absolu, ensuite parce que Nelly lui donnerait forcément raison, leur mère approuvant *toujours* ce que faisaient ses enfants. Mais Ève ne se sentait pas prête. Peut-être même n'avait-elle pas envie de partager son bonheur. Son goût du mystère, qui la poursuivait depuis l'enfance, se trouvait ainsi satisfait, et surtout elle ne souhaitait pas discuter de son homosexualité avec son père, ni avec Hubert. Avec personne, en fait. Maud la rendait heureuse, c'était son merveilleux secret, elle tenait à le préserver. Lors de la fameuse soirée du jubilé de Max, elle s'était offert le plaisir de faire découvrir à Maud sa famille et son cadre de vie, elle n'en demandait pas davantage.

— Dommage que tu t'absentes, insista Béatrice, parce qu'on a prévu un menu spécial demain.

— Ma parole, vous ne pensez qu'à manger !

— Je suppose que tu ne vas pas jeûner chez tes « amis » ?

— Qui sait ? riposta Ève. Je vais peut-être passer la journée entière à faire l'amour et à boire de l'eau fraîche…

Béatrice en lâcha sa cuillère de bois et se retourna pour contempler sa sœur.

— Sans nous dire avec qui ? Tu veux nous faire mourir de curiosité ?

Ève éclata d'un rire spontané auquel Béatrice finit par se joindre. Lorsque Juliette entra, suivie des enfants qui ne la lâchaient pas, elle exigea de savoir pourquoi ses tantes riaient tellement, et une minute plus tard la cuisine se mit à résonner comme une basse-cour.

*
* *

Dimitri avait conduit très prudemment sur la petite départementale enneigée, et il fut soulagé en arrêtant enfin sa Lancia sur l'esplanade de La Jouve. Toutes les fenêtres de la maison étaient illuminées, on pouvait même voir les guirlandes lumineuses du sapin de Noël à travers les carreaux du salon.

— Est-ce que tu veux bien me porter ? demanda Daphné après avoir ouvert sa portière et considéré la couche de neige. Sinon, je vais flinguer mes escarpins.

— Et mes mocassins, tu y penses ? Bon, viens...

Il se pencha et la souleva de son siège avec une facilité déconcertante, lui évitant de mettre un seul pied par terre.

— Au moins, ferme la portière, j'ai les mains occupées.

Blottie contre son pardessus, elle se sentait légère comme une plume et bien au chaud, mais elle eut soudain un scrupule. Exiger d'être dans ses bras n'était peut-être pas très habile. Elle l'avait mis une fois dans l'embarras, pas la peine de recommencer. Cependant elle n'eut pas le loisir de se poser longtemps la question, déjà il la déposait sur le seuil.

— Et voilà, princesse, tes pantoufles de vair ont été épargnées !

— J'ai fait un effort vestimentaire parce que ta mère y tient les soirs de fête, rappela-t-elle.

— Et tu t'es maquillée. Cette fois, j'ai vu.

— Tu es en net progrès.

Ils entrèrent dans la cuisine où brûlait un bon feu entretenu par Hubert. Lui aussi avait soigné sa tenue, il arborait un nœud papillon et un costume sombre.

— Ravissante, dit-il à Daphné en l'embrassant.

Elle portait une robe de velours rouge, prêtée par Ève, qui mettait en valeur sa silhouette menue. Avec un petit pincement au cœur, Dimitri remarqua que les talons de ses escarpins étaient abîmés. Sans doute les rocks effrénés de la soirée du jubilé y étaient-ils pour quelque chose, mais n'avait-elle pas les moyens de s'en racheter une paire ?

— Tu es tout seul ? demanda-t-il à son beau-frère.

— Ton père est dans son atelier, et les autres à la messe. Par chance, elle n'a pas vraiment lieu à minuit, ils devraient rentrer vers dix heures.

— Anton y est allé aussi ?

— C'est un chrétien très fervent, comme ta mère, comme beaucoup de Russes. Sans doute aurait-il préféré un office orthodoxe, mais il n'y a pas ça par ici.

— Je commencerais bien le réveillon tout de suite, suggéra Daphné. Vous croyez qu'on peut boire quelque chose tous les trois ?

— J'en suis persuadé, répondit gravement Hubert. Il y a tant de bouteilles de champagne au frigo que ça ne se verra pas.

— Oh, mon Dieu, à propos de bouteilles, on a laissé le rouge dans la voiture ! Il fait trop froid dehors, il ne peut pas y rester à cette température-là.

Tout en parlant, Daphné s'était dirigée vers les patères. Elle remit son manteau, ôta ses escarpins et enfila au hasard une paire de bottes en caoutchouc trop grandes pour elle.

— Passe-moi tes clefs de voiture, Dimitri. On ne doit pas plaisanter avec un châteauneuf-du-pape.

— Tu as une dégaine…, dit-il au bord du fou rire. Laisse tomber, je m'en occupe.

— Alors pendant ce temps-là, je vais chercher Max, répliqua-t-elle. Il ne compte tout de même pas passer la soirée dans son atelier !

Comme elle était la seule à oser l'y déranger, Dimitri acquiesça. Après avoir allumé les lanternes extérieures, ils sortirent ensemble. Sous les semelles des bottes, la neige crissait, et Daphné se dépêcha de gagner l'atelier où elle entra directement. Une odeur de tabac froid indiquait que Max avait dû fumer un de ses gros cigares.

— Maximilien, tu es là ? Je suis venue te proposer une coupe de champagne. C'est Noël, viens avec nous !

Elle se dirigea vers l'arrière de l'atelier, souriant d'avance parce qu'elle savait qu'il allait ronchonner, se faire prier, et finalement la suivre. Comme prévu, il était affalé dans son vieux fauteuil club, près de la chaise longue en toile, mais il avait la tête dans les mains et le dos voûté.

— Est-ce que ça va ? s'inquiéta-t-elle.

Persuadée qu'il était en pleine crise de morosité, elle s'approcha et lui tapa sur l'épaule.

— Allez, Max.

Dans le mouvement qu'il fit pour se redresser, elle entendit sa respiration sifflante, découvrit son teint terreux.

— Tu ne te sens pas bien ?

— J'ai… du mal à… respirer, haleta-t-il.

— Depuis quand ?

— Un bon moment… Je croyais… que ça passerait. Maintenant, j'ai un poids, là, pire qu'une enclume.

Il voulut mettre ses mains sur sa poitrine mais les laissa retomber.

— Va chercher du secours, Daphné, parvint-il à ajouter d'une voix caverneuse.

Épouvantée, elle traversa l'atelier en courant, ouvrit la porte à la volée.

— Dimitri !

Elle ne le voyait nulle part, il avait déjà dû rentrer avec les bouteilles. Elle fonça jusqu'à la maison et fit irruption dans la cuisine.

— Hubert ! Dimitri ! Vite, Max se sent mal, il n'arrive plus à respirer !

D'abord stupéfaits, ils se précipitèrent derrière elle tandis qu'elle repartait en courant. Ils trouvèrent Maximilien dans la même position, toujours tassé sur son fauteuil, la bouche ouverte et le regard vitreux. Penché sur lui, Hubert l'écouta respirer puis demanda son téléphone à Dimitri. Il appela le Samu et réclama une ambulance, donnant quelques précisions dont Daphné ne retint que deux mots : « œdème pulmonaire ».

— Max, ils seront là dans dix minutes. Restez calme, ne vous agitez pas.

— Je ne veux pas... pas l'hôpital.

Maladroitement, il saisit le poignet de Daphné, essaya de le serrer.

— Dis-leur, toi. Pas d'hôpital, tu m'entends ?

Dimitri en profita pour attirer Hubert à l'écart.

— C'est grave ?

— Sérieux, oui.

— Tu ne l'auscultes pas ?

— Avec quoi ? Je suis psychiatre, Dimitri, je n'ai aucun matériel, rien. Mais j'en sais assez pour te dire qu'il a de l'eau dans les poumons et qu'on ne le soignera pas sur place. Alors, d'accord ou pas... Écoute, je vais aller avec lui, vous deux restez ici pour attendre Nelly et la famille. Selon son état, il ira en réa ou en pneumo, mais de toute façon vous ne pourrez pas le voir avant demain.

— Et tu rentreras comment, gros malin ? Je vais suivre l'ambulance pour pouvoir te ramener.

— Hubert ? chuchota Daphné.

Max venait de la lâcher et sa tête était tombée sur le côté.

À cause des enfants ils finirent par manger, vers une heure du matin, en essayant de faire bonne figure. La dinde était desséchée, et Nelly avait l'appétit coupé. Malgré toutes les paroles apaisantes de Hubert et de Dimitri, rentrés un peu après minuit, personne n'avait eu envie de s'amuser, et la cérémonie des cadeaux fut presque une corvée, sauf pour Louis et Paul qui trouvaient la soirée particulièrement extraordinaire, n'ayant pas vraiment l'âge de s'inquiéter pour leur grand-père. Hubert se chargea lui-même de monter les coucher, et à ce moment-là seulement Nelly put se laisser aller. Entourée par ses deux filles, elle se mit à pleurer.

Daphné se sentait épuisée par les événements. Elle avait dû attendre seule le retour de la famille, puis leur annoncer la nouvelle avec ménagement, sans montrer sa propre angoisse. Mais la vision de l'ambulance avec son gyrophare, sur l'esplanade de La Jouve, lui avait rappelé la mort d'Ivan de manière aiguë, au point de la mettre au bord du malaise. Dimitri, compréhensif, lui avait proposé de changer de rôle, qu'elle prenne sa voiture et lui resterait là. Une offre remarquable car il détestait prêter sa Lancia. Néanmoins, elle avait refusé, redoutant de conduire sur la neige et estimant plus normal que Dimitri accompagne son père.

— Drôle de Noël, murmura Nelly. Redonnez-moi donc un peu de champagne, les enfants, ça m'aidera à dormir.

Comme d'habitude, ils se retrouvaient dans la cuisine après avoir tout rangé. Vladimir remit une bûche sur les braises pendant qu'Ève servait une coupe à sa mère.

— Tu n'as rien mangé et rien bu, tu peux y aller !

— À la santé de Max, soupira-t-elle.

— Alors attends, on va trinquer.

Dimitri ressortit les verres qui venaient juste d'être essuyés. En silence, ils portèrent un toast à la guérison de Max, que Hubert jugeait probable.

— Il a une bonne constitution et un cœur en parfait état, ses derniers examens l'ont prouvé. Soixante-treize ans, de nos jours, ce n'est pas vieux.

Nelly aurait bien aimé le croire, mais elle doutait. Max allait-il s'accrocher, se soigner ? Avait-il envie de vivre, depuis qu'il ne sculptait plus ? En se posant la question, elle découvrit qu'elle ne connaissait pas la réponse.

Désemparée, Juliette s'était réfugiée près de son père, sur la marche de la cheminée. Cet étrange Noël la bouleversait et remettait même en question son départ prévu dans quelques jours. Sa famille et La Jouve étaient son port d'attache, le nid qu'elle pouvait quitter ou réinvestir à sa guise tant qu'il restait stable, immuable. Elle ne voulait pas avoir à s'angoisser, de l'autre côté de l'Atlantique, pour les gens qu'elle aimait, et elle refusait d'imaginer que quelque chose puisse changer ou disparaître en son absence.

Après avoir vidé sa coupe, Dimitri regarda Daphné qui semblait à bout de fatigue sur sa chaise basse, les coudes sur les genoux et le menton dans les mains. Elle avait travaillé toute la journée, charriant des bouteilles et empaquetant des coffrets-cadeaux. À présent, son maquillage s'était un peu dilué sous ses yeux parce qu'elle avait dû pleurer. Il éprouva un tel élan de tendresse pour elle qu'il fut obligé de se détourner. Son regard tomba alors sur Vladimir qui tenait Juliette dans ses bras avec une affection toute paternelle. L'espace d'un instant, il envia profondément le bonheur tranquille de son frère. Peu de soucis dans son agence bancaire, une vie de couple qui semblait harmonieuse avec Diane, une grande fille superbe qui réussissait ses études. Pourquoi Dimitri ne s'était-il construit qu'une carrière ?

— On devrait aller se coucher, suggéra Ève. Il est presque quatre heures !

Personne ne protesta car, pour une fois, aucun d'entre eux n'avait envie de s'attarder.

*
* *

— Je crois que tu dois trouver le courage, affirma Maud.

Ses longs cheveux blonds étaient attachés en queue-de-cheval, dégageant son visage aux traits fins. Depuis le début du repas, Ève n'avait pas cessé de la contempler avec ravissement. Elle aimait son sourire espiègle, sa manière délicate de manger ses huîtres, ses yeux bleu-vert. Chaque jour qui passait la rendait plus amoureuse et plus sûre d'elle, néanmoins, elle ne se sentait pas encore prête à affronter toute la tribu des Bréchignac.

— Nous sommes nombreux dans ma famille, répondit-elle en pesant ses mots. Certains accepteront sans problème, mais d'autres…

— Tu l'as bien dit à ton frère Dimitri !

— Il est différent.

— En quoi ?

— Plus indépendant, plus ouvert. Il a pas mal voyagé, rencontré des tas de gens, et il évolue dans un monde professionnel plutôt libre. Et puis, au fond, c'est un vrai gentil. Parfois il peut se montrer cassant, mais si c'est important il prend le temps d'écouter et d'essayer de comprendre sans porter de jugement.

— Et Vladimir ?

— Gentil aussi, mais conventionnel. Il a une âme de chef de famille, sauf qu'il attendra le décès de papa pour endosser ce rôle, parce qu'il ne tient pas à être calife à la place du calife. Ses ambitions sont limitées et son sens de la hiérarchie aigu.

— Et ta sœur ?

— Si je lui dis que je t'aime et que je suis heureuse, elle se réjouira pour moi. Malheureusement, elle en parlera à Hubert, son mari. Lui, en tant que psychiatre, aura une opinion que j'ignore mais qui m'inquiète d'avance. Remarque, j'apprécie Hubert, il est très calme, très reposant. Pas le genre à semer la zizanie, au contraire.

— Alors, peut-être devrais-tu commencer par lui ?

— Le problème est qu'il est très... famille Ricoré.

— À savoir ?

— Classique. Bon père, bon époux, sûrement bon praticien dans sa spécialité, bref, rien qui dépasse, rien qui pourrait choquer. Et le pire est qu'il n'est pas mesuré par formation mais par nature !

Un serveur vint débarrasser le plateau de fruits de mer qu'elles avaient dévorés jusqu'au dernier bigorneau.

— Veux-tu un dessert ? proposa Ève.

— Oh, oui, des profiteroles !

Amusée par sa gourmandise, Ève lui sourit. Autour d'elles, la brasserie était très animée, pleine de gens qui avaient préféré déjeuner au restaurant ce 25 décembre.

— Joyeux Noël, dit Maud en sortant un petit paquet de son sac.

Ève prit tout son temps pour ôter le ruban, défaire le papier. Avant même d'ouvrir l'écrin, elle devina qu'il s'agissait d'une bague.

— En gage d'amour, murmura Maud.

Le large anneau d'or blanc, tout simple, était exactement à la bonne taille. Ève considéra sa main gauche avec satisfaction avant d'adresser un sourire radieux à Maud.

— Joyeux Noël à toi.

À son tour, elle tendit son cadeau à Maud. Un bracelet en argent très travaillé, qu'elle l'avait vue admirer dans une vitrine lors d'une balade en ville. Le symbole était moins fort, elle le savait, mais pour le moment elle n'osait pas promettre davantage.

— Il est vraiment magnifique, s'extasia Maud. Tu t'en souvenais ?

— Bien sûr. Du moindre de tes mots aussi.

Elles échangèrent un long regard jusqu'à ce que Maud propose :

— Tu dors chez moi, ce soir ?

— Oui.

— Mais seulement ce soir, c'est ça ?

Ève baissa les yeux, contemplant sa bague une nouvelle fois.

— J'ai beaucoup de commandes à l'atelier, dit-elle enfin. Les filles reviennent travailler dès lundi matin, mais je ne vais pas les attendre pour finir certains trucs urgents.

L'excuse avait le mérite d'être vraie. Néanmoins, il s'agissait d'une excuse. Maud avait déjà évoqué la possibilité de vivre ensemble, et elle ne tarderait pas à revenir à la charge. Or, pour Ève, il n'en était pas question. Sa liberté, jalousement préservée jusque-là, lui était indispensable. À La Jouve, elle faisait ce qu'elle voulait sans rendre de comptes. Entre la maison et l'atelier de couture, elle allait et venait à sa guise, découchait sans prévenir si elle le désirait. Sa famille l'entourait d'affection sans jamais l'asphyxier. Elle n'avait aucune contrainte d'intendance, trouvant toujours le repas prêt et le couvert mis. Maud prétendait qu'elle faisait preuve d'immaturité en restant chez ses parents, ce qui était faux. Ève n'habitait pas chez ses parents, elle habitait La Jouve, un lieu à nul autre pareil que, comme tous les Bréchignac, elle tenait à préserver. Si un jour elle décidait de déplacer l'atelier de couture à Montpellier, et si Dimitri s'avisait d'estimer son laboratoire inutile, La Jouve serait forcément condamnée. Pour faire vivre un endroit de cette dimension, il fallait être nombreux, avec des activités professionnelles diverses. En réalité, la famille vivait comme une entreprise, et son équilibre fragile ne devait pas être remis en question, sous peine de faillite. Ève avait essayé d'expliquer tout cela à Maud sans parvenir au résultat souhaité car la jeune femme s'était précipitée sur la perche tendue : « Eh bien, si c'est le seul moyen, je veux bien intégrer La Jouve ! Prends ton courage à deux mains, présente-moi, et tu verras, je me ferai accepter. »

Ève n'avait même pas voulu y réfléchir. Imaginer l'accueil de son père – sourcils arqués, regard hostile, petite moue méprisante – suffisait à la dissuader de tenter l'expérience. Max était d'une autre génération, il n'apprécierait pas que sa fille cadette vive avec une autre fille. Il avait beau aimer, adorer les femmes, il ne comprendrait pas.

— Tu es partie bien loin d'ici, dit Maud en posant sa main sur celle d'Ève.

— Je pensais… à la réaction de papa si je lui parlais de toi, de nous. Mais pour commencer, je ne sais

même pas s'il va se remettre de son œdème pulmonaire.

Maud hocha la tête avec un sourire compréhensif.
Se réfugier derrière l'hospitalisation de son père fit
honte à Ève. Elle venait de gagner lâchement un sursis, mais ce ne serait pas suffisant face à l'opiniâtreté
de Maud.

*
* *

Maximilien somnolait, encore étonné d'avoir
constaté à son réveil qu'il ne souffrait de rien. Hormis
la gêne de ce tuyau d'oxygène dans son nez, il se sentait bien. Pourrait-il bientôt quitter ce maudit hôpital
et rentrer chez lui ?

Dans l'ambulance qui l'avait conduit ici, il se souvenait d'avoir eu peur. La sirène, la difficulté à respirer, la perte de conscience à certains instants : tout
évoquait la mort approchant à grands pas. Mais, finalement, il s'était réveillé quelques heures plus tard
dans une chambre aux murs nus, comprenant immédiatement où il était. Malgré la perfusion dans son bras
et l'assistance respiratoire, son esprit semblait tout à
fait alerte. Suffisamment, en tout cas, pour réfléchir
et s'interroger. Le jour où il allait mourir *pour de bon*,
qu'adviendrait-il après lui ? Il n'avait rien prévu de
particulier, ni pour sa famille, ni pour sa maîtresse.
Encore moins pour son œuvre. Pourquoi n'avait-il
jamais songé à sa succession ?

« Parce que je ne peux pas mentionner Nathalie. Or
c'est moche de ne rien lui laisser. À elle ou à notre
fille. Ce serait un moyen de réparer un peu, mais
comment faire ? Pas question que Nelly apprenne leur

existence, même quand je serai six pieds sous terre. Je n'ai pas le droit de gâcher ce qui lui restera de vie. Elle a été une femme si merveilleuse ! Et je l'aime toujours… Nathalie aussi, d'ailleurs. Elle, je sais qu'elle n'attend rien de moi, nous n'en avons jamais parlé mais elle doit bien se douter qu'elle n'apparaîtra pas sur mon testament. »

Existait-il une solution ? Il ne possédait pas grand-chose en dehors de La Jouve et de son petit atelier sous verrière à Paris. Son compte en banque n'était pas florissant, tant s'en fallait. En principe, Nelly se chargeait de tout, il ne voulait même pas imaginer comment. Son arrangement financier avec Ève paraissait lui suffire, et sans doute Vladimir et Hubert contribuaient-ils aux frais. Dimitri aussi, probablement, à sa manière. Nelly s'était insurgée lorsqu'il avait évoqué la possibilité de faire payer un loyer pour le laboratoire, alors Max était allé poser directement la question à leur fils. Désagréable, Dimitri l'avait pris de haut, répliquant que tout était réglé avec Nelly depuis le premier jour.

« Et bien sûr, je n'en savais rien ! Même si je ne m'occupe pas de ces choses-là, on pourrait me tenir au courant. »

Le gouffre de La Jouve, le salaire d'Anton, la table ouverte : Nelly gérait tout. À l'époque où il vendait des sculptures, Max lui avait régulièrement donné de grosses sommes d'argent, ne gardant pour lui que ce qu'il appelait sa « cagnotte secrète ». Mais il ne vendait plus rien depuis longtemps, et pourtant la maison marchait toujours au même rythme.

« À Nathalie, je pourrais laisser une sculpture. Personne ne sait combien il y en a dans mon atelier, alors une de plus ou de moins ! Le problème est de la faire sortir… »

Pour ça, il existait une possibilité puisqu'il allait exposer à Paris et faire voyager bon nombre de pièces.

« La série éclatée au sol serait idéale, parce que personne n'en voudra dans la famille, et qu'à Nathalie Ivan ne rappelle rien. »

Malheureusement, cette série-là était trop voyante, tout le monde la connaissait. De plus sa valeur était énorme, la critique ayant encensé cette ultime production.

« Après ma mort, ces crétins, ces ignares appelleront ça une *œuvre testament* ! »

Certes, il y avait mis son âme, sa douleur, sa faute et son expiation, mais ces corps-là étaient sans vie, comme la roche dont ils étaient faits, alors que le réel talent de Max était de donner vie au marbre.

« À choisir, il y aurait cette jeune fille à moitié nue dont la tunique a glissé à cause du vent. Je l'ai sculptée il y a quoi... vingt ans ? Le tissu qui se drape autour des jambes, la chevelure en bataille, le corps un peu penché en avant contre la tempête, quelle réussite ! Je l'avais appelée Ludivine, en hommage à notre fille... Quelques mois après, j'ai réalisé son buste en m'appliquant à reproduire son visage. Une statue magnifique... C'est celle-ci que je devrais offrir à Nathalie, bien sûr. Mais c'est aussi la plus belle des femmes que j'ai créées, et un jour ces abrutis de critiques d'art le découvriront. »

Il était tellement plongé dans ses pensées qu'il entendit à peine la porte s'ouvrir.

— Papa ?

Gêné par le tuyau, Max tourna lentement la tête et se sentit très déçu. Pourquoi Dimitri ? Il aurait préféré voir Nelly, ou une des filles, ou Daphné qu'il adorait. À la rigueur, il se serait contenté de Vladimir.

— Comment vas-tu ?

— Question idiote, répondit-il en désignant les tuyaux de sa main libre. On se sent toujours faible à l'hôpital. Je veux rentrer à La Jouve, débrouille-toi avec les médecins pour que ça ne traîne pas.

Au lieu de répondre, Dimitri approcha une chaise du lit et s'assit.

— Maman viendra en fin de journée avec Hubert. Tu n'auras qu'à en discuter avec lui, il est le mieux placé.

— Il est psychiatre, ricana Max.

— Mais pour ça, il a d'abord fait médecine. Il peut s'entretenir avec ses confrères en connaissance de cause.

— Bon, alors qu'est-ce que tu veux ?

— Moi ?

Dimitri hésita, finit par sourire.

— Eh bien, savoir si tu as besoin de quelque chose, et donner de tes nouvelles à toute la famille. On s'est fait pas mal de souci pour toi. Je crois que tu ne devrais pas…

— Quoi ? l'interrompit Max avec fureur. Fumer le cigare ? Tu vas te mettre à hurler avec les loups ? Tu penses bien qu'à mon âge je fais *exactement* ce que je veux !

— Naturellement. En fait, c'est plutôt l'humidité de ton atelier qui m'inquiète. Tu y passes tout ton temps, et en ce moment il fait froid, il neige.

Désorienté par cette réflexion inattendue, Max resta silencieux. Oui, la température de l'atelier était glaciale, avec un taux d'hygrométrie sans doute effarant. Même bien couvert, mieux valait ne pas s'éloigner du radiateur électrique. Par ses proportions imposantes, l'atelier était impossible à chauffer, mais à l'époque où il sculptait à grands coups de ciseau furieux, Max ne sentait jamais le froid de l'hiver. À présent, il lui arrivait de se recroqueviller dans son vieux fauteuil de cuir, complètement transi.

— Anton dit qu'il pourrait t'installer un poêle à bois, ce serait plus sain et plus efficace. Il existe un conduit de cheminée sur lequel il pense se raccorder.

Un peu rasséréné, Max comprit que sa famille n'essaierait pas de l'éloigner de son atelier. C'était son antre, il avait besoin d'être là au milieu de ses créations, besoin d'être seul, loin des siens, besoin de croire contre toute évidence qu'un jour ou l'autre l'inspiration lui reviendrait.

— Pourquoi pas ? bougonna-t-il. Anton n'a qu'à profiter de mon absence pour le faire, parce que je n'ai aucune envie de le voir bricoler avec tous ses outils bruyants quand je serai rentré ! Et surtout qu'il ne se mette pas en tête de nettoyer l'atelier, hein ?

Dimitri esquissa un nouveau sourire qui agaça Max au plus haut point. Il se souvint brusquement des pensées qui l'avaient assailli depuis son réveil jusqu'à l'irruption de son fils.

— Mais ça doit coûter cher, un de ces poêles Godin… Je ne sais pas si je peux me l'offrir en ce moment.

— On s'arrangera, ne t'inquiète pas.

— Mais si, je m'inquiète ! s'énerva Max. Qu'est-ce que tu crois ? Que je n'ai pas les pieds sur terre ? Je l'ai supporté longtemps sans rien dire, ce froid dont tu t'aperçois aujourd'hui seulement, car je n'ai jamais cherché le confort pour moi. Je réservais ça à la maison, pour les autres…

Du coin de l'œil, il guetta la réaction de Dimitri qui se contentait de le contempler avec une expression tout à fait indéchiffrable.

— Écoute, soupira-t-il, je suis fatigué, je vais dormir un peu.

Pour clore la discussion, il ferma les yeux. Dans le tuyau d'oxygène, quelques mucosités produisaient un vilain bruit de succion à chaque inspiration, néanmoins il entendit la porte qui se refermait doucement.

*
* *

Pour une fois, ni Nelly ni Béatrice ne s'étaient occupées du dîner. Rentrées trop tard du CHU où elles étaient allées voir Max en fin d'après-midi, elles eurent la bonne surprise de trouver la table mise par Daphné. Juliette avait préparé un gâteau au chocolat selon une recette américaine, Diane un gratin de macaronis qui attendait dans le four, et Vladimir s'activait devant la cheminée.

Émue, Nelly les remercia tous, mais elle semblait désemparée par l'hospitalisation de Max, comme si elle prenait soudain conscience que son univers pouvait s'écrouler. Jusque-là, elle avait fermé les yeux sur le fait que son mari ne travaillait plus et que l'argent devenait rare. Elle ne touchait qu'une maigre retraite malgré toutes ses années de travail de couturière, et lui, en tant qu'artiste indépendant, ne s'était jamais soucié de la sienne, persuadé qu'il sculpterait jusqu'à son dernier jour.

Tout en chipotant sur ses macaronis – qu'elle jugeait un peu trop cuits –, Nelly observa tour à tour chaque membre de sa famille. Certes, elle aimait les avoir autour d'elle et n'était jamais si heureuse que lorsqu'ils étaient tous réunis. Mais ne les avait-elle pas trop gâtés, choyés, valorisés ? Ne finissaient-ils pas par trouver normal ce confort chaleureux qu'elle leur offrait depuis toujours ? S'était-elle fourvoyée en les plaçant au-dessus de toute autre préoccupation, au-dessus d'elle-même ? Comment allaient-ils se comporter en cas de coup dur ? Si, par malheur, Maximilien disparaissait, qu'adviendrait-il de la tribu ?

— Maman ? murmura Dimitri.

Placé à sa gauche, il venait de se tourner vers elle et il la scrutait.

— C'est pour papa que tu t'inquiètes ?

— Pour nous tous, avoua-t-elle d'un ton las.

— Nous ? Tout va bien pour nous, c'est à toi qu'il faut penser. À te ménager un peu. Nous en avons discuté Vladimir et moi, et nous sommes tombés d'accord.

— Sur quoi ?

— Tu ne dois pas te faire de souci. En ce qui concerne… l'avenir, tu peux compter sur nous quoi qu'il arrive, j'espère que tu le sais.

— Bien sûr, mon chéri.

— Il y a aussi les détails pratiques, dont tu ne parles jamais. À partir d'aujourd'hui, chacun d'entre nous va faire un effort financier.

— Dimitri !

Son exclamation interrompit les autres conversations. Profitant du silence, Dimitri enchaîna fermement :

— Vladimir et Hubert sont déterminés à participer davantage aux frais de la maison. Quant à Ève et moi, nous allons revoir nos arrangements avec toi pour l'atelier et le labo.

— Sûrement pas. D'ailleurs, Ève n'est pas là, tu n'as pas le droit de décider à sa place.

— Si, justement, elle m'a chargé de parler pour elle. Nous gagnons très bien notre vie tous les deux et nous avons besoin de ces locaux. Il est temps de les louer à leur juste valeur. On ne te fait pas un cadeau, toi non plus, tout le monde s'y retrouve.

— Mais enfin, protesta-t-elle faiblement, nous ne sommes pas aux abois, Max et moi !

— Eh bien, pas question qu'on vous y mette. Les années passent, la vie augmente, les charges qui pèsent sur La Jouve aussi.

— Toi, soupira-t-elle, je ne te croyais pas capable de parler comme un comptable.

Vladimir vola aussitôt au secours de son frère.

— Je suis d'accord avec lui, maman. En fait, nous sommes tous d'accord. On s'est un peu laissés vivre, et depuis trop longtemps.

Dans le silence qui suivit, Anton marmonna :

— Ça…

Une seule syllabe, lourde de sens. À combien se montait le salaire d'Anton, jamais revu à la hausse ?

— Vous êtes bien gentils, finit par concéder Nelly, et après tout vous n'avez pas tort. Maintenant, que les choses soient claires, si j'accepte un peu d'aide c'est parce que je ne suis pas sûre que Max se remette…

— Mais si, voyons ! protesta Hubert avec conviction.

Elle le regarda et lui accorda un sourire très affectueux avant d'achever :

— Se remette à travailler un jour.

Pour la première fois, elle osait aborder le sujet devant ses enfants et cela sembla l'effrayer elle-même car elle se leva aussitôt.

— En attendant, n'espérez pas fourrer votre nez dans mes factures sous prétexte de me faciliter la vie. C'est valable aussi pour mes comptes dans ta banque, Vladimir !

Elle leur signifiait ainsi que son rôle de mère poule, tenu avec constance, ne l'empêcherait pas de rester maître à bord de La Jouve. À moins que ce ne soit Max qu'elle cherche à protéger de leur curiosité.

— Il faut que j'aille dormir, je ne tiens plus debout.

L'un après l'autre, elle les embrassa tendrement en leur souhaitant une bonne nuit, sans oublier de féliciter Juliette pour son gâteau. Quelques instants après son départ, ils se remirent à parler tous ensemble, sauf Dimitri qui restait songeur, les yeux baissés vers son assiette vide. Il s'était imaginé s'éloignant de la maison pour ne plus voir Daphné, il avait même pensé à vendre son appartement et à quitter Montpellier. Or voilà qu'il venait de s'engager à faire l'inverse pour préserver sa mère. S'il occupait son laboratoire pour de bon, elle accepterait son argent, mais pas s'il partait. Et jamais elle ne louerait le local à quelqu'un d'autre. D'une certaine manière, les très sérieuses discussions que Dimitri avait menées avec son frère et ses sœurs le rendaient prisonnier de La Jouve et le condamnaient à y côtoyer Daphné. Sauf s'il s'astreignait à des horaires précis qui finiraient par sembler louches à tout le monde. Il ne pouvait tout de même pas partir dès qu'elle arriverait, et ne s'asseoir à la table familiale que lorsqu'elle n'y serait pas.

Il soupira, changea de position sur son banc et, en relevant les yeux, croisa le regard de Daphné. Elle l'observait avec intérêt, gentillesse, et elle finit par lui adresser une mimique interrogative, sans doute intriguée par son silence. Dans son gros col roulé irlandais, ses bras serrés autour d'elle, elle avait l'air toute petite, toute menue, presque gamine. Attendri, il lui fit un clin d'œil avant de quitter sa place pour aller ajouter une bûche dans la cheminée. Malgré l'absence de Max, malgré ce Noël raté, personne ne semblait pressé de monter se coucher. Vladimir venait même de sortir une bouteille de très vieil armagnac, en principe réservé aux grandes occasions.

Dimitri tisonna les braises, donna un coup de soufflet, puis il s'absorba dans la contemplation des flammes qui renaissaient. Lorsqu'il sentit la présence de Daphné derrière lui, il ne se retourna pas.

— Tu avais l'air triste, tout à l'heure, chuchota-t-elle.

— Je me demandais où nous serons, les uns et les autres, dans dix ans, dans vingt ans... Et ce que La Jouve sera devenue à ce moment-là.

— Ne vois pas si loin, c'est désespérant.

Enfin, il lui fit face.

— Et toi, où seras-tu ?

— Peut-être à Bordeaux, répondit-elle avec un petit rire insouciant. J'ai rencontré un négociant en vins à qui j'ai tapé dans l'œil. Il est vraiment... très sympa.

Dimitri eut l'impression d'avoir reçu un coup de poing à l'estomac. Au prix d'un gros effort, il parvint à rester impassible, se bornant à hocher la tête.

— Si ça dure, je te le présenterai, ajouta-t-elle.

— Volontiers.

Imaginer la scène suffisait à le mettre en rage. Jalousie, impuissance, amertume, des tas de sentiments désagréables étaient en train de l'assaillir. « Sympa » ne voulait rien dire. Pour que Daphné en parle, cet homme avait déjà dû prendre un peu d'importance. Depuis quand et jusqu'à quel point ?

— Je goûterais bien une larme d'armagnac, dit-elle en s'asseyant sur la marche de pierre de la cheminée.

Il alla lui chercher un petit verre, revint le lui présenter. Penché vers elle, il huma une odeur qui le fit s'immobiliser. Un mélange de feu de bois, de laine chaude, d'alcool fort et fruité. Avec autre chose, à peine discernable, qui devait être la peau de Daphné, ou ses cheveux. Il s'agenouilla pour être à sa hauteur.

— Juste un truc que je veux sentir, expliqua-t-il.

Tandis qu'il inspirait à plusieurs reprises, les yeux fermés, elle éclata de rire.

— Tu es comme un chien de chasse sur une piste !

— Ou un cochon truffier.

La plaisanterie venait de Hubert qui les observait. Dimitri crut lire dans son regard une sorte d'avertissement. Il se redressa aussitôt, recula d'un pas. L'envie de prendre Daphné dans ses bras pour mieux la respirer avait été si forte, l'espace d'un instant, que Hubert l'avait forcément perçue. Dimitri aurait dû se sentir très mal à l'aise, mais il y avait plus important et plus urgent car il venait de capter la nuance infime qui lui manquait jusque-là.

— Je vais au labo ! lança-t-il d'une voix exaltée.

Laissant les autres ébahis, il traversa la cuisine à grands pas, décrocha un blouson au passage et disparut dans la nuit.

7

À la fin du mois de janvier, un surprenant redoux fit oublier la rigueur de l'hiver. En sortant de sa douche ce matin-là, lorsque Daphné consulta le thermomètre du rebord de la fenêtre, elle fut ravie de voir qu'il faisait onze degrés. Frileuse, elle en avait assez de superposer les pulls à longueur de journée, et aujourd'hui elle allait enfin se contenter d'un seul col roulé sous son blouson en jean.

Une fois habillée et coiffée, elle pressa un pamplemousse, debout devant le comptoir de sa kitchenette. Depuis une dizaine de jours, elle n'était pas montée à La Jouve, mais elle prenait régulièrement des nouvelles de Max qui se remettait bien de son problème pulmonaire. En convalescence chez lui, il passait ses journées près du poêle Godin installé dans l'atelier par Anton. D'après Nelly, il était d'assez bonne humeur car l'organisation de son exposition parisienne se confirmait.

À neuf heures précises, Daphné entendit le rideau de fer se relever, quatre étages au-dessous, et elle se dépêcha de descendre rejoindre son jeune employé. Il s'appelait Étienne, avait vingt-deux ans et débordait d'énergie. En trois semaines, il avait déjà acquis de bons réflexes de vente, s'occupant de tous les clients avec le sourire. Sa formation de vendeur-conseil caviste lui donnait quelques connaissances non négligeables, mais il avait encore beaucoup à apprendre et, apparemment, il ne demandait que ça. Être sous les ordres d'une femme ne lui posait pas de problème, surtout sachant qu'elle avait été mariée à un œnologue.

— Bonjour ! lui lança-t-il gaiement.

Armé d'un balai, il était en train de nettoyer le magasin.

— Dans quinze jours, enchaîna-t-il, c'est la Saint-Valentin. On devrait faire une vitrine spéciale, non ? J'ai plein d'idées pour des coffrets destinés aux dîners d'amoureux, et il y a aussi ceux que vous avez reçus de deux maisons de champagne, avec les flûtes offertes ou un petit sac isotherme, et…

— Oh là là, Étienne ! J'allais te proposer du café, mais je te trouve déjà très remonté.

— Comme la température. Vous avez remarqué ? Ça sent presque le printemps.

— Fin janvier ? Tu es d'un optimisme… ébouriffant.

Daphné passa dans l'arrière-boutique où elle prépara deux cafés avec la machine offerte par Dimitri à Noël. Une merveilleuse idée de cadeau pour elle qui adorait boire des express à longueur de matinée.

— On a reçu le savennières de La Roche-aux-Moines ! cria Étienne. Et j'ai pris cinq euros dans la caisse pour donner un pourboire au transporteur. Votre client sera content de récupérer sa commande, il doit passer ce matin.

La présence du jeune homme soulageait vraiment Daphné. Désormais, c'était lui qui charriait les caisses lors des livraisons, qui rangeait les bouteilles dans les casiers, bref qui se chargeait de toute la manutention. Et dès la fin de sa première semaine de travail, Daphné avait compris qu'elle pouvait lui faire confiance et s'évader une heure de temps en temps. Pour elle qui avait l'habitude d'être clouée dans sa cave, il s'agissait d'une véritable libération. Mais les ventes allaient-elles augmenter grâce à Étienne ? Probablement pas. Daphné avait décidé qu'elle se donnerait trois mois avant de faire un bilan ou de tirer des conclusions. La suggestion de Vladimir de ne pas se tuer à la tâche était raisonnable, mais au bout du compte elle serait seule à décider des avantages et des inconvénients, les conseilleurs n'étant pas les payeurs.

Elle entendit le carillon de la porte, et la voix d'Étienne annonça :

— Votre beau-frère !

Persuadée qu'il s'agissait de Dimitri, elle fut tout étonnée de découvrir Hubert.

— Tu n'es pas à l'hôpital ? Il est arrivé quelque chose ?

— Tout va bien, dit-il avec un sourire rassurant. Je suis simplement en quête de deux ou trois bonnes bouteilles pour fêter le départ en retraite d'un confrère. Tu pourrais m'arranger ça dans une jolie boîte en bois ? Je crois que sa préférence va aux bourgognes.

Daphné fit avec lui le tour des casiers et, quand leur choix fut arrêté, elle laissa Étienne s'occuper de l'emballage.

— Veux-tu un café en attendant ? Ma machine sait tout faire, court, long, avec ou sans lait…

— Un petit express nature serait parfait.

Ils passèrent dans l'arrière-boutique où il en profita pour lui demander si elle était contente de son employé.

— Il aime le métier, il est toujours de bonne humeur, et depuis qu'il est là j'ai moins de courbatures ! En plus, je dispose enfin d'un peu de liberté, ça fait du bien.

— Tu en avais besoin ?

— Plus que je ne le croyais. Tiens, le week-end dernier, ou plutôt dimanche et lundi pour moi, je suis allée à Béziers. Et finalement, je ne suis rentrée que mardi dans la matinée, sans me presser parce que je savais qu'il ouvrirait la cave. Un luxe !

— Bon séjour ? s'enquit Hubert.

— Pas tout à fait.

Avec son air débonnaire, Hubert attirait les confidences, ce qui poussa Daphné à ajouter :

— Encore une fausse piste, j'ai peur de ne pas avoir la main heureuse.

— En amour ?

— C'est beaucoup dire. Pour tout t'avouer, j'avais rencontré un homme charmant il y a deux mois, négociant en vins de Saint-Chinian. On est sortis deux ou trois fois ensemble, ça se passait plutôt bien, alors, quand il m'a invitée à Béziers, je n'ai pas hésité. Il m'a fait visiter des vignobles, rencontrer des petits producteurs, on a passé une journée très intéressante. Malheureusement, une fois en tête-à-tête pour le dîner aux chandelles, je l'ai trouvé un peu... comment t'expliquer ? Ennuyeux, voilà. Donc, quand il a été question de passer la nuit ensemble, j'ai préféré rentrer seule à l'hôtel.

— Je vois.

Après un petit soupir résigné, elle but son café et expédia le gobelet de carton dans la poubelle.

— Tu crois que je vais y arriver, Hubert ?

— À quoi ?

— À aimer.

— Oui, bien sûr.

— Mais tu vois, là, toutes les conditions étaient réunies pour démarrer une belle histoire, et puis… rien. Pas de déclic, pas de désir. Pas envie d'aller plus loin.

— Ça ne se commande pas. Pourquoi voudrais-tu te forcer ?

— Pour faire comme tout le monde, j'imagine.

— Mauvaise raison, tu le sais très bien. La solitude te pèse ?

— Parfois, oui. Pas toujours. D'un côté, je ne veux pas passer le reste de ma vie toute seule, mais d'un autre… Je me demande si c'est à cause d'Ivan.

— Non, Daphné, tu as fait ton deuil. Cherche l'explication ailleurs.

— Suffit-il de chercher pour trouver ?

— Quand on se pose les bonnes questions, et à condition d'être honnête avec soi-même, on obtient toujours les bonnes réponses. Il arrive qu'elles soient très surprenantes.

Elle eut la nette sensation qu'il venait de la mettre en garde, mais contre quoi ?

— Il faut que je file à l'hôpital. Merci pour le café !

Ils regagnèrent la boutique où Hubert régla son achat avant de partir. Daphné aurait aimé discuter plus longtemps avec lui, pourtant elle ne chercha pas à le retenir. Elle allait d'abord réfléchir à ce qu'il avait dit, ensuite ils en reparleraient lorsqu'elle monterait à La Jouve. « Se poser les bonnes questions » signifiait-il qu'elle s'aveuglait ? Qu'elle refusait de voir une évidence ? Perplexe, elle regarda distraitement les bouteilles joliment disposées par Étienne près de la caisse. Ce garçon savait prendre des initiatives, tant mieux. Relevant les yeux, elle découvrit que le soleil brillait dans la rue et que la plupart des passants avaient abandonné leurs gros manteaux d'hiver. Encore un peu de patience et, d'ici deux ou trois mois, tout le monde se remettrait à vivre dehors. En particulier la tribu Bréchignac, attablée sous son micocoulier. Sourire aux lèvres, Daphné songea que c'était là-bas qu'elle avait envie d'être.

*
* *

Dimitri considéra son téléphone durant quelques instants, puis il le lança en l'air et se mit à jongler avec en poussant des cris de joie.

— Oui, oui, oui !

Cette fois, tout le monde était d'accord, sa formule avait fait l'unanimité et le parfum allait naître. Un très grand parfum.

Son mobile finit par lui échapper et atterrit sur l'un des canapés tandis qu'il s'affalait dans un autre. Une folle envie de faire la fête le tenaillait. Avec qui allait-il arroser la bonne nouvelle ? Il se releva d'un bond, courut ouvrir la baie vitrée donnant sur la terrasse. L'air était d'une incroyable douceur et de nombreux promeneurs en profitaient. S'il avait été à La Jouve, Dimitri serait parti marcher dans les bois pour laisser son allégresse s'exprimer sans retenue. Toutes les étapes suivantes – le nom du parfum, son flacon, son lancement – seraient captivantes, mais l'essentiel était d'avoir trouvé la combinaison originale des essences, leur proportion exacte, le développement successif des arômes. L'alchimie reposait sur un accord poudré de fleurs rares où dominait l'iris, saturé de muscs et d'aldéhydes racés. Du caractère, une dimension sulfureuse, un sillage de jasmin aux pétales capiteux. Des notes de tête éclatantes, un fond opulent et tenace.

— Ce sera une réussite…

Dimitri en avait la certitude, il savait qu'il avait trouvé son Graal. Il s'accouda à la balustrade et se perdit dans la contemplation des toits de la rue Saint-Guilhem. Sa carrière allait subir une accélération, il aurait bientôt des ouvertures, des choix à faire. Il ne se souvenait plus exactement de quelle manière était née sa vocation du parfum. D'avoir vu son père tailler à longueur de temps un marbre froid et sans autre odeur que la poussière de roche ? Non, sans doute avait-il voulu réinventer les senteurs extraordinaires de ses randonnées avec Vladimir, en toutes saisons, dans les gorges de l'Hérault, les montagnes de Labat et de la Celette, les bois de l'Âne et de Valène pleins de fleurs rares.

La sonnerie de son portable l'arracha à ses souvenirs. Il rentra et le récupéra au milieu des coussins du canapé, juste à temps pour répondre.

— Dimitri, ce faux air de printemps me donne des fourmis dans les jambes ! Pas toi ?

La voix rieuse de Daphné le fit sourire malgré lui. Il avait toujours envie de l'entendre mais se forçait à ne jamais l'appeler.

— Si tu n'as rien de prévu, on pourrait dîner dans un bistrot et aller au ciné avant ou après.

— Eh bien, je…

— Tu es déjà pris ? Pas grave, on fera ça une autre fois.

La déception perceptible de Daphné lui fut odieuse. De toute façon, il avait envie de sortir, et de préférence avec elle.

— Non, ton programme me va très bien. J'ai repéré un bon film au Gaumont Comédie, je t'inviterai dans une brasserie ensuite. Un filet de bœuf à La Diligence, ça te tente ? Ou bien, si on a envie de marcher un peu, du poisson au Petit Jardin ?

— D'accord, mais tu ne m'invites pas, on partage.

— Pas ce soir. J'ai quelque chose à fêter, j'irai peut-être jusqu'à t'offrir du champagne.

— Waouh ! Tu passes me prendre à la cave ?

— Sept heures moins le quart.

En raccrochant, il fut secoué d'un petit rire nerveux. Pourquoi faisait-il le contraire de ce qu'il avait décidé ? Manquait-il à ce point de volonté ? L'appel de Daphné était évidemment tombé au mauvais moment, alors qu'il se trouvait dans un état euphorique, et la perspective de passer la soirée avec elle avait été trop séduisante pour qu'il y résiste. Aucun des copains qu'il aurait pu joindre, aucune de ses maîtresses occasionnelles ne serait une meilleure compagnie que Daphné. C'est à elle qu'il avait envie de parler de son parfum, avec elle qu'il voulait se retrouver dans une salle obscure pour s'émouvoir devant une histoire triste ou s'esclaffer devant un film comique. Et puis, il allait multiplier les voyages à Paris lors des semaines à venir, ensuite les séjours à l'usine de Grasse qui devait se charger de la fabrication... Et il n'aurait plus guère l'occasion de voir Daphné.

Tout réjoui de la permission qu'il venait de s'octroyer, il gagna sa salle de bains pour prendre une longue douche.

*
* *

— Ève ne dîne presque jamais là, fit remarquer Max. Tu crois qu'elle a un petit copain à Montpellier ?

Sa question glaça Nelly. Depuis la découverte de la photo, sur le bureau de l'atelier de couture, elle avait beaucoup réfléchi et en était arrivée à la décision de ne pas interroger Ève. Lors de la soirée du jubilé, elle s'était contentée d'observer de loin la jeune femme blonde. Souriante, jolie, bien élevée et dansant avec élégance, Maud n'avait absolument rien laissé paraître de sa relation avec Ève. Mais Nelly connaissait trop bien sa fille, elle avait surpris des regards, des attitudes, et ses derniers doutes avaient été balayés.

— Ce serait bien, poursuivit Max. Elle a trente-cinq ans, elle devrait songer à se caser.

— Quelle affreuse expression ! Moi, j'aimerais simplement qu'elle soit heureuse. Mariée, pas mariée, aucune importance. Celui ou celle qui fera son bonheur aura toute mon indulgence.

Max éclata de rire et frappa son genou de son poing.

— Ah, elle est bien bonne !

La tête penchée au-dessus de la cocotte où mijotait un goulasch, Nelly prit une grande inspiration. Mieux valait qu'elle prépare Max au choc qu'il finirait par recevoir, et que ce soit elle qui essuie sa première fureur. Elle se retourna vers son mari, ouvrit la bouche, mais l'arrivée de Vladimir et de Diane l'empêcha de parler. D'autant plus que Vladimir semblait excédé, ce qui lui arrivait rarement.

— À la banque, l'ambiance est désastreuse, expliqua-t-il pour justifier sa mauvaise humeur. Les clients sont très agressifs depuis le début de la crise, et mes employés ne sont pas formés pour y faire face. Ils ne savent pas quoi répondre quand ils se font prendre à partie par un mécontent ou un anxieux, alors ils servent un petit discours tout fait qui se veut lénifiant mais qui provoque immanquablement la fureur de ceux qui font la queue aux guichets pour avoir des infos. Qu'est-ce qu'on peut leur dire, hein ? Qu'il n'y aura pas de faillite du système bancaire français et que leurs économies ne sont pas menacées ? Les médias leur annoncent l'apocalypse tous les matins ! Résultat, on passe tous pour des filous.

— Et c'est faux ? s'enquit Max d'un air innocent. Ne me raconte pas que vous êtes de généreux mécènes…

— Je ne suis pas un escroc ! s'indigna Vladimir.

— Toi, peut-être pas, d'ailleurs à ton échelle ça n'a pas d'importance, mais plus haut dans la pyramide, hein ? Peux-tu me garantir l'honnêteté de ta hiérarchie ? Les banques font du fric, un point c'est tout.

Vladimir le dévisagea puis haussa les épaules. Les conversations avec son père devenaient de plus en plus difficiles, personne ne trouvant grâce aux yeux de Max qui s'aigrissait avec l'âge.

— Tout le monde fait du fric, déclara Diane d'un ton sec. Les artistes et les galeristes aussi, j'imagine ? Le monde marche comme ça, propulsé par un bimoteur d'argent et de sexe, qu'y pouvons-nous ?

Max lui lança un coup d'œil aigu mais il ne répondit rien car il n'avait pas envie de s'affronter avec sa belle-fille. Les enfants firent diversion en entrant dans la cuisine, l'un poursuivant l'autre.

— Qu'est-ce qu'on mange ? hurla Paul.

— Et quand est-ce qu'on mange ? renchérit Louis.

— Ne criez pas, protesta Nelly, je ne suis pas sourde. Le goulasch sera prêt dans un quart d'heure, vous n'avez qu'à mettre le couvert. Que fait votre mère ?

— Un câlin avec papa, répondit ingénument Paul.

Scandalisée, Nelly se retourna pour regarder ses deux petits-fils.

— Non, pas un câlin comme ça, crut bon de préciser Louis. Ils s'embrassent, quoi…

Diane et Nelly échangèrent un regard tandis que Vladimir s'efforçait de ne pas rire.

— J'ai vu Dimitri en coup de vent aujourd'hui, dit-il à sa mère pour changer de sujet. Il est passé à la banque, il avait l'air fou de joie à propos de son fameux parfum. Normalement, il viendra ce week-end parce qu'il va être très pris par la suite.

— Qu'il se garde la dernière semaine d'avril, lança Max avec emphase. La date de mon exposition est fixée au 25 et j'aimerais bien vous voir tous au vernissage.

Content de son petit effet, il guetta les réactions. Nelly lui adressa un sourire radieux en murmurant :

— C'est fantastique, Max…

— Qu'est-ce qui est fantastique ? interrogea Béatrice qui venait d'arriver, suivie de Hubert.

— Ton père expose à Paris fin avril.

— En voilà une bonne nouvelle ! Dans quelle galerie ?

— On ira à Paris nous aussi ? s'écria Louis. Génial !

Il expédia une bourrade à son frère qui s'écroula sur un banc, entraînant avec lui deux verres qui se fracassèrent sur les tomettes.

— Poussez-vous de là, ordonna Béatrice.

— C'est du verre blanc, ça porte bonheur, intervint Nelly. Je vais balayer.

— Je m'en charge, marmonna Anton.

Il était là depuis un moment, debout près de la cheminée, aussi discret que de coutume. Un peu calmés, les enfants l'escortèrent jusqu'à l'office pour aller chercher une pelle et un balai.

— Juliette me manque déjà, soupira Diane. Quand les enfants sont petits, ils sont insupportables, et après, eh bien, ils sont partis !

— Est-ce que quelqu'un sait si Daphné viendra aussi ce week-end ? demanda Max. Il y a une éternité que je ne l'ai pas vue.

— Oui, elle sera là samedi soir, répondit Nelly. Elle a téléphoné pour prendre de tes nouvelles.

Avec un petit sourire réjoui, Max hocha la tête. À Daphné, il allait pouvoir parler de son exposition, des choix qu'il était en train de faire pour les statues qu'il présenterait. Elle, au moins, savait écouter, et surtout regarder. De plus, elle ne ferait pas de commentaire désobligeant lorsqu'il allumerait son cigare, un plaisir auquel aucun médecin ne le ferait renoncer.

*
* *

Après leur séance de cinéma, Dimitri et Daphné avaient finalement opté pour le Petit Jardin, un restaurant situé au cœur du vieux Montpellier, et dont les baies vitrées donnaient sur un jardin-terrasse planté d'essences rares, hélas inaccessible en cette saison.

Tout en dégustant une bourride de cabillaud, Daphné raconta à Dimitri son fiasco de Béziers, ce qui le fit beaucoup rire.

— Merci de ta compassion ! J'étais dépitée, toute seule dans ma chambre d'hôtel à tourner en rond.

— Oui, mais comme ton cœur ne s'était pas emballé, mieux valait laisser tomber.

Elle se mit à sourire, amusée qu'il se souvienne des confidences faites un matin d'octobre à La Jouve. Elle lui avait alors avoué qu'elle ne cherchait pas le prince charmant mais qu'elle voulait seulement retrouver des émotions, des sensations, avoir « le cœur qui bat ».

— Maintenant, parle-moi de toi, demanda-t-elle. Que fêtons-nous de si important pour dîner au champagne ?

— La fin de mes recherches. Mon parfum est élaboré.

— Oh, ça y est ?

— Je suis très, vraiment *très* content. La société pour laquelle je travaille exulte aussi, et crois-moi, c'était un gros défi. Jusqu'ici, je tournais autour, j'y étais presque, pourtant il me manquait encore une petite nuance, que tu m'as aidé à trouver le mois dernier, quand tu buvais ton armagnac devant le feu.

— Moi ?

Elle ouvrit de grands yeux incrédules tandis qu'il précisait :

— Il existe presque deux mille senteurs naturelles ou chimiques de base, et bien sûr on ne les utilise pas toutes. L'art est dans la manière de les combiner. Comme les assemblages pour le vin. Or ce soir-là, un truc flottait autour de toi, mélange de bois brûlé, d'eau-de-vie de raisin, et aussi d'autre chose qui provenait de ton pull à la chaleur des flammes, d'une trace de shampooing à la vanille sur tes cheveux…

— Mais quelle horreur ! Tu sens tout ça ? Je ne veux plus que tu m'approches.

— Pourquoi ?

— Tu serais capable de me trouver une odeur désagréable. La sueur, le vieux bouchon, la lie de vin.

— Pas du tout. Au cinéma, je n'ai perçu aucun relent de fond de cave, juste ton eau de toilette.

— Tu l'aimes ?

— Bof.

— Si je comprends bien, il faudra attendre que ton nouveau parfum soit sur le marché et ne plus mettre que ça ? À propos, comment va-t-il s'appeler ?

— Aucune idée pour l'instant. Ce n'est pas mon affaire mais celle des types du marketing.

— Anton sera déçu que ce ne soit pas Soir de Paris.

Ils rirent ensemble, complices, tandis que le maître d'hôtel venait leur resservir du champagne.

— Ça va faire un vide dans mon existence si tu voyages tout le temps, dit-elle en levant son verre. Avec qui irai-je au cinéma ?

— Tu me manqueras aussi, répondit-il d'un ton énigmatique.

— Quand tu seras très riche, très célèbre et très sollicité, tu oublieras jusqu'à La Jouve.

— La Jouve, peut-être, mais pas toi.

Il se mordit les lèvres et s'empressa d'ajouter :

— D'ailleurs, je ne serai jamais célèbre. Ce sont les maisons de haute couture, de joaillerie ou de cosmétiques que connaît le grand public. Guerlain, Dior, Chanel ou Boucheron, personne ne sait qui a créé leurs parfums phares.

— Alors, tu ne seras pas récompensé ?

— Si, en sentant mon parfum sur des femmes dans la rue ou dans un train. Ça m'est déjà arrivé par le passé et c'est très valorisant. Et puis, une fois que la profession t'a admis comme valeur sûre, on fait appel à toi.

Daphné le contempla quelques instants en silence. N'éprouvait-elle que de l'affection pour lui ? Elle aimait le voir s'animer en parlant, elle aimait les mèches cendrées qui tombaient parfois sur ses yeux trop clairs. En le regardant, ce n'était pas Ivan qu'elle voyait mais bien Dimitri. Un peu mal à l'aise, elle se tortilla sur sa chaise. Non, elle ne pouvait pas être *attirée* par lui, ce serait inconcevable, malsain. Désemparée, elle tourna la tête vers la salle et examina distraitement les dîneurs.

— Oh, ça, c'est drôle ! s'écria-t-elle soudain. Ève est là-bas, à la table du fond, avec sa copine Maud...

Sa voix mourut car elle venait de remarquer leurs doigts mêlés, sur la nappe. Les yeux dans les yeux, elles ne prêtaient aucune attention aux autres clients et n'avaient même pas remarqué la présence de Daphné et Dimitri en arrivant. Jamais Ève n'avait semblé si radieuse, il aurait fallu être aveugle pour ne pas comprendre.

— Regarde ailleurs, murmura Dimitri.

— D'accord.

— Tu ne savais pas ?

— Non, non, bien sûr que non. Toi, tu es dans la confidence ?

— Depuis le début. Maud est une fille bien.

— Je n'en doute pas. Elle est aussi très jolie. Je regrette qu'Ève ne m'ait pas parlé, nous sommes pourtant proches, elle et moi.

— Tu es aussi très proche de papa.

— Je n'ai jamais trahi un secret de ma vie ! protesta Daphné.

— De toute façon, Ève n'a pas envie que la famille soit au courant. Elle est découragée à l'idée de toutes les discussions désagréables qui s'ensuivraient fatalement.

— Max serait capable de s'offusquer, mais qui d'autre ? Votre mère vous adore, elle vous donne toujours raison. Et quand on voit Ève comme elle est ici ce soir, on ne peut que se réjouir pour elle.

— Toi, oui. Mais Ève a un peu peur de la réaction de Vladimir et de Béatrice. Du regard trop professionnel de Hubert, de l'incompréhension de ses neveux. Et même de la probable stupeur d'Anton.

— Lui ? Il pourrait donner des leçons de tolérance à tout le monde ! En plus, si Nelly dit que c'est bien, il trouvera ça bien.

Dimitri la dévisagea, une lueur ironique au fond des yeux.

— Tu nous connais par cœur, hein ?

— Vous êtes ma famille.

L'ironie disparut pour laisser place à une sorte de tristesse qui surprit Daphné.

— Tu veux qu'on s'en aille discrètement pour ne pas embarrasser Ève ? proposa-t-elle.

Ils étaient en train de se lever lorsqu'un couple s'arrêta à la hauteur de leur table.

— Dimitri ! s'exclama la femme d'une voix de stentor. Dimitri Bréchignac !

Avec un sourire crispé, Dimitri la salua, présenta Daphné puis serra la main de l'homme.

— On ne te voit plus en ville, Dimitri, tu abandonnes tous tes amis.

— J'ai eu beaucoup de travail ces temps-ci.

— Et tu es en charmante compagnie, tout s'explique…

La femme détailla Daphné des pieds à la tête avant d'ajouter :

— On ne vous dérange pas davantage. Appelle-moi et viens dîner un soir avec cette jolie jeune femme au lieu de la garder pour toi tout seul !

Éclatant d'un petit rire satisfait, elle entraîna son compagnon vers le fond de la salle. Dimitri et Daphné, avec un bel ensemble, regardèrent dans la direction d'Ève et de Maud qui, bien entendu, avaient les yeux fixés sur eux. Dimitri prit Daphné par le bras et se dirigea vers leur table.

— Vous auriez dû choisir la bourride, les filles. Elle est succulente, nous nous sommes régalés.

Il effleura l'épaule de Maud d'un geste amical, tout en faisant un clin d'œil à sa sœur.

— Très bonne fin de soirée, ajouta-t-il.

Daphné adressa son sourire le plus affectueux à Ève avant de suivre Dimitri. Une fois sortie du restaurant, elle poussa un long soupir.

— Pour un départ discret, c'était réussi ! Mais aussi, tu as de drôles de relations. Qui est cette odieuse bonne femme ? Tu as vu la façon dont elle m'a regardée ?

— C'est une avocate, associée dans un gros cabinet d'affaires de Montpellier. Très snob mais pas méchante.

— Une ex ?

— Oui, reconnut-il avec une petite grimace.

— Tu m'en diras tant…

Son aveu agaça Daphné. Bien sûr, il avait forcément des maîtresses, des aventures, une vie privée. Jusqu'ici, elle n'y avait même pas songé. Pourquoi s'en serait-elle souciée ? Tout au plus avait-elle espéré qu'il tombe amoureux pour de bon au lieu de collectionner des conquêtes éphémères. Le grand amour, comme celui qu'elle avait connu avec Ivan, elle le souhaitait à tout le monde.

Malgré la très belle journée quasiment printanière qui venait de s'écouler, le froid était revenu avec la nuit. Serrant son blouson contre elle, Daphné pressa le pas.

— Je faisais exprès de marcher lentement pour ne pas t'obliger à trottiner, fit remarquer Dimitri.

— Je gèle !

— Normal, tu n'as rien sur le dos. Et je ne peux même pas te prêter mon manteau, tu vas marcher dessus. Viens là.

Il lui entoura les épaules de son bras et l'attira contre lui.

— Ève te parlera sûrement au cours du week-end, elle doit regretter d'être tombée sur nous ce soir.

— Est-ce qu'elle a toujours aimé les filles ?

— Pour ce que j'en sais, oui. Au lycée, elle avait eu une aventure sérieuse, en terminale, qui s'était soldée par un gros chagrin. Tu vois que ça ne date pas d'hier !

Il avait réglé son pas sur celui de Daphné et ils remontaient vers le centre par les petites rues.

— C'était toi son confident ?

— Ève n'aime pas se confier, mais sans doute fallait-il qu'elle le dise à quelqu'un. Toutes ces dernières années, nous n'avons quasiment jamais abordé le sujet, et puis Maud est arrivée. Je crois qu'elle compte beaucoup pour Ève.

— Elles ont l'air tellement bien ensemble !

— Oui, mais Maud n'a pas un caractère à accepter qu'on la cache comme une maladie honteuse. Ève va devoir prendre une décision.

— Qu'elle parle donc à Max.

— Pas si simple. Il est devenu aigri, peut-être même méchant.

— Tu as un problème avec lui en ce moment, hein ?

Dimitri resta silencieux durant quelques instants avant d'admettre :

— Disons que je le vois différemment depuis… un certain temps. Mais pour en revenir à Ève, je pense qu'elle se trouve prise entre le marteau et l'enclume.

— Eh bien, quoi ? Elle est majeure et vaccinée, elle peut faire ce que bon lui semble, y compris s'en aller au bout du monde avec qui elle veut.

— Il y a maman, La Jouve, l'atelier de couture… Des tas de raisons d'hésiter.

— Pas quand on aime ! Si c'était toi, je suis persuadée que tu les enverrais tous promener. Je ne t'imagine pas en train de tergiverser, quoi que tu puisses avoir sur le cœur.

À nouveau, Dimitri se tut, et ils étaient presque arrivés devant La Cave de Daphné lorsqu'il lâcha :

— N'en sois pas si sûre. Toute vérité n'est pas bonne à dire. En ce qui me concerne, si j'étais tout à fait honnête...

Il ôta son bras et la poussa gentiment vers la porte de l'immeuble qui se trouvait juste à côté du rideau de fer.

— Rentre vite. Je m'en irai quand je verrai de la lumière chez toi.

— Merci pour la soirée !

Elle s'engouffra dans le hall tandis qu'il attendait, immobile sur le trottoir, les mains enfouies dans les poches de son manteau.

*
* *

Après être restée pétrifiée, Ludivine fit le tour de la galerie pour se donner une contenance, mais elle ne prêta aucune attention aux œuvres présentées. Le dépliant toujours serré entre ses doigts, elle relut une fois encore les quelques lignes annonçant l'exposition de Maximilien Bréchignac au mois d'avril. Ce seul nom de Bréchignac, imprimé noir sur blanc, la rendait nerveuse. Finalement, elle prit son courage à deux mains et s'approcha du responsable.

— C'est bien votre programme de printemps ? demanda-t-elle avec une désinvolture très étudiée.

— Absolument.

Voyant ce qu'elle désignait, le vendeur ajouta :

— Un très grand artiste, n'est-ce pas ? La rétrospective que nous organisons réunira une cinquantaine de pièces d'époques différentes, sculptées entre 1968 et 2002. Certaines n'ont jamais été exposées, d'autres ont été rarement vues et pourtant portées aux nues par la critique unanime comme la fameuse série « éclatée au sol ». Si vous souhaitez de plus amples renseignements, nous éditerons une plaquette illustrée sur l'œuvre de Maximilien Bréchignac, disponible dès le mois prochain.

La jeune femme restant sans réaction, il lui adressa un sourire contraint et s'éloigna. Au bout d'une minute, elle fourra le dépliant dans son sac puis gagna la sortie de la galerie. Dehors, elle inspira longuement l'air frais et humide, indifférente à la petite pluie fine qui commençait à mouiller les trottoirs. Ainsi, Max allait exposer, et justement en avril ? Comment ne pas faire le rapprochement avec cette autre exposition d'avril 2002 ? Ludivine s'y était discrètement glissée, pas le soir du vernissage, bien sûr, mais un jour ordinaire. Dévorée de curiosité, elle avait voulu voir de près les œuvres de son père, et elle était restée longtemps en contemplation, absolument fascinée. Si longtemps, même, qu'un jeune homme d'une trentaine d'années avait fini par l'aborder. Il avait l'air d'un Russe, avec des yeux gris incroyables et un sourire désarmant. D'emblée, elle l'avait haï, devinant sans peine qu'il s'agissait d'un des fils de Max. Sa mère possédait une photo des cinq enfants « légitimes » de son amant, photo que Ludivine avait souvent scrutée en cachette, avide de découvrir les traits de ses demi-frères et demi-sœurs, ces nantis qui vivaient dans le sud de la France, au sein d'une famille normale.

Elle accéléra le pas tout en ouvrant son parapluie. Le quartier Saint-Germain grouillait de promeneurs et de touristes malgré le mauvais temps, mais il y avait tant de choses à voir ! Les galeries, les librairies, les innombrables boutiques de mode, les cafés bruyants où se réfugier, toute une atmosphère parisienne qui réjouissait Ludivine. Au bout d'un quart d'heure de marche, l'averse s'intensifiant, elle opta pour l'unique bistrot de la place Saint-Sulpice où elle commanda un chocolat chaud. Un samedi sur deux elle était en congé, elle en profitait toujours pour s'offrir ce genre de grande balade dans le périmètre Saint-Michel, Montparnasse, Raspail et Saint-Germain. Ça la changeait de la proche banlieue sans âme où elle vivait et travaillait, dans un cabinet vétérinaire. Un métier qui la passionnait mais ne faisait qu'aviver ses regrets de n'avoir pas suivi d'études. Si seulement elle avait pu être vétérinaire elle-même, son existence aurait été bien différente.

Elle sortit le dépliant de son sac et le considéra avec une sorte de fureur. Maximilien Bréchignac, le père absent, le grand homme ! L'adoration de sa mère pour Max la révoltait. Un amour aveugle qui ne demandait jamais rien en retour, qui s'était contenté de miettes avec une reconnaissance imbécile.

Pour se calmer, Ludivine but quelques gorgées du chocolat crémeux, levant les yeux vers l'église Saint-Sulpice. Les chiens et les chats étaient sa passion, sa consolation, elle se dévouait sans compter au cabinet, très appréciée par ses employeurs qui lui donnaient parfois le rôle d'aide-soignante. Sans l'insupportable frustration que représentait la non-reconnaissance de Maximilien, elle aurait pu être heureuse. Dans ses moments de lucidité, elle comprenait bien que, même si elle en avait eu les moyens matériels, elle n'aurait sans doute jamais réussi le très difficile concours d'entrée à l'école vétérinaire de Maisons-Alfort. D'autant plus qu'elle n'avait pas été une très bonne élève au lycée. Mais peut-être le cours des choses n'aurait-il pas été le même avec un vrai père, de vrais parents. Du plus loin qu'elle s'en souvienne, ses sentiments pour Max étaient pleins de rancœur et d'amertume. Aussi, dès qu'elle avait pu se dispenser d'être présente lors de ses rares visites, elle l'avait fui. Sa mère travaillait comme comptable chez un assureur, une situation qui lui permettait d'élever seule sa fille, à condition de ne pas faire de folies. Ce qui n'arrivait jamais, bien entendu. Des vacances et des sorties sages, entre mère et fille, toute une vie bien réglée que Ludivine trouvait monotone. Avec le temps, elle avait fini par juger sa mère et maintenant, elle la méprisait. Elle s'en voulait, s'excusait de ses mouvements d'humeur ou de ses reparties cinglantes, mais elle n'arrivait pas à admettre que sa mère fût cette brebis bêlante qui acceptait tout sans rien dire. L'expression extasiée : « Mon Max viendra le mois prochain ! » rendait folle Ludivine. Dans un mois ou l'année prochaine, car Max faisait une brève apparition quand ça lui chantait. Parfois, il laissait une liasse de billets à Nathalie, parfois rien. Pour désigner Ludivine il disait « notre » fille, et elle serrait les dents en entendant ce mot qui ne signifiait rien pour lui. Un géniteur fantôme, voilà ce qu'il était. Et tous les articles soigneusement découpés par Nathalie, pleins d'éloges pour le talent du sculpteur, soulevaient le cœur de Ludivine. D'autant plus qu'elle ne parvenait pas à éprouver de la haine. Rage, aigreur, rancune, oui, mais aussi une sourde admiration devant ces marbres glacés auxquels il savait donner la chaleur de la vie. Sans bien connaître l'art, elle l'appréciait, en souvenir des nombreux dimanches que Nathalie lui avait fait passer dans les musées. Devant les statues de son père, un frémissement d'émotion la parcourait, et sa colère était momentanément remplacée par de la tristesse.

Elle constata que la pluie s'était arrêtée. Pour sa soirée, elle n'avait pas de projet précis. Peut-être appellerait-elle une amie, à moins qu'elle ne loue un ou deux films pour les regarder au fond de son lit, avec sa chatte roulée en boule sur les genoux. Demain, elle irait attendre son petit copain à Roissy. Elle vivait avec cet homme une belle histoire depuis deux ans, mais il voyageait souvent pour son travail et elle n'était pas prête à accepter l'absence. Pour elle, l'amour ne pourrait jamais être intermittent.

Après avoir payé son chocolat, elle quitta le café et reprit sa promenade sans but précis. Le dépliant était rangé au fond de son sac. Elle irait à cette maudite expo, elle en avait la certitude. Comme il s'agissait d'une rétrospective, il était possible que parmi les œuvres se trouve le buste qui la représentait. Elle ne l'avait jamais vu mais sa mère, éperdue de fierté et d'admiration, affirmait que Max l'avait sculptée, la trouvant si belle qu'il voulait l'immortaliser. Belle ? Oui, elle savait qu'elle l'était, on le lui disait souvent, et même en ce moment elle le lisait dans le regard de certains passants. Elle se souvenait d'un soir, dix ans plus tôt, où Max l'avait complimentée sur les traits exquis de son visage. Ils se trouvaient tous les trois dans un restaurant de Montmartre, et il la détaillait avec un orgueil paternel tout à fait déplacé. Furieuse, elle avait répliqué : « Jolie, ça ne me servira à rien, j'aurais préféré faire des études ! » Au lieu de courber la tête, Max s'était contenté de prendre l'air surpris. « Tu n'avais qu'à le demander. Je me serais débrouillé, on se serait arrangés. Et puis il y a des aides, des bourses… Si tu avais vraiment voulu, tu n'aurais pas attendu après moi. » Elle s'était levée de table, les abandonnant à leur tête-à-tête de vieux amoureux clandestins. Depuis, elle refusait de le rencontrer.

Arrêtée devant une vitrine, elle venait de repérer un superbe pull rouge. Elle décida d'entrer dans la boutique pour l'essayer, et surtout pour cesser de penser à son père.

*
* *

Au moment de quitter la chambre, Hubert adressa un petit signe rassurant à la jeune fille. Ses parents étaient arrivés et se tenaient de part et d'autre du lit, un peu hagards mais débordants d'affection. La tentative de suicide, qui nécessitait forcément la visite d'un psychiatre, serait sans conséquence. Elle constituait un appel au secours dû au mal-être de l'adolescence, comme souvent. Hubert connaissait bien ce genre de patients occasionnels qui ne souffraient d'aucune maladie mentale mais seulement d'une crise passagère, et qu'en principe il ne reverrait jamais dans son service.

Il referma la porte, satisfait d'avoir terminé sa tournée de visites. Il l'effectuait en fin d'après-midi, après sa consultation, et repassait à son bureau pour transcrire ses notes sur l'ordinateur. Toujours précis et calme dans son travail, il était souvent sollicité par ses confrères pour un avis, et unanimement apprécié du personnel soignant.

Une fois installé devant l'écran, il commença à entrer les données dans ses dossiers. L'ambiance de l'hôpital, dont il avait une longue habitude, lui convenait très bien, il y travaillait en toute sérénité, quelle que soit l'agitation des couloirs. À La Colombière, pôle psychiatrique rattaché au CHRU, les médecins disposaient de trois cent vingt-six lits et traitaient des malades de toutes sortes. Hubert y avait passé de longues années, très enrichissantes d'un point de vue professionnel et humain.

Au bout d'un quart d'heure, il éteignit son ordinateur et leva les yeux sur la pendule murale. Sa journée se terminait, il était largement temps de rentrer à La Jouve, pourtant il resta quelques minutes encore dans son fauteuil, le faisant distraitement tourner. Comme beaucoup de choses, la vie de famille ne lui posait pas de problème particulier. Ses deux petits garçons semblaient très épanouis au milieu de tous ces adultes, faisant l'expérience de la communauté, du partage et du mélange des générations. Quant à Béatrice, son équilibre se trouvait manifestement entre les murs de la maison de son enfance. Pourquoi pas ?

Avec un petit sourire amusé, il évoqua sa première impression lorsqu'il avait fait la connaissance de la tribu Bréchignac. Des gens à part, chacun dans leur genre. D'emblée, il les avait pris en sympathie et s'était surpris à aimer ces bruyantes tablées où il avait vite trouvé sa place. Vivre ensemble aussi nombreux comportait des avantages et des inconvénients, mais n'en allait-il pas de même dans n'importe quel cas de figure ? La mort d'Ivan avait été un moment terrible, amorti par l'affection qu'ils se prodiguaient les uns aux autres. Bel exemple de reconstruction, si l'on excluait Max puisque lui ne s'en était pas remis, rongé d'une étrange culpabilité. Nelly elle-même avait fini par remonter la pente en s'appuyant sur les siens. En revanche, la promiscuité pouvait aussi produire des effets inattendus. Comme l'attirance subite de Dimitri pour Daphné. Pas vraiment subite, en fait. Dimitri avait *toujours* été attiré par Daphné, mais, son frère vivant, et plus encore son frère mort, l'avait empêché d'en prendre conscience. Depuis peu, il paraissait avoir compris, ce qui lui donnait une évidente envie de fuir. De son côté, Daphné…

Abandonnant le fauteuil qui finissait par lui donner le tournis, il sortit de son bureau et quitta l'hôpital. Bientôt, les jours allongeraient sensiblement, mais, en ce tout début de février, il faisait nuit lorsqu'il prenait la route de La Jouve. Il le regrettait car il aimait beaucoup le paysage bordant les petites départementales sinueuses. La ville s'effaçait, l'agglomération s'étirait, soudain remplacée par la garrigue puis par les petits bois de chênes-kermès. Là, il baissait sa vitre, quel que soit le temps, pour humer les odeurs de thym. La nature devenait sauvage, les villages traversés avaient des airs de cartes postales. Dans la lumière des phares, un monument médiéval surgissait, abbaye abandonnée ou château en ruine. Enfin, apparaissaient les collines de pins, la route prenait de l'altitude, bientôt surgissait le chemin conduisant à La Jouve. De jour, ses toitures de lauze et les murs ocre de ses grands bâtiments se voyaient de loin.

Quand Hubert avait commencé à sortir avec Béatrice, seize ans auparavant, il lui avait fait remarquer en riant qu'elle habitait un véritable hameau. Elle avait répondu qu'elle y était heureuse, l'avertissant ainsi qu'elle n'en partirait qu'à contrecœur. Aujourd'hui, Hubert lui-même aurait eu du mal à vivre ailleurs. Lorsque, avec ses beaux-frères, la question des problèmes matériels avait été récemment abordée, ils s'étaient tous mis d'accord pour que La Jouve puisse perdurer. Et même s'il ne s'agissait que d'un sursis, ce serait bon à prendre. L'éclatement de la tribu, difficilement concevable, poserait des problèmes si difficiles à résoudre qu'aucun d'entre eux ne voulait l'envisager. Au fond, c'était tout simple, ils se trouvaient bien ensemble. Pourquoi pas ?

8

Anton alla fermer la porte car il venait de voir frissonner Nelly.

— C'est comme ça qu'on s'enrhume, bougonna-t-il.

— Mais il fait si beau !

— Beau et frais.

Exceptionnellement, Anton avait fait un effort vestimentaire, annonçant qu'il partirait après le déjeuner pour se rendre à ce qu'il appelait un *thé dansant*.

— La cravate te va très bien, remarqua Ève, mais si tu permets…

En quelques gestes précis, elle refit le nœud qu'il avait négligé.

— En somme, tu t'entraînes toute l'année ? ajouta-t-elle en riant.

— Non, seulement un dimanche de temps en temps. Mais j'adore la danse, c'est mon péché mignon.

Prenant Ève par la main, il esquissa une figure de paso doble.

— Je ne sais pas s'il sera réussi, dit Nelly qui venait d'ouvrir le four pour jeter un coup d'œil à son cassoulet.

— Ce serait bien la première fois que tu le rates, murmura Vladimir.

Plongé dans un journal d'économie, il décryptait les cours de la Bourse, toujours au plus bas.

— Pousse-toi, lui demanda Béatrice, il faut que je mette le couvert.

Il passa ses jambes de l'autre côté du banc, tourna le dos à la table et poursuivit sa lecture.

— Voilà Dimitri ! s'exclama Nelly en s'agitant devant la fenêtre.

Depuis plus d'un mois on ne l'avait pas vu à La Jouve, mais aujourd'hui la famille serait enfin au complet. À peine fut-il entré que Nelly se précipita sur lui, les bras tendus.

— Tu dois avoir des tas de choses à nous raconter, hein ? Tu arrives de New York ?

— Pas directement. Je suis passé par Londres avant de rentrer, j'ai un contrat là-bas pour la ligne de cosmétiques d'un grand magasin. Tiens, je t'ai rapporté tout ça.

Il lui tendit un sac plein de produits allant de l'huile pour le bain à la crème pour les mains. Elle en ouvrit un, le huma longuement et hocha la tête.

— Délicieux… Est-ce de la rose ?

— La rose musquée du Chili, moins mièvre. Et moi, ce que je sens, ne serait-ce pas un cassoulet ?

— Elle l'a fait pour toi, affirma Vladimir, mais il paraît qu'il n'est pas réussi.

Les deux frères échangèrent un regard de connivence, puis Dimitri demanda :

— Où sont les autres ?

— Hubert est en promenade avec les garçons, Diane les a accompagnés. Elle voulait discuter avec Hubert de ses soucis à l'hôpital à propos du mi-temps. Quant à Daphné, papa l'a interceptée à peine arrivée et ils sont enfermés dans l'atelier pour une de leurs mystérieuses conversations sur l'art…

— Sur l'art en général ou exclusivement sur l'œuvre du grand Maximilien Bréchignac ? railla Dimitri.

— Voyons, ne dis pas ça, protesta doucement Nelly.

— Je plaisantais, s'excusa-t-il.

Il éprouvait plus de plaisir qu'il ne l'aurait cru d'être à la maison, malgré toutes ses réticences. La première chose qu'il avait remarquée en arrivant, avec un petit pincement au cœur, était la Mini rouge de Daphné. S'il avait beaucoup voyagé ces dernières semaines, il n'avait pas pu s'empêcher de penser à elle. En s'endormant le soir dans sa chambre d'hôtel, il envisageait toutes les possibilités mais ne trouvait aucune issue. Il ne pouvait rien lui avouer, même pas laisser deviner, jamais il ne prendrait le risque de la voir horrifiée ou dégoûtée. Pour ne pas être celui qui déçoit en trahissant la confiance et l'amitié, il n'avait pas le droit de tenter sa chance. Au bout du compte, le sommeil le fuyait.

— Tu as vu Juliette ? demanda Vladimir.

— À chaque séjour, je l'invite à dîner. Cette fois, elle m'a fait découvrir un restaurant français fantastique qui s'appelle Bagatelle. On a parlé toute la soirée, ensuite il a fallu passer dans la boîte de nuit et danser ! En tout cas, je peux vous rassurer, elle se plaît énormément là-bas.

— Quand elle s'en va, elle a toujours l'air triste, fit remarquer Nelly.

— Mais quand elle arrive à New York, qu'elle retrouve ses amies et son campus de Columbia, elle nous a déjà oubliés. Heureusement pour elle !

— Tu crois qu'elle serait capable de faire sa vie en Amérique ? demanda Vladimir avec curiosité.

— C'est possible.

— Ne le dis pas à Diane.

— Bien sûr que non.

Dimitri s'approcha d'une fenêtre pour jeter un coup

d'œil au-dehors. Hubert, les enfants et Diane étaient en train de traverser l'esplanade, mais Daphné et Max étaient toujours enfermés dans l'atelier.

— Voilà les promeneurs, annonça-t-il. Est-ce qu'on mange bientôt ? Je peux aller chercher papa...

— Non, laisse-le tranquille pour l'instant, répliqua Nelly. Il faudra encore une bonne demi-heure à mon cassoulet pour que les haricots soient bien fondants.

Déçu, Dimitri hocha la tête. Parce qu'il la sentait toute proche, son envie de voir Daphné devenait plus intense à chaque minute.

— Je vais servir l'apéritif, ça nous fera patienter, décida Vladimir.

Il replia son journal au moment où les enfants faisaient irruption dans la cuisine, leurs chaussures pleines de boue.

*
* *

— Oui, tu as raison, admit Max, peut-être vais-je l'ajouter à la liste.

— Tu dois absolument l'emporter. Il est sublime, cet homme ! J'aimerais que tu puisses le transformer en humain d'un coup de baguette magique.

De part et d'autre d'une statue d'athlète, grandeur nature, ils échangèrent un sourire.

— C'est ce genre qui te plairait, Daphné ? Un Adonis tout en muscles ?

— Peut-être pas pour mon usage personnel. Mais pour le plaisir des yeux...

Depuis près d'une heure, ils tournaient autour des statues, Max effectuant une première sélection en vue de son exposition.

— Bon, dit-il après avoir consulté le carnet qu'il tenait à la main, je crois qu'il y a le compte. Pour la Vierge, j'hésite encore.

— Quoi que tu décides, n'oublie pas ton cosaque. Il a ma préférence, je l'adore !

— Normal. Il ressemble tellement à...

Soudain troublé, Max s'interrompit, et ce fut Daphné qui acheva pour lui :

— À tes fils. Un mélange des trois avec les pommettes hautes, la mâchoire carrée, les cheveux barrant le front, et l'allure d'un Slave égaré sur un champ de bataille. Tu fais les visages comme personne, Max.

— Eh bien, il y a au moins quelqu'un dans la famille qui apprécie mes sculptures !

— Pourquoi dis-tu ça ? Toute la tribu a toujours été en admiration devant ton travail. C'est toi qui leur interdis ta porte.

— Je n'interdis pas, mais je n'encourage pas non plus. Pour les voir danser d'un pied sur l'autre sans savoir quoi dire ? À une époque, j'aimais bien que Nelly vienne ici. Elle me faisait du thé, on parlait des enfants, elle me regardait manier le ciseau en ouvrant de grands yeux. Mais après le... l'accident, elle n'a plus franchi le seuil. La série que j'ai réalisée sur... sur le drame lui fait aussi peur qu'un film d'horreur. Moi, j'en avais *besoin*, j'y ai mis toute mon âme. Personne n'a compris qu'il s'agissait à la fois d'un hommage et du moyen de me souvenir. C'est ma meilleure œuvre, Daphné ! J'ai taillé ces corps jour et nuit sans pouvoir m'arrêter, et si j'ai le moindre talent, je l'ai englouti là-dedans. Les gens du métier ne s'y trompent pas, ils veulent les voir encore une fois.

Tournant la tête vers le fond de l'atelier, il esquissa un geste en direction de la bâche qui couvrait les corps disloqués.

— Même à moi, je les cache parfois. Je le fais aussi pour toi, ma petite Daphné, toi qui n'hésites pas à pousser ma porte…

Ses yeux s'étaient mis à briller et une larme roula sur sa joue. Bouleversée, Daphné regarda ailleurs pour ne pas le gêner. Elle le savait comédien, excessif, mais à cet instant il lui semblait sincère.

— Je suis désolé, dit-il en se reprenant. Je ne devrais pas te parler de ça.

Il ferma le carnet, remit l'élastique autour.

— Je vais encore y réfléchir, mais je crois que notre choix n'est pas mauvais. Il y en a tant !

Daphné le suivit dans le dédale des statues, jetant des regards à droite et à gauche, s'assurant ainsi qu'elle avait tout vu. La confiance de Max en son jugement la surprenait, mais ils avaient vraiment discuté pied à pied devant certains bustes. Il affirmait qu'elle était son « œil populaire » et que ce qui lui plaisait à elle plairait au public.

— On a oublié celle-là, dit-il en s'arrêtant brusquement devant un buste.

— Belle jeune fille… Qu'as-tu gravé, en bas ? Lu… di… vine, c'est ça ?

— Il faut bien leur donner un nom pour s'y retrouver. Qu'en penses-tu ?

— Elle est vraiment très belle, très classique. Tu avais un modèle ?

— Non, personne en particulier. Écoute, je vais l'ajouter, je n'ai pas beaucoup de têtes de femme dans ma liste.

Il ne prit pourtant pas la peine de rouvrir son carnet. Quelque chose, dans son attitude, intrigua Daphné. Il regardait le profil de la statue avec une expression de vanité satisfaite assez déconcertante. La plupart du temps, il jouait plutôt la fausse modestie ou l'indifférence devant ses œuvres.

— Mon Dieu, s'écria-t-il, il est tard, il faut qu'on aille déjeuner ! Nelly a préparé un cassoulet. Tu la connais, elle a voulu faire plaisir à Dimitri, qu'on n'a pas vu depuis un mois, gnagnagna…

— Il vient aujourd'hui ?

— Oui, il nous fait l'honneur de sa présence, entre deux avions j'imagine. C'est ça, la gloire !

Son cynisme déplut à Daphné. Depuis quelque temps, Max supportait mal la réussite de son fils, une réaction mesquine et égoïste qui n'était pas à son honneur.

— Allons-y, dit-elle d'un ton léger.

Pour elle, la présence de Dimitri égayait la journée, il aurait sûrement plein d'anecdotes drôles à raconter. Elle précéda Max vers la porte, puis ils traversèrent l'esplanade côte à côte. Ils avaient passé un bon moment ensemble dans l'atelier, comme toujours, mais maintenant il allait être question d'autre chose, Max ne serait plus au centre des conversations, et cette perspective le rendait déjà morose. Une seconde, elle eut envie de rire, mais juste après elle se surprit à le plaindre. Toute sa vie il avait été admiré, choyé, tenant le rôle de vedette dans la famille. Il souffrait forcément dans son orgueil de devoir céder sa place.

Lorsqu'ils pénétrèrent dans la cuisine, il y régnait déjà une joyeuse ambiance.

— Ah, tout de même ! s'exclama Ève. On a failli aller vous chercher, on va bientôt manger.

— Daphné m'aidait à choisir les sculptures qui iront à Paris, répliqua Max.

Sa réponse se perdit dans le brouhaha, chacun s'installant à sa guise autour de la grande table.

— Je me mets à côté de toi, dit Daphné à Dimitri. Alors, New York ?

— Un bonheur, comme chaque fois. J'adore cette ville, je comprends que Juliette s'y plaise. Ça grouille de gens pressés, d'initiatives, de nouveautés. Tout le monde brasse des affaires, chacun à son échelle, c'est un univers survolté et galvanisant. En plus, les gens sont aimables, et on se sent en sécurité.

— J'aimerais bien y aller un jour. Tu ne voudrais pas m'emmener dans tes bagages à ton prochain voyage ?

— Volontiers. Tu ne tiendras pas beaucoup de place au milieu de mes chemises.

Elle lui envoya un petit coup de poing dans l'épaule qui le fit rire.

— Et toi, demanda-t-il, tes affaires marchent ?

— Couci-couça. Étienne pèse lourd dans mes comptes.

— Mais il t'aide ?

— Beaucoup. Sauf que… Au fond, j'aimais bien être seule dans ma boutique. En revanche, j'y ai gagné un peu de liberté.

— Tu en fais quoi ?

— Je me rends chez quelques producteurs des vins du Languedoc. Je goûte, je discute. J'ai trouvé deux crus vraiment intéressants, d'un bon rapport qualité-prix, qui plaisent à mes clients.

Il tourna la tête vers elle et lui adressa un sourire irrésistible.

— Dis-moi pourquoi, quand tu m'expliques tout ça, j'ai toujours l'impression que tu joues à la marchande ? Daphné et sa dînette, Daphné épicière, Daphné caviste…

— Tu es mauvais comme la gale, répliqua-t-elle avec une moue.

En quelques minutes, ils avaient retrouvé la complicité qui les unissait depuis longtemps et qui la rassurait. Elle posa sa main sur le bras de Dimitri et, plus sérieusement, lui demanda :

— Et le lancement de ton parfum, c'est pour quand ?

— Ne sois pas si pressée, on planche encore sur le flacon. De toute façon, quand il sortira, tu le sauras. La campagne publicitaire sera démente, d'après ce que j'ai compris.

— Tu m'en offriras un échantillon ?

— Tu seras même la première servie, avant maman, chuchota-t-il d'un ton de conspirateur. Une grande bouteille pour la toute petite Daphné.

— Arrêtez vos messes basses, protesta Ève qui était en face d'eux.

— On ne peut pas parler plus fort, on dit du mal de tout le monde, ironisa Dimitri. De toi, surtout.

Sa sœur lui lança un morceau de pain qui atterrit dans l'assiette de Béatrice. Aussitôt, les deux petits garçons, croyant à un jeu se mirent à bombarder toute la tablée.

— Vous devenez fous ou quoi ? s'insurgea Diane.

— Si vous vous tenez mal, dit tranquillement Hubert à ses fils, je considérerai que vous avez fini de déjeuner.

— Je crois que ça les arrangerait, glissa Dimitri, ils n'aiment pas du tout les îles flottantes.

— Mais si, protesta Paul d'une voix hésitante. Si, on les adore, tu sais bien...

Dimitri se pencha au-dessus de Daphné et tapota affectueusement l'épaule de son neveu.

— Tout le monde le sait, mon lapin, c'était juste une blague pour te faire enrager.

Il l'avait dit avec une telle gentillesse que Daphné se demanda une fois de plus pourquoi il ne s'était jamais marié, n'avait pas fondé de famille. Sans doute aurait-il fait un merveilleux père. C'était aussi ce qu'elle avait pensé d'Ivan, à l'époque, malheureusement ils avaient fait le choix d'attendre un peu avant d'avoir des enfants. Et le drame était arrivé alors qu'ils allaient fêter leurs quatre années de mariage. Une brusque nostalgie la prit à la gorge et elle dut fermer les yeux une seconde pour refouler ses larmes.

— Est-ce que ça va ? murmura Dimitri à son oreille.

— Un petit passage à vide. Le dessert va me remettre d'aplomb.

Elle se leva pour aider Béatrice à débarrasser, bien décidée à chasser Ivan de sa tête. Peut-être avait-elle tort de venir passer ses dimanches chez les Bréchignac. Pourtant, elle avait surmonté son deuil depuis longtemps et elle se sentait bien avec eux. Où se trouvait la vérité ? Perdait-elle son temps et sa jeunesse en restant dans le giron de son ex-belle-famille ? Mais elle était devenue la sienne, elle n'en avait pas d'autre ! Et elle ne serait pas mieux seule dans son studio à tourner comme un lion en cage.

Tandis qu'elle gagnait l'office pour y chercher les assiettes à dessert, Béatrice la rejoignit et voulut savoir :

— Mon frère t'a dit quelque chose de méchant ?

— Dimitri ? Non, pas du tout, il est toujours très gentil avec moi.

— Avec toi, c'est vrai. Sinon, il peut avoir la dent dure ! Mais alors, qu'est-ce que tu as ? Un coup de blues, des soucis d'argent ?

Daphné secoua la tête en souriant, à l'instant où Dimitri pénétrait à son tour dans l'office.

— Tu as des soucis d'argent ? répéta-t-il d'un air navré. Pourquoi ne m'en parles-tu pas ? On va t'aider, évidemment…

— Vous êtes des amours, mais je n'ai besoin de rien. Même si ce n'est pas le Pérou, je suis à l'équilibre.

Depuis la cuisine, la voix de Max s'éleva, goguenarde :

— Est-ce qu'on doit manger directement sur la nappe, ou bien vous vous décidez à apporter ces fichues assiettes ?

— Donne, dit Dimitri en prenant la pile des mains de Daphné, je vais les lui jeter à la tête.

En se retournant, il heurta Nelly qui venait à leur secours, et faillit tout lâcher.

— Va t'asseoir, maman. On est assez nombreux et assez grands pour faire le service. Ton cassoulet était une pure merveille.

Il la suivit et gagna le bout de la table où Max présidait.

— Tenez, Majesté, vous n'avez qu'à les faire passer.

Son père lui jeta un regard aigu mais ne releva pas la provocation.

— Est-ce que tu as réservé ta date du 25 avril ? se contenta-t-il de demander. J'aimerais savoir si tu comptes venir à mon vernissage ou si tu as mieux à faire ailleurs.

— J'ai *beaucoup* à faire, mais ce jour-là est bloqué pour toi. J'en ai profité pour prendre des rendez-vous à Paris toute la semaine.

— Tu vas rester à Paris plusieurs jours ?

L'air contrarié de Max était un peu surprenant. Dimitri le dévisagea, attendant une explication qui ne vint pas, aussi rejoignit-il sa place où l'attendait une généreuse portion d'île flottante servie par Ève.

— Après ça, on devrait aller marcher pour digérer, suggéra-t-il.

— Ce sera sans moi, décréta Hubert, j'ai déjà marché toute la matinée !

— Et nous, on peut y aller ? demanda Louis d'un ton plein d'espoir.

— Vous avez des devoirs à faire, rappela Béatrice. Votre père vous aidera si vous butez sur quelque chose.

Finalement, ils se levèrent tous pour ranger en vitesse, et le groupe des promeneurs rassembla Dimitri, Daphné, Vladimir, Ève et Béatrice. Comme ils avaient l'habitude de ces balades dominicales, ils prirent le chemin des bois sans se concerter, les femmes devant et les deux hommes fermant la marche.

— Je suis content que tout aille bien pour toi, dit Vladimir à son frère. Mais ménage un peu papa, il ne rajeunit pas et tu as l'art de le prendre à rebrousse-poil.

— Moi ? C'est lui qui m'agresse chaque fois qu'il me voit. Il méprise ce que je fais et il tient à ce que je le sache. En réalité, il est mal dans sa peau pour des tas de raisons, alors il lui faut un bouc émissaire.

— Peut-être… Tu es sûr que rien d'autre ne cloche entre vous ?

Vaguement mal à l'aise, Dimitri secoua la tête. Il n'avait parlé à personne, même pas à son frère, de ce petit doute lancinant toujours tapi au fond de sa tête à propos de la mort d'Ivan. Par association d'idées, il regarda Daphné qui marchait loin devant, en pleine conversation avec Ève et Béatrice. Tout à l'heure, à table, sa brusque expression de tristesse avait été bouleversante. Ses yeux dorés, si lumineux, s'étaient brouillés de chagrin l'espace d'un instant. Était-ce à Ivan qu'elle avait songé ?

Un peu plus haut sur le sentier, Ève se retourna pour lancer :

— On prend à droite ? Ce sera plus long mais on verra des écureuils !

Elle entraîna Béatrice et Daphné, que Dimitri regardait toujours. Jolies petites fesses rondes moulées par le jean ajusté, dos bien droit pour ne pas perdre un centimètre de sa taille, cheveux couleur de miel volant à la hauteur de ses épaules : elle avait une ravissante silhouette de tanagra. Surtout encadrée par deux femmes bien plus grandes qu'elle.

— Je rêve ou c'est Daphné que tu fixes comme ça ?

Vladimir considérait son frère d'un air stupéfait.

— Non, protesta faiblement Dimitri, je…

— Si, je t'assure. Comme ce n'est pas sur nos sœurs que tu louches, la déduction est vite faite ! Surveille-toi, on dirait un clebs devant un gigot.

Hésitant entre la prudence et l'envie de se confier, Dimitri lâcha :

— Et quand bien même ?

— Là, tu plaisantes, mon vieux. N'y pense pas une seule seconde.

— Pourquoi ?

— Ça tombe sous le sens.

Ils s'arrêtèrent pour se faire face.

— Tu ne peux pas lui infliger une chose pareille, poursuivit Vladimir à voix basse. Tu imagines, si elle s'apercevait du genre de regard que tu lui jettes ? Elle est en confiance avec nous, elle…

— Écoute, je la trouve très, très jolie. Ce qui ne constitue pas une insulte. Daphné est une femme, pas une image pieuse, et il y a huit ans qu'Ivan est mort.

Pour la première fois, il venait d'exprimer le fond de sa pensée, mais la réaction de Vladimir fut catégorique.

— Tu es cinglé ! Va voir Hubert, il te remettra les idées en place. Bon sang, il y a des femmes partout sur la planète, il faut être vicieux pour vouloir celle-là.

— « Vicieux » me semble mal choisi, non ?

Dimitri venait de durcir le ton et, visage fermé, il toisait son frère.

— Elle est comme ta sœur, plaida Vladimir. Et tu es son meilleur ami, tu l'as toujours été. Quand elle ne voudra plus nous voir, refusera de mettre les pieds ici et se retrouvera seule au monde, tu te sentiras bien ?

Ils avaient l'habitude d'être d'accord et cet affrontement les déstabilisait autant l'un que l'autre.

— Qu'est-ce que vous faites, les mecs ? hurla Ève, plus haut dans le bois.

— On arrive ! crièrent-ils ensemble.

Mais Dimitri posa sa main sur l'épaule de Vladimir pour l'empêcher de bouger.

— Tout ce que tu pourras me dire, je me le suis déjà dit. Je me fais la morale à longueur de journée, et je ne crois pas que je prendrai le risque de décevoir ou de choquer Daphné. Néanmoins, je suis amoureux d'elle, je n'y peux rien. J'espère que ça me passera.

— Carrément amoureux ? chuchota Vladimir, incrédule.

— Tu es prié de…

— Garder ça pour moi ? Ah, oui, sois tranquille !

Ils se remirent en route, marchant à grandes enjambées pour rattraper leur retard.

— Pourquoi lambinez-vous comme ça ? voulut savoir Ève. Pendant que vous vous racontiez vos histoires de mecs on a vu un renard, deux écureuils et…

— Un raton laveur, acheva Dimitri.

— Quel raton laveur ?

— Celui de Prévert, dans son inventaire.

— Très drôle. On continue un peu vers le cours d'eau ? Quand on marche vite, on n'a pas froid du tout.

— Allez-y, moi, je rebrousse chemin, il faut que je file à Montpellier et je suis déjà en retard.

— Un rendez-vous galant ? suggéra Béatrice d'un air malicieux. Parce qu'on est dimanche, alors, les trucs pro…

— Salut les filles ! répondit-il seulement en faisant demi-tour.

Dimitri planta là le petit groupe et s'éloigna d'un bon pas. Le bref échange qu'il avait eu avec Vladimir l'avait rendu très amer. Même son frère ne le comprenait pas et le jugeait mûr pour une psychanalyse. Certes, Vladimir était le moins fantaisiste de la famille, le plus « dans le rang », et il avait toujours montré beaucoup de sérieux dans son rôle d'aîné. Mais qu'y avait-il de *mal* à tomber amoureux de Daphné ? Si Ivan voyait tout, du fond de l'éternité, il n'en prendrait sûrement pas ombrage. À moins qu'il n'y ait rien après la mort, et dans ce cas…

Dévalant une pente, il coupa à travers bois pour rentrer au plus vite. Rien de précis ne l'attendait à Montpellier mais il n'avait aucune envie de rester à La Jouve. Avoir Daphné assise contre lui sur le banc, leurs cuisses se touchant, finirait par le rendre fou. Et s'il devait subir, en plus du regard inquisiteur de Hubert, souvent posé sur lui ces temps-ci, celui de Vladimir devenu réprobateur, c'en serait trop. Il refusait d'être jugé, s'y employant déjà lui-même. Mais aussi, pourquoi avait-il craqué, parlé ? En tout cas pas dans le but de recevoir l'absolution des siens, il était bien trop indépendant pour en avoir besoin. Non, à travers la réaction de son frère, il imaginait celle qu'aurait Daphné si jamais il osait lui avouer ses sentiments. Et là, la réponse était sans appel : elle serait forcément horrifiée.

Arrivé près des premiers bâtiments, il renonça à aller embrasser sa mère et se dirigea droit vers sa voiture.

*
* *

— Et tu te contentes de danser, vraiment ? insista Nelly d'un air amusé mais bienveillant.

Avec un petit sourire embarrassé, Anton hocha vigoureusement la tête. Puis il réfléchit deux secondes, sourcils froncés, avant d'admettre :

— Je fais des rencontres, aussi. On repère les bonnes cavalières, on les invite, on parle un peu… Mais les dames qui sont là ont surtout envie de danser, comme moi. Juste pour passer un bon moment, tu vois ?

— Alors sauve-toi, dit Nelly en l'enveloppant d'un regard affectueux. Tu es beau comme un prince !

Pour rien au monde elle ne lui aurait posé de questions sur sa vie privée. En avait-il une ? Il parlait peu, disparaissait et revenait sans le moindre changement d'humeur, toujours aussi serviable, taciturne, efficace. Après son départ, elle donna un coup de balai dans la cuisine puis s'assit dans le vieux fauteuil cabriolet dont le cannage, de plus en plus fatigué, menaçait de céder. Sur le bord de la crédence, l'enveloppe discrètement déposée par Dimitri à son arrivée était toujours fermée. Elle la décacheta et en sortit le chèque accompagné d'un petit mot : « Selon nos nouveaux accords. Tendresses. » En fait d'accords, Ève et lui avaient fixé leurs loyers de manière arbitraire.

— C'est trop, murmura-t-elle.

Néanmoins, elle se sentait un peu soulagée. D'abord parce que Dimitri continuerait à effectuer ses recherches ici, dans ce laboratoire qu'il avait aménagé à ses frais, ensuite parce que l'argent commençait vraiment à manquer dans la comptabilité de la maison. Anton avait besoin de matériaux pour les réparations qu'il effectuait à longueur d'année sur l'un ou l'autre des bâtiments, les impôts locaux et fonciers avaient énormément augmenté, et remplir un Caddie au supermarché coûtait de plus en plus cher. Or Maximilien ne sculpterait plus, Nelly finissait par l'admettre. S'il avait dû s'y remettre, il l'aurait fait pour sa prochaine exposition qui, à coup sûr, allait être la dernière. Peut-être y aurait-il des ventes à cette occasion, si toutefois il acceptait de se séparer de certaines pièces, mais ensuite ? De quoi les Bréchignac vivraient-ils dans les années à venir ? Faire payer un loyer à ses enfants l'attristait, elle ne s'imaginait pas leur facturant les repas !

Elle saisit un crayon et, au dos de l'enveloppe, se mit à faire des additions. Pour la vie courante, les choses se présentaient mieux maintenant qu'ils avaient tous décidé d'augmenter leur quote-part. Le couple Hubert et Béatrice, parce qu'il y avait leurs deux fils à la maison, participait un peu plus que Vladimir et Diane. Ces deux-là payaient une fortune pour les études de Juliette dans la prestigieuse université Columbia, on ne pouvait pas leur demander davantage, surtout si Diane refusait de prendre un temps plein à l'hôpital. Ève, en dehors du loyer de l'atelier de couture, avait promis de donner une petite somme pour ce qu'elle appelait le quotidien, mais elle était de plus en plus souvent absente, ce serait injuste de la taxer. Dimitri, qui n'habitait pas là, avait surévalué le loyer du laboratoire, quant à Daphné, elle était leur invitée lorsqu'elle avait envie de passer un week-end à La Jouve. Pas question de lui demander quoi que ce soit, d'autant plus qu'elle arrivait toujours les bras chargés de bouteilles de vin. Enfin, Anton se contentait d'un si petit salaire qu'il était bien normal de le nourrir.

En face des sommes promises, elle aligna toutes les dépenses qui allaient des factures d'électricité à celles de fuel, en passant par les assurances, les ravitaillements, les... Découragée, elle froissa l'enveloppe. À quoi bon se torturer avec tout ça ? En vieillissant, elle devenait plus inquiète, et donc plus prudente, pourtant elle ne voulait pas finir ses jours en ne pensant qu'à l'argent. Plus jeune, elle avait été plus insouciante. Max était célèbre, il sculptait à tour de bras et ne s'alarmait pas de dépenser tout ce qu'il gagnait. Nelly, plus fourmi que cigale par nature, avait toujours compté sur son atelier de couture pour amortir les hauts et les bas, jusqu'à ce qu'elle en fasse cadeau à Ève.

« Ève sait gagner sa vie aujourd'hui avec la couture, et Béa ne risque rien auprès de Hubert, le mari modèle par excellence. Quant aux garçons, ils ont de bonnes situations. Je ne dois pas m'angoisser à leur sujet. Pour Max et moi, au pire, il y a le petit atelier parisien, à condition qu'il veuille bien le vendre. Ça nous aiderait à finir nos jours. Jusqu'à quand continuera-t-il d'aller à Paris ? »

Elle éprouvait toujours un peu de tristesse lorsqu'elle songeait aux séjours de Max dans la capitale. Dès le début de leur installation à La Jouve, elle avait été clouée sur place par les enfants, son travail, la maison. En trente-cinq ans, elle avait fini par s'approprier l'endroit, évidemment, mais elle gardait un peu de nostalgie tout au fond d'elle-même. Les lumières de la ville, le sirop de la rue, les escaliers du métro, et ce petit atelier où Max avait fait d'elle la reine de ses fêtes de jeunesse, tout cela lui semblait parfois un paradis perdu.

Tournant la tête vers l'une des fenêtres, elle se demanda si Dimitri viendrait lui dire au revoir avant de repartir pour Montpellier. Elle aurait voulu le remercier pour son initiative. Sans lui, ses sœurs et son frère n'auraient peut-être pas mesuré l'ampleur des problèmes matériels au milieu desquels elle se débattait. Bien sûr, Dimitri était celui qui gagnait le mieux sa vie, en conséquence il pouvait aborder sereinement les questions d'argent, mais il était aussi celui qui ne vivait pas là. Dès l'obtention de son diplôme, il était allé travailler à Grasse, et lorsqu'il était revenu à Montpellier il s'était empressé d'acheter un appartement. Même si, égoïstement, elle aurait préféré avoir tous ses poussins dans son nid, elle devait bien reconnaître que l'indépendance de Dimitri – et Ivan avait fait comme lui – était une attitude normale pour un homme. Un jour ou l'autre, Ève s'en irait aussi. Surtout si son histoire avec Maud durait. Jamais au grand jamais, Nelly en avait la douloureuse certitude, Max n'accepterait un couple de femmes sous son toit. Ou plutôt, il l'aurait accepté de n'importe qui mais *pas* d'une de ses filles. Moins moderne et moins bohème qu'il ne le croyait, Max avait encore, hélas, quelques conceptions rétrogrades qui lui venaient de son père.

Le jour commençait à décliner, il serait bientôt temps de songer au dîner. Quelque chose de léger après le cassoulet du déjeuner. Peut-être juste un potage et un beau plateau de fromages. Au-dessus de sa tête, elle perçut une cavalcade sur le plancher du premier étage. Les garçons devaient avoir fini leurs devoirs et Hubert les poursuivait probablement pour les envoyer sous la douche. Le dimanche, il s'occupait bien d'eux afin de compenser ses rentrées tardives tous les soirs de la semaine. Sans même s'en apercevoir, Nelly se mit à sourire. La vie de famille avait été sa priorité absolue, elle s'en félicitait aujourd'hui. En regardant en arrière, elle trouvait son existence bien remplie car elle n'avait négligé ni Max, son grand amour, ni ce laborieux atelier hérité de sa mère et qu'elle avait su faire prospérer malgré tout. La petite Nelly Iakov, fille d'émigrés russes, pouvait être contente d'elle. Et sans le drame de la mort d'Ivan, tellement injuste, elle aurait volontiers remercié Dieu.

*
* *

Dimitri se réveilla en sursaut, le cœur battant à grands coups désordonnés. Face à lui, l'écran géant était uniformément bleu, le film devait être fini depuis longtemps. Il se redressa pour s'asseoir, la tête toujours pleine de son cauchemar. Était-ce la discussion de l'après-midi avec Vladimir qui avait provoqué un aussi mauvais rêve ? Il s'était revu enfant, dans ces mêmes bois des alentours de La Jouve, courant partout à la recherche d'Ivan. Hystérique, la voix de Nelly les poursuivait, Vladimir et lui : « Qu'avez-vous fait de votre petit frère ? » Le gamin était perdu, ils le savaient en grand danger, et c'était leur faute, à eux, les aînés.

Quittant le canapé, il gagna la cuisine où il but longuement de l'eau froide au robinet. Il en profita pour

237

s'asperger, se secouer. Avait-il dîné avant de mettre le DVD dans le lecteur ? Il ne s'en souvenait pas. Pour le moment, il ne pouvait penser à rien d'autre qu'au visage du petit garçon qu'avait été son frère cadet.

Il retourna dans le séjour, vit la bouteille de vodka sur la table basse. D'accord, il avait bu un verre pendant le générique du film, un autre juste au début, et puis il avait sombré. Il vérifia le niveau, constata avec soulagement qu'il ne manquait pas grand-chose. Non, il ne s'était pas saoulé, il était seulement fatigué par tous ses récents voyages, et déprimé par ce que lui avait dit Vladimir.

« C'est drôle, je connais le secret d'Ève, et Vladimir connaît le mien… Y en a-t-il d'autres dans la famille ? Papa a sûrement le sien, mais ça… »

Après avoir tout éteint, il alla prendre une longue douche. Sa réussite professionnelle aurait dû le combler, or il se sentait vide, désemparé, démotivé.

« Réagis, mon vieux ! Tu as des rendez-vous, des projets, des gens à voir et de nouvelles formules à trouver. »

Un de ses amis, créateur de parfums comme lui, était récemment revenu d'un voyage en Inde tout à fait ébloui. Il affirmait que se promener à travers le marché aux fleurs de Pondichéry était un moment grandiose, inoubliable. Les roses, les giroflées, les œillets et le précieux jasmin sambac, quelques graines de cardamome, une traînée de safran : un torrent de senteurs rares qui faisait tourner la tête. Pourquoi ne pas prendre quelques jours de vacances là-bas pour aller y chercher des idées ? Dimitri en avait les moyens et son métier lui en fournissait le prétexte. Au bout du monde, parmi les odeurs, les couleurs, les épices, peut-être parviendrait-il à ne pas penser à Daphné ?

« Et pendant ce temps-là, quelqu'un finira bien par passer dans sa vie. Elle ne peut pas faire que d'insipides rencontres, comme son Jean-François ou son négociant bordelais. Un jour prochain, un type formidable va croiser sa route et la séduire. Elle m'appellera pour me raconter sa joie d'avoir enfin le cœur qui bat, et j'en avalerai ma langue ! Ensuite, je regretterai toute ma vie de ne pas avoir tenté ma chance. »

Il enfila un peignoir éponge, retourna dans le séjour, ralluma. À présent, il se sentait réveillé, presque en forme, autant en profiter pour travailler. Le silence de la nuit l'avait toujours inspiré, il aimait savoir les gens endormis autour de lui tandis qu'il se penchait au-dessus de ses flacons en rêvant à une précieuse fragrance. Dans son laboratoire de La Jouve, où il avait mis au point ses meilleures formules, il se souvenait d'avoir parfois vu le jour se lever avec un sentiment d'exaltation et d'urgence. Le monde allait s'éveiller, les oiseaux les premiers, tandis qu'il refermait ses classeurs, rangeait ses testeurs, puis sortait pour observer le ciel pâlissant à l'est. Des moments précieux pour un solitaire comme lui, mais aujourd'hui il savait qu'il existait une femme avec qui il aurait eu envie de les partager. Tenir Daphné contre lui et la sentir frissonner sous le froid qui accompagne toujours l'arrivée de l'aube devait être un bonheur absolu.

Mettant en route son ordinateur, il découvrit qu'il avait plusieurs messages. Tous concernaient le nom de son parfum, sur lequel les équipes marketing planchaient sans relâche. Il lut une série de mots qui le fit sourire. Pas un seul ne convenait et certains étaient carrément ridicules. Songeur, il prit une fiche vierge et essaya de se concentrer.

9

Assise sur le comptoir, près de la caisse, Daphné refoula les larmes de rage et d'humiliation qui lui étaient montées aux yeux pendant son récit.

— J'aurais très bien pu ne pas m'en apercevoir avant un certain temps !

— Par chance, tu tiens bien ta comptabilité, fit remarquer Dimitri d'une voix apaisante.

— Tu parles d'une chance ! Je galère là-dessus en me bottant les fesses à la fin de chaque mois. En janvier, il ne devait pas manquer grand-chose, je n'ai rien vu. On peut toujours faire une erreur en rendant la monnaie. Fin février, j'ai eu la puce à l'oreille, et puis j'ai oublié, comme une idiote. Il avait l'air si gentil, ce garçon, que j'ai mis du temps à faire le rapprochement. Évidemment, fin mars, j'ai compris. Le mieux aurait été que je le prenne sur le fait, mais il était trop malin, il attendait que je sois partie ailleurs pour piquer quelques billets.

Après l'arrivée de Dimitri, elle avait à moitié baissé le rideau de fer, et ils ne voyaient que les jambes des passants qui longeaient la vitrine.

— Ça me fait du bien de t'en parler, ajouta-t-elle. J'ai connu un moment de panique, je ne savais pas quoi faire. L'accuser sans preuve ? Le virer avec perte et fracas ?

— Tu aurais dû m'appeler.

— Tu étais à Paris. J'ai failli téléphoner à Vladimir mais je me suis dit qu'il n'allait pas quitter sa banque pour venir m'aider à licencier mon employé !

— Tu t'es surtout dit : « Je suis une grande fille, je peux me débrouiller toute seule, je n'ai besoin de personne. »

Elle le regarda d'un air faussement choqué puis se mit à rire.

— C'est à peu près ça.

— Combien t'a-t-il piqué, en tout ?

— Environ cinq cents euros. Tu imagines le trou ? En plus, quand je lui ai annoncé, plutôt froidement, que je ne renouvelais pas son contrat, il a eu l'air de tomber des nues et m'a demandé des explications. Quel culot ! Bref, le ton est monté, tu me connais, je n'y suis pas allée par quatre chemins. À la fin, tu sais de quoi il m'a traitée ? De sorcière...

Le rire tonitruant de Dimitri résonna dans tout le magasin.

— Sorcière ! hoqueta-t-il. Ça te va si bien ! Je ne t'appellerai plus que Daphné-la-sorcière, et je vais venir clouer un chat noir sur ton rideau de fer. Tiens, tu devrais rebaptiser ton magasin : Cave de Daphné la sorcière, sabbats tous les samedis.

— J'étais sûre que ça t'amuserait.

— Énormément. En attendant, si j'avais été là, j'aurais pris ton Étienne par la peau du cou pour le jeter dehors.

— Le problème est que tu n'es *jamais* là.

— Pour toi, si. Tu m'as laissé un ou deux messages trop vagues, tu n'avais qu'à insister.

Il fit quelques pas à travers les casiers, regardant les bouteilles au passage.

— Tu en vends ? demanda-t-il, le doigt pointé sur une bouteille.

— Pas souvent. Il faut être amateur pour accepter de payer le prix.

Après avoir lu sur l'étiquette l'année de récolte et le nom du viticulteur, il hocha la tête.

— Ça les vaut. Un romanée-conti, tu peux le garder vingt ans, non ?

— Nez subtil, récita-t-elle, dominante de fruits noirs, bouquet aérien et profond, beaucoup de distinction.

Il se tourna vers elle et leurs regards se croisèrent. L'espace d'une seconde, l'ombre d'Ivan se glissa entre eux. Daphné avait appris avec lui la manière de parler des grands vins ou des petits crus en utilisant les mots justes, et elle se souvenait de toutes ses leçons. Dimitri revint vers elle, ébaucha un sourire.

— Pour en finir avec l'histoire d'Étienne, est-ce que tu vas engager quelqu'un d'autre ?

— Non, je ne crois pas. Cet essai m'a coûté trop cher. Dommage, j'avais pris goût à la liberté !

— Comment feras-tu pour le vernissage de papa ?

— Fermeture exceptionnelle le jeudi et le vendredi matin.

— Ah... Ce sera court.

Apparemment déçu, il avait l'air de chercher une solution.

— Je ne peux pas rester plus longtemps, affirma-t-elle.

Déjà, entre les billets de TGV et la nuit d'hôtel à Paris, la dépense était importante, elle ne s'attarderait pas davantage.

— Je me charge de te trouver une chambre ? proposa-t-il. Je m'en occupe pour toute la famille. Maman, Vladimir et Diane, Béatrice et Hubert, les garçons qui sont ravis de manquer l'école, Ève, qui viendra avec Maud et que je ne dois pas mettre dans le même hôtel que les autres…

— Oui, fais-le, tu as sûrement de bonnes adresses à Paris. J'imagine que le pauvre Anton va garder La Jouve ?

— Ça lui convient très bien. Il dit qu'il connaît par cœur les « sacrés trucs » et n'a pas besoin d'aller les voir ailleurs. Quand il a installé le poêle dans l'atelier de papa il a eu tout le temps d'observer les statues et, si tu veux mon avis, il ne les apprécie pas. Dans sa bouche, *sacrés trucs* signifie *quelle horreur*.

— Max possède un immense talent, protesta Daphné. Vous êtes tous très durs avec lui. Moi, je me réjouis pour lui de cette expo, et j'espère qu'elle aura beaucoup de succès.

Dimitri la dévisagea avec une expression énigmatique, puis il déclara, en cherchant ses mots :

— Le problème n'est pas dans son talent. Personne ne conteste qu'il est un grand sculpteur.

— Toi et toute ta famille vous ne lui pardonnez pas d'avoir arrêté de travailler. Mais je crois qu'il ne peut plus et qu'il en souffre énormément.

— Peu importe, trancha-t-il avec une brutalité très inhabituelle chez lui.

Un peu interloquée, elle finit par hausser les épaules et décida de changer de sujet.

— On va au cinéma ?

Après un coup d'œil sur sa montre, il lui tendit la main pour qu'elle descende du comptoir.

— Dépêchons-nous, la séance commence dans dix minutes. Et relève un peu ce rideau de fer, je ne suis pas contorsionniste.

— Dis plutôt que tu ne veux pas risquer de te salir !

Elle se moquait volontiers de ses chemises et costumes sur mesure, mais en réalité elle aimait beaucoup sa façon de s'habiller. D'ailleurs, sa stature de géant ne lui permettait sûrement pas d'acheter des vêtements tout faits, il aurait eu l'air d'un clown.

Alors qu'ils prenaient la direction de la place de la Comédie, Dimitri lui demanda si par hasard elle n'aurait pas une idée de nom pour son parfum.

— Dis-moi tout ce qui te passe par la tête, du moment que le mot est séduisant.

— À savoir ?

— Évocateur, glamour, suggestif... Tu vois ?

— Pas du tout.

— Prends ça comme un jeu et lance-toi. Tu n'as qu'à penser à des parfums célèbres. Vol de nuit, Trésor, J'adore, L'Heure bleue ou Insolence, juste un ou deux mots qui font rêver. N'importe quoi peut convenir si ça sonne bien.

— Eh bien, c'est tout trouvé : Soir de Paris ! Mais il faudra verser quelque chose à Anton, naturellement.

Il se mit à rire et passa son bras autour des épaules de Daphné, la soulevant de terre par jeu.

— Repose-moi, protesta-t-elle, je pédale dans le vide. Bon, alors voyons... Rebelle ? Insouciance ? Orage d'été ? Possession ?

— Non, rien ne me tente, continue.

— Soleil noir, Brume, Tempête, Carrare, Toscane. Ou tiens, Impatiens, en l'écrivant comme la fleur... Ou pourquoi pas tout simplement Dimitri ?

— Ben voyons ! Un peu de mégalomanie ne fait jamais de mal, n'est-ce pas ?

— C'est un joli nom, Dimitri, insista-t-elle. Di-mi-tri. Moi, je l'achèterais tout de suite, je trouve ça à la fois doux et fort, secret et séduisant. Comme toi.

Elle l'avait dit spontanément, emportée par son élan, et elle se sentit stupide. Évitant de le regarder, elle se présenta la première au guichet du cinéma, mais quand elle commença à fouiller son sac pour trouver son porte-monnaie, il la poussa gentiment sur le côté.

— Tu es mon invitée, à condition que tu continues à chercher. Et, au fait, merci du compliment.

Elle leva les yeux sur lui tandis qu'il récupérait leurs tickets d'entrée. Oui, il était physiquement séduisant avec son profil bien dessiné, son nez droit, sa mâchoire volontaire et son regard si clair, mais ce qui charmait Daphné se trouvait ailleurs. À ses côtés elle se sentait protégée et en paix, libre d'être elle-même sans jouer aucun rôle. Il possédait cette qualité rare de prendre les gens comme ils étaient, sachant regarder et écouter mais sans trop de complaisance. Ni arrogant ni modeste, il semblait ouvert à tout et bien dans sa peau, pourtant il conservait une part de mystère. Coléreux parce qu'il prenait les choses à cœur, il se dominait presque toujours. Enfin et surtout, il était capable d'une immense tendresse dénuée de mièvrerie. Le jour de la mort d'Ivan, c'était sur son épaule qu'elle avait pu trouver un peu de réconfort, accrochée à lui comme une noyée. Dans ces heures épouvantables, il avait réussi à lui donner un peu de sa force, elle ne l'oubliait pas.

Lorsqu'ils pénétrèrent dans la salle déjà obscure, ils choisirent d'aller s'asseoir au fond, selon leur habitude.

— Après les bandes-annonces, chuchota-t-il à son oreille, j'irai acheter du pop-corn.

Elle eut soudain très envie de lui prendre la main, ce qu'évidemment elle ne fit pas.

Au même moment, Ève et Maud grignotaient une assiette de coquillages à la terrasse des Sardines argentées, la poissonnerie du port de Carnon-Plage qui faisait aussi restaurant. Une adresse qu'elles aimaient pour la vue sur le golfe d'Aigues-Mortes, face au Grau-du-Roi, avec la perspective d'aller faire une longue promenade en bord de mer sur des kilomètres de sable fin. Pour avril, le temps était délicieux, avec un petit vent tiède accompagnant le coucher du soleil.

— Non, répéta fermement Maud, je n'irai pas.

— Que tu es butée ! Je t'ai promis, et je n'ai qu'une parole, de parler à ma famille. C'est une affaire entendue, mais pas avant l'expo. Papa a le droit de vivre ces jours-là en paix.

— Tout à fait. Et moi, j'ai le droit de ne pas aller à son vernissage.

— Je me réjouissais beaucoup de cette escapade à Paris. Nous n'y sommes jamais allées ensemble, Maud.

— Il y aura d'autres occasions.

— Mais j'avais tout prévu ! Dimitri nous a trouvé un hôtel de charme dans le quartier du Marais, on aurait pu faire du shopping, visiter des musées, aller dans un magasin de tissus à Pigalle que je veux absolument voir...

— Sans moi, Ève.

— Pourquoi, bon sang ? Tu cherches à me punir ou quoi ?

— Ne nous disputons pas, dit Maud d'une voix conciliante. Si tu veux bien y réfléchir deux secondes, tu comprendras. Je n'ai pas envie de jouer la comédie de la simple copine, je refuse de me cacher, de surveiller tous mes gestes. Parfois, j'ai l'impression que tu as un peu honte de notre relation vis-à-vis des gens que tu aimes, et ça m'est très désagréable.

— Tu exagères. Il n'y a que mon père qui me pose un cas de conscience. Parce qu'il a soixante-treize ans, une vision rétrograde du monde, et qu'il va se hérisser, je le sais. Quand il a été hospitalisé, l'hiver dernier, il m'a bien fallu le ménager.

— Et maintenant, il y a son exposition, tu trouves toujours une bonne raison. Grandis un peu, ma chérie ! À trente-cinq ans, tu as la mentalité d'une gamine qui se cacherait pour faire des bêtises. Mais peut-être considères-tu qu'il s'agit en effet d'une bêtise, nous deux ?

— Maud…

À court d'arguments, Ève baissa la tête vers ses coquillages. L'appétit coupé, elle se mit à faire rouler distraitement un bulot.

— Tu m'agites toujours ton père sous le nez comme un épouvantail, reprit Maud, pourtant tu n'as pas non plus parlé à ta mère, ni à Vladimir, pas même à Béatrice. Moi, je t'ai présenté ma famille sans attendre.

— Pour toi, c'était facile, ta mère et ta sœur connaissent tes goûts depuis toujours !

— Parce que je l'ai annoncé dès la première fois. Toi, tu l'as dissimulé.

Maud et sa sœur Marie tenaient une maison de la presse, affaire familiale où leur mère venait souvent leur donner un coup de main. Ces trois femmes, très solidaires, travaillaient et s'amusaient ensemble depuis longtemps, partageant tous leurs secrets. Plaquée très jeune par un mari inconstant, la mère s'était donné du mal pour élever ses deux filles tout en gérant son commerce.

Arrivée à la cinquantaine, elle avait commencé à moins travailler pour laisser de plus en plus de responsabilités à Maud et à Marie. Aujourd'hui, elle profitait enfin de la vie mais accourait dès qu'on avait besoin d'elle. Lorsque Maud lui avait présenté Ève, un an plus tôt, elle l'avait accueillie à bras ouverts, prête à lui offrir son affection. Au début, Ève s'était amusée de la similitude existant entre sa propre histoire et celle de Maud, car chacune avait repris la succession de l'affaire maternelle. Maud aimait les livres et les journaux, Ève la mode et les machines à coudre. Suivant l'une comme l'autre le chemin tracé par plusieurs générations de femmes, elles ne pouvaient que mieux se comprendre. Pourtant, les mois passant, leurs différences s'accentuaient.

— Tu m'avais dépeint les gens de ta famille comme des originaux, rappela Maud. Des gens ouverts, atypiques, toute une tribu de fantaisistes ! Et au bout du compte, on se heurte à l'esprit étriqué de ton père. Plutôt coincé, l'artiste…

— Peut-être, mais c'est mon père, et j'ai du respect pour lui.

— Tu as peur de quoi ? De le scandaliser ? Qu'il te regarde avec dégoût ?

— Je ne sais pas. Je verrai ça en temps voulu.

Ève commençait à se braquer, exaspérée par l'entêtement de Maud. Elle ne voulait pas être mise au pied du mur, c'était à elle de choisir le bon moment. Mais y en aurait-il un, connaissant le caractère de Max ? Et en quoi était-ce si important d'obtenir son assentiment, voire sa bénédiction ? Ève aimait bien avoir ses petits secrets, sa vie à elle, et un seul confident, Dimitri en l'occurrence, lui suffisait amplement. Étaler son existence au grand jour ne lui semblait pas nécessaire, elle n'en ferait pas un combat personnel. Par ailleurs, elle n'était pas encore certaine de la profondeur de ses sentiments pour Maud. Amoureuse, oui, mais pour combien de temps et pour quel avenir ? Fallait-il vraiment tout bouleverser, se brouiller avec sa famille, quitter La Jouve ? Indiscutablement, elle ne se sentait pas prête.

— Bien, dit Maud d'un ton crispé. Puisque j'avais programmé quelques jours de vacances, je vais m'offrir un petit voyage je ne sais pas où…

— Rejoins-moi à Paris après le vernissage, suggéra Ève. Après tout, je ne suis prise que jeudi soir, ensuite nous pourrions faire tout ce que nous voulons.

— Ah, non, ce serait trop facile ! Un coup tu me caches, un coup tu me montres ? Merci, très peu pour moi.

Furieuse, elle se leva et jeta sa serviette au milieu des coquilles vides.

— Je rentre, j'en ai marre, ajouta-t-elle entre ses dents.

Ève la regarda s'éloigner vers la voiture, sachant très bien qu'elle ne partirait pas. Elle allait s'installer au volant et bouder en fumant une cigarette. La réconciliation n'en serait que meilleure. Réprimant un sourire, elle réclama l'addition.

*
* *

Consternée, Ludivine regardait sa mère avec apitoiement.

— Et tu te réjouis ! Te voilà toute frétillante à l'idée que le grand homme sera bientôt là. Mais pas là *pour toi*, maman. Tu n'as pas de carton d'invitation, je suppose ? Non, bien sûr, il attendra le dernier jour de l'expo pour te dire de passer en catimini.

— Ne sois pas si caustique, chérie. Ce sont nos conventions depuis toujours.

— Dont tu t'es contentée, en femme de l'ombre, en femme soumise. Eh bien moi, j'irai. N'importe quel jour, quand je veux.

Nathalie haussa les épaules. Sa fille ne serait pas invitée non plus au vernissage, elle ne risquait pas d'entrer dans la galerie d'art ce soir-là. Maximilien aurait toute sa famille autour de lui pour l'occasion, il l'en avait avertie par téléphone, précisant que Nelly et les autres ne resteraient que vingt-quatre heures à Paris. Après leur départ, Max s'attarderait une semaine, ainsi ils auraient enfin la possibilité de passer du temps ensemble, de partager des soirées et des nuits, une perspective qui enchantait Nathalie.

— Écoute, reprit-elle posément, ton père souhaiterait que nous dînions tous les trois le samedi soir ou le dimanche, à ta convenance. Tu lui manques, il aimerait…

— Non, trancha la jeune femme d'une voix dure.

— Mais enfin, quoi ? Tu veux voir ses sculptures et pas lui ?

— Il m'intéresse moins que son œuvre. Elle parle pour lui.

Le serveur du petit café où elles s'étaient retrouvées vint déposer devant elles les omelettes-salades qu'elles prenaient systématiquement. À deux rues du cabinet vétérinaire, l'endroit était pratique pour leurs rendez-vous hebdomadaires.

— Ludivine, tu devrais essayer de te rapprocher un peu de ton père. La rancune ne sert à rien et tu auras des regrets quand il sera trop tard.

— Me rapprocher ? De quelle manière ? Il vit à huit cents kilomètres d'ici ! On ne peut pas lui téléphoner ni lui écrire, il faut profiter de ses brèves visites pour l'apercevoir. Il n'a jamais été présent pour moi, et à peine davantage pour toi.

Empoignant ses couverts, elle commença à manger. Cette discussion, si souvent reprise et jamais aboutie, ne les conduirait nulle part. Sa mère était aveugle et tenait à le rester, tant mieux pour elle. Mais un jour, Ludivine ne pourrait plus se retenir, elle finirait par lui dire ce qu'elle avait sur le cœur. Une enfance gâchée, une adolescence perturbée, une vie de femme qui se méfiait de l'amour et ne parviendrait sans doute jamais à être épanouie, voilà tout ce qu'elle devait à Maximilien Bréchignac et à l'égoïste désir d'enfant de sa mère.

— Mon choix est mince, maman. Te mépriser ou le détester. Qu'est-ce que tu préfères ? Il faut bien que l'un de vous deux soit responsable du gâchis, non ?

— Je préférerais que tu te taises si c'est pour dire des choses pareilles. Je ne t'ai pas élevée comme ça.

— Oh, non ! Tu aurais voulu m'élever dans le culte du grand homme, mais ça n'a pas marché.

Visage fermé, sa mère regarda ostensiblement sa montre. C'était elle qui faisait le plus de chemin pour repartir à son travail de comptable, elle qui sortait ses tickets-restaurant, elle qui insistait pour venir chaque semaine afin de ne pas « perdre le contact », selon son expression.

— Arrêtons de parler de lui, soupira Ludivine. Je ne veux pas me disputer avec toi.

Elle pouvait mettre sa rancune de côté et se montrer aimable dans le quart d'heure qui leur restait. Sans doute sa mère avait-elle fait de son mieux, et durant bien des années. Combien de fois avait-elle répété : « Je t'ai voulue de toutes mes forces, ma chérie, et tu m'as comblée. Tu es le fruit de l'amour, pas du hasard. » À cinq ans, être un fruit amusait Ludivine, plus tard elle avait haï ce mot. Mais à quoi bon l'avouer aujourd'hui ?

— Je commande les cafés, dit-elle seulement.

Puis, éprouvant le besoin d'ajouter quelque chose de gentil malgré tout, elle complimenta sa mère sur sa coupe de cheveux et sur leur couleur, très réussie.

— Je me suis ruinée chez le coiffeur, admit Nathalie avec un sourire désarmant. Mais comme Max vient…

Décidément, il était toujours le centre de sa vie, le dieu auquel il fallait tout sacrifier. Résignée, Ludivine parvint à ne pas se remettre en colère.

*
* *

Le jeudi matin, la tribu Bréchignac avait décidé de prendre le premier TGV pour Paris, qui partait à sept heures vingt et arrivait à onze heures moins le quart. Cet horaire très matinal leur permettrait d'aller déposer les sacs de voyage à l'hôtel puis de s'offrir un déjeuner dans une brasserie. L'après-midi pourrait être consacré au shopping pour les uns, au repos pour les autres, et ensuite ils se prépareraient en vue du vernissage qui commençait à dix-huit heures.

Nelly se sentait à la fois anxieuse pour Max et très excitée à la perspective de revoir Paris. Elle comptait s'offrir une grande balade en taxi afin de retourner sur tous les lieux qui avaient marqué sa jeunesse. Seule déception dans ce programme, Max tenait à ce qu'elle dorme à l'hôtel, affirmant que le petit atelier sous verrière était trop inconfortable et trop en désordre pour l'accueillir. Elle aurait pourtant aimé s'y retrouver avec lui, comme lorsqu'ils étaient fiancés puis jeunes mariés, un demi-siècle plus tôt, mais il avait refusé, évoquant des draps sales et la cafetière en panne. Tant pis, elle irait au moins revoir la place de Clichy et, dans une rue toute proche où elle avait vécu enfant, l'emplacement du petit atelier de couture où sa mère s'était si longtemps usé les yeux et les doigts. Et puis longer les quais de la Seine, lorgner quelques monuments au passage, bavarder avec le chauffeur de taxi qui lui rappellerait peut-être son père, faire revivre tout un lointain passé d'avant Max, d'avant La Jouve, du temps où elle se nommait Nelly Iakov et cherchait à perdre cet accent russe dont ses parents ne parvenaient pas à se défaire.

Dimitri leur avait déniché un hôtel très agréable mais abordable, rue Saint-Sulpice, proche de la galerie et doté d'un minuscule jardin luxuriant. Dans les chambres, les lits en cuivre ou à baldaquin charmèrent les enfants que ce voyage excitait au plus haut point. Annulant la réservation d'Ève dans un autre établissement, Dimitri s'était débrouillé pour obtenir une chambre supplémentaire et toute la famille, Daphné comprise, était ainsi regroupée sous le même toit. Lorsqu'il venait à Paris pour ses affaires, Dimitri préférait le quartier du Palais-Royal ou de l'Opéra où se trouvaient ses hôtels de prédilection, mais, pour la circonstance, il avait choisi d'éviter les allées et venues à travers Paris. De mauvaise grâce, Max l'avait chargé d'organiser également un dîner tardif qui les réunirait. « Tu as sûrement de meilleures adresses que les miennes. J'aimerais que ce ne soit pas trop loin, pas trop cher et dans un joli cadre à la mode pour faire plaisir à ta mère. C'est moi qui régale, mais je ne suis pas sûr de pouvoir vous accompagner, il faudra peut-être que j'aille de mon côté avec la directrice de la galerie et des gens du métier. » À l'évidence, il n'avait pas envie de mélanger sa nombreuse famille à ce qui

serait probablement le bouquet final de sa vie professionnelle.

Pour Dimitri, cette journée était à la fois une corvée
et un plaisir. Plaisir de voir sa mère radieuse, ses
neveux en effervescence, Daphné ouvrant de grands
yeux et marchant le nez en l'air. Corvée de devoir tout
gérer à la place de son père, sans pouvoir – alors qu'il
l'aurait tellement voulu – prendre Daphné par la main
pour l'emmener visiter Paris en amoureux. Demain,
elle repartirait pour Montpellier, pressée de rouvrir sa
cave, tandis qu'il resterait là pour ses affaires. Il avait
de nombreux rendez-vous et un nouveau contrat en
vue, qu'il devait finaliser. Dans le monde fermé du parfum, on commençait à savoir qu'il avait créé, pour une
grande maison, une formule exceptionnelle qui allait
être lancée de manière non moins exceptionnelle.
C'était la chance de sa vie, il aurait dû s'en réjouir
davantage et ne penser qu'à ça au lieu d'échafauder,
en vain, d'improbables scénarios lui permettant de
séduire la veuve de son frère. Et il avait beau détester
l'expression, il n'en existait pas d'autre.

*
* *

Maximilien jubilait, secrètement ravi par l'affluence.
Depuis des semaines, il doutait du succès de l'exposition, il avait même craint un fiasco lors du vernissage, or on se pressait autour de lui, la galerie était
pleine et les serveurs avaient du mal à se frayer un
passage. Il attrapa une coupe de champagne au vol,
la vida d'un trait. Jusque-là il n'avait rien bu, trop
inquiet, mais, à présent, il pouvait savourer à la fois
l'alcool et le succès. Au moins pour ce soir.

Bien mises en valeur par les éclairages, socles ou estrades, ses sculptures accrochaient l'œil, « interpellaient », selon le jargon du moment. Et bien sûr, la série des statues éclatées au sol faisait sensation. Elles avaient été installées ensemble, à part, et un jeu de lumière les rendait presque effrayantes. Elles l'étaient, de toute façon, et elles attiraient toutes les questions des critiques. La première et unique fois qu'il les avait exposées, il se trouvait encore sous le choc de la mort d'Ivan et n'avait pas su s'exprimer à leur sujet. Aujourd'hui, il répondait avec aisance, justifiant cette période d'inspiration très morbide par une quête spirituelle, sans jamais parler de son fils ou de l'accident.

Nelly les avait soigneusement évitées, bien entendu. Arrivée tôt avec toute la tribu, elle avait fait un tour rapide de la galerie, était venue embrasser Max tendrement, puis elle s'était postée dans un coin, à l'écart, pour observer l'agitation. De temps à autre, Max la cherchait des yeux et lui souriait. Cette nuit, il dormirait avec elle à l'hôtel, heureux qu'elle soit venue assister à ce bon moment de succès. Et une fois qu'elle aurait regagné La Jouve, il pourrait se consacrer un peu à Nathalie.

— Qui est ce monsieur, là-bas ? lui chuchota la propriétaire de la galerie à l'oreille. Il ne fait pas partie de mes invités, donc il est des vôtres…

Suivant la direction de son regard, il tomba sur Dimitri qui bavardait avec Daphné.

— Le grand qui parle à la jolie petite femme ? C'est mon fils. Mais la femme n'est pas à lui, il est célibataire.

— Oh, là, là… J'espère qu'il dîne avec nous, votre fils !

Elle s'était mise à rire, sans cesser de fixer Dimitri avec une sorte de gourmandise.

— Non, désolé, il a des obligations, répondit Max d'un ton agacé.

— Dommage, j'en aurais bien fait mon dessert.

— Vous l'auriez trouvé amer, ce n'est pas un garçon marrant.

— Vraiment ? Eh bien, je serais tentée de dire que, dans son cas, peu importe.

Pourquoi fallait-il que cette pimbêche lui parle de Dimitri ce soir ? Max n'était pas aveugle, il avait remarqué l'élégance impeccable de son fils, et surtout son aisance au milieu d'une foule mondaine. À côté de lui, Vladimir paraissait terne, et Hubert un peu perdu. Ses filles et belles-filles, en revanche, étaient à leur avantage, probablement grâce à Ève qui avait dû se charger de leurs tenues. Il y avait eu des conciliabules et des essayages tous ces derniers week-ends à La Jouve, auxquels Nelly elle-même avait participé activement. En réalité, Max pouvait être fier de sa famille, heureux qu'aucun d'entre eux ne manque à l'appel, pourtant il n'avait pas envie de terminer la soirée en leur compagnie. Ce jour était le sien, dans son monde et sur son territoire, il l'avait attendu trop longtemps pour pouvoir le partager. Les autres Bréchignac devaient rester des spectateurs, il était le seul acteur.

Un inconnu s'arrêta devant lui, bloc-notes en main, et il s'apprêta à répondre à de nouvelles questions.

*
* *

Vers une heure du matin, Nelly était si fatiguée qu'elle dut s'appuyer au bras de Vladimir pour regagner l'hôtel. Ils avaient dîné dans un bon restaurant et bu plus que de raison, trinquant au succès de Max et aux ventes qui auraient probablement lieu durant les semaines suivantes. Selon les articles qui paraîtraient, sa cote pouvait encore monter. Certes, il n'existait rien de nouveau dans son œuvre, mais après sa longue absence cette rétrospective était très remarquée.

Lorsqu'ils avaient discrètement quitté la galerie, Max avait rattrapé Nelly sur le trottoir pour la serrer dans ses bras. Il était ému, heureux comme un gosse, cependant il tenait à s'excuser de ne pas l'accompagner. Elle avait apprécié son élan à sa juste valeur, Max n'étant jamais démonstratif.

Dans le hall, ils récupérèrent leurs clefs et se souhaitèrent une bonne nuit. Les enfants titubaient, épuisés, tandis que tout le monde bâillait à qui mieux mieux. Les derniers à prendre l'ascenseur furent Dimitri et Daphné qui se sentaient moins pressés d'aller se coucher.

— Tu m'offres un dernier verre ? demanda-t-elle d'un ton plein d'espoir. Je n'ai pas sommeil du tout, la journée a été trop merveilleuse !

— Le bar est fermé, personne ne nous servira à cette heure-ci.

— Il y a des minibars dans les chambres, non ?

Il esquissa un sourire indulgent et finit par accepter de la suivre chez elle. Dans le petit réfrigérateur mis à la disposition de chaque client, ils trouvèrent une demi-bouteille de champagne et deux verres.

— Une bonne marque, approuva-t-elle en faisant sauter le bouchon.

Une légère ivresse la rendait euphorique et elle expédia ses escarpins à l'autre bout de la pièce avant de se laisser tomber sur le lit.

— Génial, non ? Max était aux anges ; je ne l'avais pas vu aussi souriant depuis des années ! Et ce restau que tu nous as trouvé, quel régal…

Assise en tailleur, le dos appuyé contre les oreillers, elle savoura une gorgée.

— Tu vas rester debout ? Allez, Dimitri, tu me donnes le tournis, pose-toi dans ce fauteuil qui te tend les bras.

— Ton train part très tôt demain matin, rappela-t-il gentiment tout en s'installant sur le bras du fauteuil.

— Je m'en fiche, je dormirai tout le long du voyage. Tu as de la chance de rester à Paris, j'aurais dû fermer la cave plus longtemps et m'accorder quelques jours de vacances ici.

— Qui t'en empêche ? En rentrant, Vladimir peut aller modifier l'écriteau sur ton rideau de fer.

— Non, ce ne serait pas raisonnable… Mais c'est bien dommage ! J'adore cette ville, j'aimerais y vivre. Pas toi ?

— Le soleil me manquerait.

Elle changea de position et la jupe de son tailleur remonta sur ses cuisses sans qu'elle y prenne garde.

— Tu sais que la directrice de la galerie ne t'a quasiment pas quitté des yeux ?

— Ah bon ?

— Tu as fait une touche, mon vieux ! Ou bien on te remarque parce que tu dépasses tout le monde d'une tête. Là-bas aussi, le champagne était très bon. Tiens, redonne-m'en un peu.

Après une nouvelle gorgée, elle posa son verre sur la table de nuit.

— Et pour toi, s'inquiéta-t-elle, la journée a été bonne ?

— Oui, excellente, même si je ne raffole pas de ce genre de réception. Il ne se dit rien d'intéressant, et la plupart des promesses échangées ne sont jamais tenues.

— Au moins, tu te réjouis pour ton père ?

Elle reprit son verre et le vida avant d'enchaîner :

— La manière dont les galeristes savent mettre les sculptures en valeur m'a bluffée. À La Jouve, elles sont entassées les unes contre les autres, mal éclairées et couvertes de poussière, mais ce soir je les ai trouvées sublimes. Pas toi ?

— Il y avait trop de monde pour vraiment les regarder. J'y retournerai dans la semaine, quand ce sera tranquille.

— C'est vrai, tu iras ? Je pensais que ça ne te passionnait pas.

— En fait, si. D'autant plus qu'à La Jouve, à part toi qui es invitée d'honneur de l'atelier, nous sommes tous proscrits.

Il l'énonçait sans regret car il n'avait jamais eu envie de forcer la porte de son père. Lui-même appréciait la tranquillité dans son laboratoire et il respectait volontiers celle des autres. Il sourit à Daphné qui étouffa un bâillement puis s'étira comme un chat.

— Je peux ouvrir la fenêtre ? demanda-t-il. Je trouve qu'on crève de chaud.

Saisissant ce prétexte pour mettre un peu de distance entre eux, il ouvrit en grand, respira à fond. L'intimité de la chambre le déstabilisait, faisant monter en lui une vague de désir difficile à refréner. Lorsqu'il se retourna vers Daphné, il sentit sa volonté vaciller. Ses cheveux, qu'elle avait pour une fois relevés en chignon, commençaient à retomber en mèches folles sur sa nuque. Le maquillage soigné de ses yeux avait un peu coulé, les soulignant d'une ombre charbonneuse plutôt sexy. Sa jupe ne cachait presque plus rien de ses très jolies jambes, et dans l'échancrure de la veste du tailleur, bien ajustée, on devinait la naissance de ses seins. Il se demanda si elle portait un soutien-gorge et si sa peau était aussi douce qu'elle en avait l'air. Elle paraissait toute menue et fragile sur ce trop grand lit, terriblement tentante. Combien de temps espérait-il pouvoir résister à la folle envie qu'il avait d'elle, exacerbée par ce qu'elle montrait, en toute innocence, alanguie sur ses oreillers ? À son sourire un peu vague, il savait qu'elle avait trop bu, il suffisait de la faire boire encore, et peut-être qu'ensuite tout deviendrait possible.

Dès qu'il y pensa, il y renonça, atterré d'en avoir eu l'idée.

— J'ai sommeil, murmura-t-elle avant de basculer sur le côté pour se rouler en boule sur les oreillers.

Maintenant, elle lui tournait à moitié le dos, et ses petites fesses rondes tendaient à craquer le tissu de la jupe. Estimant préférable de s'enfuir avant qu'il soit trop tard, il prit tout de même le temps de fouiller son sac pour y trouver son téléphone portable dont il régla la fonction réveil sur six heures du matin. Quand il le déposa sur la table de nuit, il vit qu'elle dormait déjà, la bouche entrouverte. Le cœur battant à grands coups, il la contempla jusqu'à ce que son désir devienne carrément douloureux. Alors il éteignit les lumières et quitta la chambre en hâte, comme un voleur.

*
* *

Anton referma la porte de l'atelier en se demandant s'il avait bien fait. Mais enfin, c'était l'occasion ou jamais de donner un bon coup de balai, d'ailleurs il avait quasiment rempli un grand sac de déchets et de poussière. Maximilien, toujours enfermé ici, devait avoir les poumons recouverts d'une fine couche de marbre, pas étonnant qu'il soit tombé malade.

Le temps était radieux, déjà presque trop chaud. Autant sortir les meubles de jardin maintenant et en profiter pour les nettoyer. Nelly serait contente, à son retour, de pouvoir recommencer à manger sous le micocoulier. Et tout ce qui lui faisait plaisir devenait une tâche urgente pour Anton. Il la vénérait car, sans elle, que serait-il devenu ? Comme on disait dans sa jeunesse, il aurait mal tourné. Délinquant ou voyou, en tout cas paumé. À vingt ans, lorsqu'il était venu à La Jouve, il se trouvait quasiment en perdition. Incapable de garder le moindre emploi, il vivait aux crochets de sa mère qui le houspillait du matin au soir. Il ne supportait pas la ville, le bruit, les gens, il voulait de l'espace et du silence, il voulait surtout qu'on le laisse tranquille. Marginal, il refusait de s'intégrer à un système qui n'était pas fait pour lui. École ou apprentissage, il avait tout rejeté jusqu'à son arrivée ici. Pourtant, il y était venu en traînant les pieds, ressassant des idées noires tout au long de l'interminable voyage en train puis en car. Nelly l'attendait à l'arrêt et il l'avait reconnue tout de suite pour l'avoir vue, enfant, dans l'atelier de couture où travaillait sa mère. Elle portait une jolie robe sans manches, elle était souriante et bronzée, appuyée contre sa voiture, et elle l'avait tout de suite emmené à La Jouve où elle lui avait dit qu'il était chez lui. Chez lui dans ce royaume de paix, ce paradis des cigales et des oiseaux ? Il s'était retrouvé dans une belle chambre rien qu'à lui, au cœur de la maison, intégré à la famille et libre d'organiser son travail. Dès le lendemain matin, Nelly lui avait dit, avec un sourire malicieux : « C'est simple, il y a tout à faire ! Alors, prends les choses une par une, dans l'ordre qui te conviendra. »

Évoquer ce jour lointain l'obligea à s'essuyer les yeux d'un revers de main. Dieu qu'il était bien, ici, depuis la première heure ! Pour ne pas trop se laisser aller à son penchant pour les costières-de-nîmes, rouge ou rosé, il buvait des litres de ce thé que Nelly faisait dans l'un ou l'autre des samovars de sa collection, et il travaillait à sa guise, c'est-à-dire énormément, tout en sifflotant des tangos ou des rumbas. Adopté par la tribu Bréchignac, il se considérait des leurs, mais, à ses yeux, seule Nelly comptait vraiment. Et c'était pour elle, avant tout, qu'il gardait jalousement La Jouve en l'absence de tout le monde.

Il essuya la dernière chaise de jardin, recompta les sièges, redressa un peu la longue table. Pas besoin de parasol avec cet arbre merveilleux qui abritait la plupart des repas de la saison. À présent, il allait passer la tondeuse du côté du grand portail pour que tout soit en ordre quand le camion rapporterait les statues de Paris. Combien de retour et combien de vendues ?

Avec un peu de chance, si quelques-uns des sacrés trucs avaient trouvé preneur, ça ferait de la place dans l'atelier, et des rentrées d'argent pour Nelly.

*
* *

Daphné souhaita une bonne journée à son client et le regarda sortir du magasin. Le samedi, il y avait toujours du monde, elle allait être occupée, tant mieux. Depuis qu'elle était rentrée de Paris elle se sentait coupable et mal à l'aise, toujours embarrassée par le souvenir de sa nuit à l'hôtel Odéon Saint-Germain.

Comment justifier sa tentative de séduction – si, si, c'en était bien une – à la fois maladroite et malvenue ? Pourquoi avait-elle essayé d'allumer Dimitri sans en avoir l'air ? Un peu plus, elle lui aurait fait la danse des sept voiles en prétendant que l'invitation ne s'adressait pas à lui ! Bon, elle avait trop bu, d'accord, et il était absolument irrésistible dans son costume bleu nuit et sa chemise bleu ciel, avec son nœud de cravate un peu desserré et une mèche de cheveux lui barrant le front. Mais tout ça ne constituait pas une raison suffisante pour risquer de perdre son amitié. Par bonheur, elle n'avait pas osé aller trop loin, elle avait arrêté ses simagrées à temps en faisant semblant de dormir, et il avait dû mettre son attitude sur le compte du champagne. Mais en réalité, elle s'en souvenait parfaitement, dans l'ascenseur qui les conduisait à leurs chambres, elle avait eu envie de se jeter sur lui, de se coller à lui des pieds à la tête comme lors de ce fameux slow dont il avait fait toute une histoire honteuse.

De quoi était né un si soudain, si violent désir pour lui, au point d'être prête à briser tous les tabous ? De l'excitation de cette journée extraordinaire à Paris ? Du regard insistant de certaines femmes, en particulier celui de la directrice de la galerie qui ne l'avait quasiment pas quitté des yeux ?

« Ma parole, j'étais jalouse... »

Enfin, elle devenait folle ou quoi ? Elle voulait coucher avec son ex-beau-frère ? Avec cet homme qui lui avait donné son affection sans réserve afin de l'aider à surmonter son deuil, qui était toujours disponible pour elle depuis des années, et qui attendait, sans ambiguïté aucune, qu'elle se case ? Parce que la vérité était là, elle n'arrivait pas à s'impliquer dans une histoire d'amour, elle se révélait incapable de trouver quelqu'un avec qui faire un bout de chemin, alors elle jouait avec le feu juste pour passer le temps en attendant qu'un bel inconnu frappe à sa porte.

Un couple entra et commença à se promener à travers les casiers. Ils chuchotaient entre eux, sans réclamer son aide, et elle les laissa faire. Ne pas effaroucher les clients était une de ses règles de base. S'ils voulaient quelque chose, ils le demanderaient, en attendant, elle pouvait se contenter d'afficher un discret sourire commercial.

Que faisait Dimitri, en ce moment ? Avait-il changé d'hôtel comme il en avait l'intention ? Était-il retourné voir l'expo ? Ah, bon sang, elle devait penser à autre chose ! N'avait-elle plus aucun sens moral ? Pas question d'écouter cette petite voix intérieure qui suggérait insidieusement que tout ça n'était pas grave, qu'après tout Dimitri serait peut-être d'accord. D'accord ou horrifié, allez savoir... Depuis le temps que tous les Bréchignac répétaient à Daphné de refaire sa vie, ils n'imaginaient pas pour autant qu'elle pourrait jeter son dévolu sur le célibataire de la tribu. Elle finirait par se fâcher avec tout le monde, et Dimitri lui tournerait le dos.

Non, cette histoire était décidément inconcevable, il s'agissait d'un fantasme dû à la solitude, voilà tout. Et lorsqu'elle reverrait Dimitri un de ces jours, à La Jouve, elle aurait intérêt à avoir une attitude naturelle, amicale, enjouée. Rien d'autre.

Le couple s'approcha du comptoir et vint déposer deux bouteilles de puligny-montrachet devant elle.

— Pour aller avec un turbot, ce sera bien ? demanda l'homme d'une voix hésitante.

— Parfait ! C'est un vin riche et ample en bouche, avec quelques touches aromatiques qui accompagnent à merveille les poissons nobles. Vous avez fait le bon choix.

Ils se consultèrent du regard et ce fut la femme qui sortit sa carte bancaire.

*
* *

Dans le silence de la galerie déserte, Dimitri s'attardait depuis un long moment devant la série des statues « éclatées au sol ». Le panneau d'affichage les désignait ainsi, sans autre précision. « Éclatées » ne semblait pourtant pas le mot exact puisque la pierre ne s'était pas divisée et n'avait produit aucun fragment. « Tuées » aurait été plus juste. Max avait réussi le prodige de les rendre à la fois vivantes et mortes, mortes à l'instant même. Sa vision, ou plutôt ses multiples visions de l'accident d'Ivan provoquaient immanquablement un frisson d'horreur, mais comment ne pas s'incliner devant son immense talent de sculpteur ? Cette œuvre ultime était habitée, frénétique, macabre, et sa dimension tragique, qui prenait aux tripes, la plaçait au-dessus de toute critique. Les membres disloqués, bizarrement retournés, la position des têtes, les doigts crispés dans un sursaut d'agonie, les yeux grands ouverts qui ne voyaient plus, tout indiquait la violence du choc tordant les corps dans l'impact au sol. Max avait dû suivre la chute de son fils, chaque millième de seconde le marquant sans doute au fer rouge, mais il n'en avait restitué que l'instant fatal, celui où il avait vu la mort trancher net le fil de la vie. Quant aux visages, ils représentaient tous le même beau jeune homme au regard déjà voilé. Ivan ou n'importe qui d'autre, pas tout à fait Ivan et pourtant lui.

Fasciné, presque hypnotisé, Dimitri fit dix fois le tour du cordon rouge qui les protégeait car elles étaient posées à même le sol, Max ayant exigé qu'elles soient vues d'en haut. Figuraient-elles vraiment son frère, déjà parti pour l'au-delà ? Il n'en conservait pas un souvenir assez précis. Le jour du drame, quand il était entré dans la maison, le traumatisme avait été tel que toutes les images s'étaient brouillées. Il se rappelait avoir pensé à sa mère, à Daphné, mais rien d'autre. Pourtant, le cœur broyé, il avait eu ce geste si difficile de fermer les yeux de son frère. Les fermer sans le regarder, les yeux rivés sur une de ses mains. Max avait parfaitement saisi les mains, c'était tout à fait ça.

Il finit par trouver la force de leur tourner le dos, en espérant que personne ne les achèterait jamais. Leur père espérait-il vraiment *faire de l'argent* avec cette abomination trop réaliste ? Dans la galerie, il n'y avait que deux personnes, dont l'une se dirigeait vers la sortie. L'autre était une jeune femme arrêtée devant un buste. Pourquoi y avait-il si peu de visiteurs ? Ne lisant pas de revues d'art et n'appartenant pas au sérail, Dimitri ignorait le retentissement que pouvait avoir eu le vernissage, mais le succès ne semblait pas flagrant. Il fit quelques pas vers la jeune femme, sans trop savoir pourquoi. Elle semblait passionnée par ce buste, qu'elle dévorait des yeux. Par-dessus son épaule, il lut la plaque, sur le socle : *Ludivine*. À cet instant la jeune femme, peut-être gênée par sa présence, fit volte-face. Surpris, il la dévisagea puis regarda de nouveau la sculpture.

— Ça vous ressemble beaucoup, non ? s'enquit-il avec curiosité. Est-ce que c'est vous ?

Elle eut un sourire étrange, tout en le détaillant des pieds à la tête de manière presque avide.

— En effet, articula-t-elle, je *suis* Ludivine. Et vous… Quelqu'un de la famille de Maximilien Bréchignac, je parie !

Le ton de sa voix était cassant, plutôt agressif.

— Max est mon père, admit-il.

— Moi aussi.

Sur le coup, il ne comprit pas ce qu'elle venait de dire. Ils restèrent quelques instants à se contempler en silence, jusqu'à ce qu'il lui demande de répéter.

— Je suis la fille de Max. En conséquence, nous devons être plus ou moins frère et sœur.

Défi, provocation, hystérie, il aurait pu croire n'importe quoi mais il sut avec certitude qu'elle disait vrai. Il recula d'un pas, secoua la tête comme s'il voulait remettre ses idées en ordre.

— Que faites-vous ici ? finit-il par lâcher.

Une question inepte, mais il fallait qu'il la fasse parler.

— Je viens toujours après les autres, pour ne pas me faire remarquer. Depuis le début, je passe après. Après vous, les légitimes, les ayants droit.

Sa voix montait dans les aigus, elle semblait emplie d'une immense colère. Était-elle là par hasard ou bien venue spécialement pour guetter quelqu'un ? Max ? Un membre de la famille à qui elle voulait assener sa révélation ? En tout cas, elle l'avait reconnu tout de suite sans l'avoir jamais rencontré.

— Écoutez, j'ignore tout de…

— Évidemment. Mais trente-cinq ans d'ignorance, c'est énorme !

Cette fois, elle criait. Bien que répugnant à la toucher, il la prit par le coude.

— On sort, dit-il entre ses dents.

Trois nouveaux visiteurs venaient d'entrer et s'apprêtaient à faire le tour de la galerie.

— Vous êtes tous pareils, gronda-t-elle en se laissant entraîner de mauvaise grâce.

Il lui fit franchir le seuil, longea la vitrine sans la lâcher.

— Vous ne voulez pas m'entendre, hein, *monsieur* Bréchignac ? La loi du silence, c'est bien pratique. On ignore, on cache, on tait. Pourquoi avez-vous si peur de ce que je vais dire ? Vous saviez pourtant que j'existais !

— Non.

— Allons donc ! J'ai parlé à l'un de vous, il y a quelques années, pour que le scandale éclate enfin. Mais il ne s'est rien passé, strictement rien. Vous avez gardé tout ça pour vous, dissimulé au fond d'un puits nauséabond dont je ne devais jamais sortir, au...

— Vous avez parlé ? répéta-t-il d'une voix hachée. À qui ?

Mais il connaissait la réponse, il était en train de tout comprendre et un gouffre s'ouvrait sous ses pieds.

— Vous me faites mal ! cria-t-elle.

S'il lâchait son coude, ce serait pour la frapper. Il la poussa contre une porte cochère qu'elle heurta des épaules et de la nuque, dans un bruit sourd.

— Allez-y, ordonna-t-il, videz votre sac puisque vous y tenez.

— Ne vous en prenez pas à moi, protesta-t-elle en se débattant, c'est vous qui avez le beau rôle !

— On s'en fout, des rôles, on n'est pas au théâtre.

Il savait ce qui l'attendait, et que la vérité risquait de le prendre à la gorge.

— Votre Max, je ne le vois presque jamais, cracha-t-elle avec hargne. Je ne l'aime pas parce qu'il est égoïste, lâche et méprisable. J'aurais vraiment préféré avoir un autre père, croyez-moi ! Je n'ai pas demandé à venir au monde, et surtout pas dans ces conditions

minables. Vous avez une idée de ce que j'ai vécu ?
Au lieu de me brutaliser, vous devriez vous estimer
heureux que je ne sois jamais descendue à Montpellier
pour débarquer chez vous la bouche en cœur en me
présentant comme la petite dernière de la famille !

Refusant de s'intéresser à son histoire, à ses
menaces, il demanda de nouveau :

— À *qui* avez-vous parlé ?

— Un de vos frères, sûrement. Pas celui qui est
mort, j'espère ?

La gifle qu'il lui assena la fit vaciller et elle serait
tombée à genoux s'il ne l'avait pas rattrapée. Elle
aurait pu hurler, ameuter les passants, mais elle resta
inerte, la tête baissée, une joue toute rouge.

— Mon Dieu…, murmura-t-il après l'avoir enfin
lâchée.

Il s'écarta un peu d'elle, enfouit ses mains dans les
poches de son pantalon.

— Je n'aurais pas dû, je suis désolé.

Il n'en pensait pas un mot, en réalité il aurait voulu
la détruire, la faire disparaître, pourtant elle n'était pas
responsable de la catastrophe qu'elle avait provoquée
huit ans plus tôt. Le seul coupable était Max.

— Où l'avez-vous rencontré ? Ici ?

— Non, c'était dans une autre galerie, plus proche
de Saint-Michel.

Lentement, elle décolla ses épaules de la porte
cochère. Sans doute était-elle effrayée, prête à s'enfuir
puisqu'il ne lui barrait plus le passage.

— Quel âge avez-vous ? voulut-il savoir.

— Trente-trois ans. Vous faites des calculs ? Vous
aviez tous quitté Paris quand je suis née. Êtes-vous Vladimir ou Dimitri ? Je n'ai vu qu'une seule photo, et elle
date…

Soudain, elle se mit à sourire de manière insupportable, malgré la marque bien visible des doigts sur sa joue.

— Je m'en vais, décida-t-il.

— Attendez !

— Nous n'avons rien à faire ensemble. Débrouillez-vous avec mon père.

Ce moment devait être important pour elle. Espérait-elle lui jeter à la tête tout ce qu'elle avait accumulé d'amertume et de frustration en trente-trois ans ? En retour, devrait-il lui apprendre qu'à cause d'elle et de son besoin d'exister autrement que comme une bâtarde un homme était mort ? Il la dévisagea une dernière fois mais ce n'était pas nécessaire, son visage resterait gravé dans sa mémoire. Ludivine, sa demi-sœur. Oui, il s'en souviendrait. Grâce à elle, aujourd'hui, les doutes qui le rongeaient s'étaient dissipés. Sur le point de partir, il hésita, fit deux pas, revint vers elle.

— Vous devriez régler vos comptes. C'est probablement votre droit, mais ne vous approchez plus de moi. D'aucun d'entre nous. Si vous cherchez à voir ma mère, vous tomberez sur moi.

Il réussit enfin à s'en aller, à mettre un pied devant l'autre et à ne pas se retourner.

10

Le mois de mai avait apporté, outre le soleil et la chaleur, des senteurs merveilleuses de lavande, de thym et de fleurs sauvages. Sous le micocoulier de La Jouve, la famille était réunie comme chaque dimanche, et Vladimir officiait devant le barbecue, retournant les gambas à l'aide de grosses pinces.

La veille, les statues étaient pour la plupart revenues de Paris en camion, il n'en manquait que quatre, dont trois s'étaient vendues aux prix demandés. Max aurait pu se réjouir de cette rentrée d'argent, mais il avait espéré autre chose de son exposition, et il se sentait humilié, frustré, aigri par ce maigre succès. À l'évidence, sa carrière allait s'arrêter là malgré quelques articles élogieux bien qu'un peu condescendants, qui parlaient d'un « excellent artiste » à l'œuvre « conséquente ». Son unique consolation était qu'un acheteur espagnol semblait très intéressé par la série des statues « éclatées au sol ». Pour l'instant, il s'accordait un temps de réflexion, un peu refroidi par la valeur de l'ensemble, mais il avait demandé tout un jeu de photos et resterait en contact avec la galerie. En attendant sa décision, la série était de retour à sa place, au fond de l'atelier, et Anton s'était empressé de remettre la bâche dessus, *pour les protéger.*

Dans ce qu'il considérait comme un acte de grande générosité, Max avait offert le buste de Ludivine à Nathalie, le faisant livrer chez elle par le transporteur de la galerie le dernier jour de l'exposition. Si sa maîtresse s'était confondue en remerciements extasiés, leur fille, en revanche, n'avait pas daigné se manifester. Une fois de plus, il n'avait pas pu la rencontrer lors de son séjour parisien, et il en concevait une certaine tristesse. Ludivine était son dernier enfant, sa fille cachée. À ce titre, il lui vouait une affection particulière, un peu distante mais sincère.

Diane, ravie parce qu'elle avait fini par obtenir de conserver son mi-temps à l'hôpital, en profitait pour siroter son troisième verre de vin blanc en apéritif, ce qui la rendait bavarde. Depuis dix minutes, sous le regard indulgent de Vladimir qui l'observait près du barbecue, elle essayait de convaincre Daphné de se rendre dans un institut de beauté.

— Une fois, essaie au moins une fois un bon massage des épaules, du cou, du visage, et tu m'en diras des nouvelles ! D'accord, ce n'est pas donné, on ne peut pas s'offrir ça tous les jours, mais se faire plaisir une fois de temps en temps n'est pas interdit.

Daphné s'abstint de répondre qu'elle n'avait pas les moyens, refusant d'exposer ses soucis, mais son expérience malheureuse avec Étienne lui avait coûté cher et elle estimait devoir surveiller de près son budget. L'absence de Dimitri, qu'on n'avait pas vu à La Jouve depuis plus d'un mois, la rendait mélancolique. Il lui manquait durant ces week-ends ensoleillés, elle trouvait que l'ambiance de la maison n'était pas la même sans lui. Nelly aussi se plaignait de ne plus voir son fils, s'attirant immanquablement une réflexion ironique de Max.

272

— Ce n'est pas l'homme invisible, protesta Ève, j'ai dîné avec lui jeudi dernier. Mais en ce moment il se déplace tout le temps, il vit avec son sac de voyage en bandoulière ! On ferait mieux de se réjouir pour lui.

Un peu vexée, Daphné se demanda pourquoi il ne lui donnait pas de nouvelles. Leurs séances de cinéma, suivies d'un tête-à-tête dans un bistrot, étaient pour elle les meilleures des soirées, et elle se prit à espérer qu'il passe davantage de temps à Montpellier dans le courant du mois de juin. Elle n'avait pas osé l'appeler depuis la nuit à l'hôtel Odéon Saint-Germain, mais au fond c'était idiot, il avait forcément oublié ces bêtises, peut-être ne les avait-il même pas remarquées.

— Il est là, ces jours-ci ? demanda-t-elle d'un ton détaché à Ève.

— Il a fait un saut à Paris, mais je crois qu'il rentre mardi.

Daphné se promit d'essayer de le joindre. À Paris ou ailleurs, il répondrait sur son portable et elle avait envie d'entendre sa voix grave, son rire communicatif.

— Ma ratatouille est prête ! annonça Béatrice en posant un plat sur la table. Je vous préviens, j'ai forcé sur l'artichaut.

Ils s'installèrent en désordre, comme d'habitude, et Ève en profita pour s'asseoir à côté de Daphné.

— Si tu vois Dimitri dans la semaine, lui dit-elle à voix basse, essaie de le distraire un peu. Il m'a paru bien sombre pour un homme à qui tout réussit. Mais toi, je suis sûre que tu arriveras à le faire rire, il t'adore.

— Oui, c'est réciproque, bredouilla Daphné.

Vladimir faisait passer les gambas grillées et, déjà, le ton des conversations montait.

— Si les instituts de beauté vantés par Diane ne te tentent pas, reprit Ève, viens avec nous à la piscine.

273

— Laquelle ?

— Maud et moi, on aime bien Antigone, ça reste ouvert les soirs de semaine jusqu'à vingt et une heures trente.

— Comment va-t-elle, Maud ? risqua Daphné en saisissant la perche tendue.

— Tu veux dire, Maud et moi ? chuchota Ève avec un sourire malicieux. Eh bien, nous ne sommes pas d'accord sur tout mais... Pour ne rien te cacher, elle voudrait que je franchisse le pas de l'intégration familiale. Tu imagines ce que ce serait ?

D'un petit mouvement du menton, elle désigna Max.

— Il ne pourra jamais comprendre, jamais accepter.

— Tu peux te passer de son consentement.

— Oui, mais je vis ici, je travaille ici... Il est déjà en guerre contre Dimitri, je n'ai pas envie de devenir le nouvel exutoire de sa mauvaise humeur chronique.

— Et c'est tout ? s'étonna Daphné. Pour ne pas t'engueuler avec lui tu prends le risque de te fâcher avec Maud ?

La question, trop directe, arracha une grimace à Ève.

— Touché, marmonna-t-elle. Au fond, peut-être que ma petite vie me plaît. Que provoquer un tsunami dans la famille ne m'apporterait rien qui vaille...

Daphné se pencha vers elle et chuchota :

— Peut-être que tu n'es pas vraiment amoureuse ?

Ève leva les yeux au ciel, puis son expression devint songeuse.

— Coulé, lâcha-t-elle.

— Vous jouez à la bataille navale ? s'enquit Hubert qui se trouvait en face d'elles.

Le problème des conversations en aparté était que, finalement, tout le monde pouvait tout entendre.

— Hubert, tu es un espion, railla Ève.

— Un observateur.

— Très avisé, renchérit Daphné.

Elle avait souvent surpris le regard de Hubert sur elle. Que devinait-il des petits secrets que chacun dissimulait au fond de sa tête ?

Louis et Paul étaient en train de se disputer la dernière des gambas, et Béatrice la leur retira pour aller la déposer dans l'assiette de Nelly.

— Est-ce que Juliette passera l'été avec nous ? demanda Max à Vladimir.

— Elle viendra, bien sûr, mais pas tout l'été. Elle a des projets avec ses copines d'université, et dès la fin des examens elle compte travailler dans un restaurant de New York pour se faire un peu d'argent. Là-bas, les serveuses sont très bien payées.

— Ma petite-fille, serveuse de bar ? marmonna Max d'un air dégoûté.

— Ton père aurait trouvé ça formidable, lui fit remarquer Nelly.

Il parut interloqué et haussa les épaules.

— Si vous aviez connu Roger Bréchignac, ajouta-t-elle à l'adresse des autres, c'était un sacré personnage !

— Mais comme peintre, ironisa Ève, je ne suis pas très convaincue. La toile accrochée dans le salon est...

— Tu n'y connais rien, l'interrompit Max.

Avec ses filles, il n'était pas souvent désagréable, mais évoquer la carrière en demi-teinte de son père l'avait manifestement exaspéré. Daphné en conclut que le sujet de l'art et des artistes risquait de devenir tabou à La Jouve. Aussi, lorsque Béatrice suggéra une grande balade pour occuper l'après-midi, elle déclina l'invitation. Se promener sans Dimitri ne la tentait pas, mais surtout elle comptait rendre visite à Max dans son atelier où il s'enfermerait dès la fin du déjeuner. Puisqu'il appréciait sa compagnie, elle allait en profiter pour essayer de lui remonter le moral. À l'évidence, maintenant qu'il n'avait plus aucun projet, il déprimait, et sa famille ne semblait pas le comprendre. Il avait juste besoin qu'on s'intéresse à lui, qu'on le flatte un peu, ce n'était pas très difficile de lui procurer ce plaisir.

Nelly alla chercher un grand saladier de fruits rouges cueillis par Anton le matin même, et Vladimir resservit une tournée du sauvignon côtes-de-duras apporté par Daphné. Comme toujours le dimanche, en fin de repas, ils se sentaient bien ensemble sous le micocoulier. Ils s'attarderaient, continueraient à se raconter des anecdotes, se disputeraient pour savoir qui allait faire le café, personne n'ayant envie de se lever. Une fois encore, Daphné regretta de ne pas avoir Dimitri à côté d'elle, lui qui était toujours disposé à la faire rire ou à lui prêter son épaule si elle voulait s'y appuyer.

— « Un seul être vous manque, et tout est dépeuplé », récita Hubert qui la regardait. Qui a écrit ça, je ne m'en souviens plus…

— Lamartine ! lança Vladimir de l'autre bout de la table.

Fronçant les sourcils, Daphné dévisagea Hubert. Y avait-il un sens caché à sa citation ? Il parlait rarement pour ne rien dire, et il en savait plus long qu'eux-mêmes sur tous les membres de la famille.

*
* *

Dimitri raccompagna son amie jusqu'à la porte de la chambre.

— Tu ne m'en veux pas ? s'inquiéta-t-il avec un sourire désarmant.

— Bien sûr que non. Nous sommes des complices de longue date, Dimitri. Tu n'avais pas la tête à ça, voilà tout.

Elle prenait les choses de façon légère et il lui en fut reconnaissant. La veille, lorsqu'ils étaient rentrés ensemble à son hôtel, après un excellent dîner un peu trop arrosé, il était resté si longtemps sur le balcon, à regarder les lumières de Paris, qu'elle avait fini par s'endormir, lasse de l'attendre. Et ce matin, lorsqu'elle s'était réveillée, il avait commandé le petit déjeuner, et s'était déjà douché et habillé.

— C'était une bonne soirée malgré tout, affirmat-elle en se haussant sur la pointe des pieds pour l'embrasser.

Depuis le temps qu'ils se connaissaient et se rencontraient de loin en loin, toujours avec plaisir mais sans y mettre de sentiment, ils se sentaient assez détachés pour se dire au revoir affectueusement.

— Prends soin de toi, recommanda-t-il par habitude.

— Toi aussi.

Elle fit trois pas dans le couloir, se retourna.

— Je pense que tu es amoureux. Tu le sais, j'espère ?

Hochant la tête, il esquissa un nouveau sourire.

— Oui.

— Bonne chance, alors.

Tandis qu'elle s'éloignait, il referma doucement la porte, observa la chambre en désordre. Drôle de nuit. Quand il ramenait une femme – de surcroît une jolie femme – dans son lit, ce n'était pas pour la faire attendre ou la laisser dormir tandis qu'il méditait. Un

comportement de goujat ! Vraiment, il avait un problème, ou plutôt deux. D'abord, il était amoureux,
totalement amoureux pour la première fois de sa vie,
mais par malheur il s'agissait d'un amour à peu près
impossible. Tout aussi perturbante était l'invraisem-
blable histoire de la *double vie* de son père. Depuis
trois semaines, au milieu de ses voyages et de ses
rendez-vous, il s'était inlassablement demandé que
faire de la révélation de cette Ludivine. Apprendre la
vérité à sa mère le terrorisait tant il risquait de lui
faire du mal, pourtant il avait fini par comprendre qu'il
ne pouvait pas se taire. La laisser dans l'ignorance
serait la pire des trahisons. Elle avait le droit de savoir
qui était l'homme dont elle partageait la vie depuis
plus de cinquante ans.

« Et sur les cinquante, trente-cinq de mensonge ! »

Il s'était posé mille questions au sujet de la jeune
femme et des raisons qui l'avaient poussée à rompre
le silence, une première fois huit ans plus tôt avec
Ivan, puis maintenant avec lui. L'opportunité de la
rencontre ? Un désespérant besoin d'être enfin reconnue par des étrangers dont elle partageait le sang mais
ne portait pas le nom ? Elle possédait un beau visage,
ressemblant trait pour trait à celui du buste qui avait
semblé la fasciner. Un buste que Max avait donc tranquillement sculpté dans son atelier de La Jouve afin
de pouvoir contempler à loisir sa fille secrète.

Ludivine, puisqu'elle avait trente-trois ans, était née
deux ans après Ève. À cette époque, comment Max
avait-il réussi à mener les choses de front ? Était-ce
la raison de son insistance – souvent relatée en riant
par Nelly – à installer toute sa famille dans le Midi ?
Avoir les coudées franches à Paris, en mettant huit
cents kilomètres entre ses deux foyers, avait dû être
bien commode. Chapeau, l'artiste !

Écœuré, Dimitri entassa rageusement ses affaires dans son sac de voyage. En homme responsable, il s'était donné le temps de la réflexion, maintenant il allait agir. Ouvrant son téléphone portable, il appela Vladimir à Montpellier.

*
* *

— Sans *aucune* explication ? insista Béatrice.

— Rien du tout, mystère absolu, confirma Ève. Mais il n'a laissé le choix à personne.

Venues de La Jouve dans la voiture d'Ève, elles avaient longtemps cherché une place, et, à présent, elles se hâtaient de remonter la rue Saint-Guilhem.

— Attendez-moi ! cria Daphné derrière elles.

Après les avoir rattrapées en courant, elle demanda d'une voix essoufflée :

— Qu'est-ce que c'est que cette réunion au sommet ? J'ai été obligée de fermer et mes clients du soir vont se casser le nez.

— Moi, expliqua Ève, j'ai viré les filles de l'atelier une heure plus tôt que prévu, elles étaient ravies !

Devant l'immeuble de Dimitri, Vladimir et Diane faisaient les cent pas.

— Hubert n'est pas là ? s'inquiéta Béatrice.

— Je viens de l'avoir sur son portable, il arrive, la rassura Vladimir. Mais je crois qu'il ne lui a pas été facile de quitter l'hôpital.

Il était à peine six heures et la fin de l'après-midi apportait un délicieux petit vent tiède qui balayait la rue.

— J'espère que la convocation vaut le déplacement, ronchonna Diane. Il aurait pu nous réunir à la maison, non ?

De loin, Hubert leur adressa de grands signes et pressa le pas pour les rejoindre.

— Peut-être va-t-il nous annoncer son mariage ? ironisa Ève. Ou bien qu'il déménage à New York ?

— Ça m'avait l'air beaucoup plus urgent, fit sèchement remarquer Vladimir. On monte ?

Connaissant son frère, il avait le pressentiment d'un grave problème. Jamais Dimitri n'aurait bouleversé leurs emplois du temps pour quelque chose de futile. Il avait même précisé, sans donner d'autre explication : « Attends-toi à recevoir le plafond sur la tête. »

Lorsqu'ils débouchèrent sur le palier, en file indienne, ils virent que la porte de l'appartement était ouverte et ils entrèrent sans sonner. Dimitri les attendait dans son séjour, l'air tendu.

— Merci d'être venus, déclara-t-il solennellement. Installez-vous, je…

— Oh non, je rêve ! s'écria Ève.

Le doigt pointé vers une grande affiche punaisée au mur, elle resta une ou deux secondes la bouche ouverte, ébahie.

— Vous vous êtes offert une star de cinéma pour la pub ? Et pas n'importe laquelle ! Elle est trop belle, Dimitri… Tu l'as vue en vrai ?

— Oui, à New York. La campagne commence dans quelques jours, vous verrez cette affiche partout, et aussi le spot, une petite merveille tournée par un grand réalisateur.

— Vous avez les moyens !

— De nos jours, si tu veux t'imposer sur le marché, voire en prendre la tête, il faut mettre le paquet.

Alignés devant l'affiche, ils l'examinèrent avec autant de curiosité que d'admiration. La célèbre jeune femme aux longs cheveux blonds et à la silhouette de rêve, qui serait désormais l'égérie du parfum baptisé

Captive, posait dans une attitude très sensuelle, enfermée dans un flacon de cristal à sa taille.

— Glamourissime, jugea Ève. Si c'est pour ça que tu nous as invités chez toi, ça valait la peine.

— Bien sûr que non. On s'installe ?

Ils se répartirent sur les trois canapés ivoire et, pour ne pas avoir l'air de donner une conférence, Dimitri s'assit négligemment sur l'un des accoudoirs.

— Je ne vais pas faire durer le suspense, mais ce que j'ai à vous apprendre dépasse l'entendement, alors accrochez-vous. À Paris, dans la galerie où papa exposait, j'ai rencontré par hasard, enfin, pas tout à fait par hasard, sa… Comment dire ? Bon, sa fille, voilà.

Ils le regardaient tous, sans réaction, n'ayant à l'évidence pas compris ou pas voulu comprendre ce qu'ils venaient d'entendre.

— Papa a une maîtresse, et aussi une fille de trente-trois ans. Son prénom est Ludivine. Je n'en sais pas beaucoup plus à son sujet.

Dans le silence qui suivit, l'animation de la rue leur parvint par la baie grande ouverte. Des gens s'interpellaient, un scooter passa à grand bruit. Au bout d'un moment, Daphné prit la parole, d'une voix à peine audible :

— Ludivine ? Il y a une sculpture qui porte ce nom, je crois…

— C'est bien elle. Une jolie jeune femme, je dois le reconnaître.

Un autre silence s'installa, s'éternisa.

— Mais enfin, s'emporta soudain Vladimir, tu n'as pas cherché à en apprendre davantage ?

— Oh que non !

La réponse avait jailli, rageuse, violente. Dimitri inspira à fond puis réussit à reprendre, plus posément :

— Nous ne nous sommes pas parlé très gentiment, elle et moi. Il m'a semblé qu'elle en avait par-dessus la tête d'être dans l'ombre, mais, pour tout t'avouer, je n'avais aucune envie de l'écouter.

— Comment t'a-t-elle reconnu ?

— Elle possède une photo de nous. Ce qui signifie, j'imagine, que papa a donné un cliché de toute sa petite famille à sa maîtresse.

— Mais… c'est un monstre ! lâcha Béatrice dont le menton tremblait.

Hubert passa un bras autour de ses épaules et l'attira à lui.

— Alors, c'est elle qui t'a abordé ? demanda-t-il à Dimitri.

— Il n'y avait quasiment personne dans la galerie, j'allais sortir et je suis passé à côté d'elle. Sa ressemblance avec la statue m'a frappé, j'ai dit quelque chose, je ne sais plus quoi, et elle a sauté sur l'occasion comme si elle n'attendait que ça. Je pense qu'elle m'avait repéré depuis un moment, elle m'aurait parlé de toute façon.

— Pourquoi ?

— Par défi, je suppose. Elle avait déjà essayé de se faire connaître, il y a quelques années.

Posant son regard sur Daphné, il hésita un peu avant de poursuivre :

— Dans les mêmes circonstances, lors d'une expo, elle prétend s'être adressée à l'un de nous.

— Pas à moi, en tout cas ! protesta Vladimir.

— À Ivan, probablement. Mais il n'a pas eu le temps de nous en parler, c'était juste avant sa… son accident.

Les yeux toujours rivés sur Daphné, il lui laissa le temps d'assimiler ce qu'il venait de dire. Il refusait d'insister, de préciser davantage.

— Mon Dieu, souffla-t-elle. Le pauvre, il a dû garder ça pour lui ! Je me souviens très bien de cette expo de 2002, parce qu'il était allé à Paris pour un congrès d'œnologues et il en avait profité pour faire un saut à la galerie, persuadé que ça ferait plaisir à Max. Quand il est rentré, il ne m'a rien dit. Peut-être voulait-il vous épargner ? Ou bien il n'y a pas cru et il a pris cette fille pour une folle ?

Dimitri ne répondit rien, il ne voulait pas aller plus loin. Déjà, découvrir Max sous ce jour devait être pénible pour Daphné qui l'aimait beaucoup, qui avait toujours pris sa défense.

— Bref, finit-il par enchaîner, nous avons un gros problème sur les bras.

Se détournant, il croisa le regard de Hubert. Lui avait compris, à voir la tête qu'il faisait, et sans doute mesurait-il mieux que quiconque les implications à venir.

— Tu ne vas tout de même pas infliger cette histoire de maîtresse et d'enfant à Nelly ? demanda Daphné d'un air horrifié.

— Si, répondit fermement Dimitri. Je préfère le lui apprendre à ma manière, avec ménagement, plutôt que voir débarquer un jour Ludivine à La Jouve. Elle affirme qu'elle en a déjà eu l'idée.

— Quelle salope ! explosa Ève. Si elle ose venir, je me chargerai de l'accueillir !

— Elle n'est pas responsable, tempéra Hubert. Ne nous trompons pas de cible, la faute incombe à Max.

Se dégageant de son étreinte, Béatrice se mit à pleurer.

— Je ne veux pas rentrer à la maison, je ne veux pas être à table avec lui et lui servir son dîner ! Ni lui dire bonsoir en l'embrassant. Je ne veux plus le voir, jamais, qu'il aille au diable…

Elle sanglotait, la tête dans les mains, révoltée. Et comme elle était la plus douce de la famille, sa réaction augurait mal de celle des autres. Comment se comporteraient-ils devant Max désormais ?

— Nous sommes dans un beau bordel, soupira Vladimir.

Il se leva et alla se poster à côté de Dimitri.

— De quelle façon comptes-tu t'y prendre ? demanda-t-il en lui mettant une main sur l'épaule.

— Parler à maman avant tout.

— J'irai avec toi, ce sera moins dur à deux.

Il était l'aîné, il se sentait obligé de ne pas laisser son frère seul face à leur mère.

— Très bien, accepta Dimitri, allons-y maintenant, je ne veux pas différer.

La présence de son frère l'arrangeait car il comptait affronter son père juste après avoir mis sa mère au courant. Or, une fois qu'elle saurait, il ne serait pas concevable de la laisser seule.

— Maintenant ? répéta Ève d'une voix incrédule.

— Tu préfères attendre ? Ce sera mieux demain, après-demain ? Tu te sens capable de jouer la comédie de la famille unie ce soir ?

Le ton cassant de Dimitri ne laissait aucun doute sur son état d'esprit. Ève secoua la tête et eut un geste fataliste assorti d'une grimace. Se rendait-elle compte qu'elle avait quelque part une demi-sœur, conçue après elle, qui lui ôtait son statut de benjamine ? Qu'avoir tenu secrète sa liaison avec Maud pour ne pas heurter son père devenait dérisoire ? Dimitri lui adressa un gentil sourire et lui suggéra d'emmener les autres dîner n'importe où.

— Si vous préférez rester là, je vous laisse mon appartement, mais mon frigo est vide.

— On va au restau, décida Ève. Je connais de bonnes adresses où on sera tranquilles pour discuter.

Elle se leva, ainsi que Diane, Hubert et Béatrice, prêts à la suivre.

— Est-ce que je dois vous accompagner ? demanda Daphné. Tout ça vous concerne, je suis un peu…

— Tu es une Bréchignac, lui lança Ève, ça te concerne aussi ! Tu te crois en surnombre ?

— Non, mais il s'agit de votre père.

Dimitri lui posa une main sur la nuque et la poussa tout doucement vers les autres. Ce bref contact lui donna une telle envie de la prendre dans ses bras qu'il se sentit soudain triste et fatigué. Cherchant son frère du regard, il se demanda si la tâche qu'il s'était fixée n'était pas au-dessus de ses forces.

*
* *

Une nouvelle fois, Maximilien consulta sa montre.

— Bon sang, c'est un peu fort ! grogna-t-il, à mi-voix.

Agacé de rester assis devant des assiettes vides, il se leva et se mit à tourner autour de la table. Impassible, Anton resta plongé dans la lecture de son magazine.

— Qu'est-ce qu'ils foutent ? enragea Max en s'arrêtant derrière sa chaise.

— Aucune idée.

Arrivés une heure auparavant, Vladimir et Dimitri avaient quasiment enlevé Nelly à qui ils voulaient parler toutes affaires cessantes. En vue de la fête des Mères qui tombait le dimanche suivant ? Ils étaient montés s'enfermer avec elle dans l'une des chambres,

285

à l'étage, sans se donner la peine de s'expliquer. « Vous faites de jolies têtes d'enterrement, on dirait deux croque-morts ! » leur avait lancé Max pour plaisanter, mais ses fils n'avaient pas eu l'air d'entendre.

— On va dîner à quelle heure, hein ? Et où sont-ils tous passés ? Ah, je déteste ces petits mystères...

Sous le micocoulier, le couvert était mis pour dix, Dimitri et Daphné n'étant pas prévus ce soir, et les boulettes de viande à la catalane que Nelly avait préparées devaient commencer à se dessécher dans la cocotte. Devenus insupportables à force d'attendre, Paul et Louis avaient obtenu de leur grand-père l'autorisation d'aller regarder la télé, et on les entendait rire par une fenêtre ouverte.

— Les garçons ont école demain matin, il faudrait peut-être penser à eux !

Au même instant, Dimitri sortit de la maison. Il semblait pâle, il avait les mâchoires crispées, et il marcha droit vers Anton.

— Tu peux t'occuper des petits et les faire manger maintenant ? Il y a des bouleversements, ce soir, et j'ai besoin de m'isoler avec papa.

Se tournant vers Max, il ajouta :

— Allons dans ton atelier, ce que j'ai à te dire est grave.

Stupéfait, Max le dévisagea puis haussa les épaules.

— Je ne sais pas ce qui se passe mais...

— Tu vas l'apprendre !

Quelque chose, dans le ton de Dimitri, était assez menaçant pour que Max se sente immédiatement mal à l'aise. Pourquoi Nelly et Vladimir n'étaient-ils pas descendus ? Et où donc les autres avaient-ils disparu ? D'un pas raide, il contourna la maison, traversa l'esplanade et gagna l'atelier, suivi par son fils.

— Je n'aime pas ces manières, déclara-t-il en allumant un halogène. Je ne sais pas ce que vous trafiquez, Vladimir et toi, mais je…

— Tu devrais t'asseoir, le coupa Dimitri.

Perplexe, Max alla jusqu'à son vieux fauteuil club mais il resta debout à côté.

— J'ai fait la connaissance de ta fille Ludivine, lui assena Dimitri sans le moindre préambule.

— Ah…

Les battements de son cœur étaient en train de s'emballer, il dut ouvrit la bouche pour respirer plus vite. Ludivine ! Seigneur, comment était-ce possible ? L'histoire n'avait pas le droit de se répéter, il avait déjà subi cette accusation et cette même impression de terrible panique à se savoir découvert.

— Tu n'es pas allé raconter ça à ta mère ? réussit-il à demander d'une voix étranglée.

— Si, elle sait tout.

— Bon sang, Dimitri, tu ne pouvais pas te taire ? Je t'aurais cru plus de jugeote, ou au moins plus d'affection à l'égard de ta mère. Tu veux la rendre malade ?

— Pas moi. Toi et uniquement toi. Ton mensonge, ton hypocrisie, ta lâcheté.

— Oh, laisse tomber les grands mots ! Nous sommes entre hommes, tu me comprends sûrement très bien.

— Comprendre quoi ? Qu'on puisse mener une double vie ? Non, désolé, si c'est ta religion, ce n'est pas la mienne.

— Tu ne sais rien de l'amour ! s'emporta Max. Tu crois que tes petites liaisons passagères t'ont appris quelque chose ? Moi, j'aime ta mère pour de bon, et j'ai aussi aimé une autre femme, c'est vrai. Mais pour rien au monde je n'aurais quitté Nelly et mes enfants.

— Bien sûr, c'était tellement pratique ! Tu nous as tous casés ici, et tu t'es gardé ta maîtresse à Paris pour tes petits séjours extraconjugaux. Tu lui as même fait une fille, dont tu t'es si peu occupé qu'elle ne te porte pas dans son cœur.

— Tu dis n'importe quoi. Tu es en colère, d'accord, mais quand tu y réfléchiras à tête reposée, tu verras que…

— Je n'ai pas envie d'y penser. Plus jamais. Je t'en parle ce soir, et après, rideau.

— Sois un peu moins rigide, Dimitri. Que tu le veuilles ou non, nous ne sommes pas faits pour avoir une partenaire unique pendant toute notre existence. La fidélité est une illusion d'hypocrite.

Dimitri le toisa avec une expression de profond dégoût qui le hérissa.

— Ne me regarde pas comme ça, je n'ai pas commis de crime ! Aucune des deux n'a été malheureuse jusqu'ici, et même…

— Tu te rends compte que tu es en train d'essayer de te trouver des excuses, une justification minable, au lieu de te demander comment a réagi maman ?

Cette fois, Max se sentit atteint. Il se détourna, cherchant où poser les yeux, puis finit par se laisser tomber dans son fauteuil.

— Vas-y, dis-moi, souffla-t-il.

— Elle ne veut pas te voir pour l'instant. Elle dormira dans ma chambre ce soir pour te laisser le temps de faire ta valise.

— Quoi ?

Ahuri, Max dévisagea Dimitri en répétant :

— Ma valise ?

— Tu peux prendre un TGV demain matin, tu n'auras qu'à demander à Anton de t'accompagner à la gare. Passe quelques jours à Paris, ce sera mieux pour tout le monde.

Prenant appui sur les accoudoirs, Max se releva.

— Qui a décrété cette connerie ? Toi ? Tu crois que tu vas faire la loi chez moi ?

— Tu préfères que maman demande le divorce tout de suite ? Elle a besoin de temps pour digérer la nouvelle ! Après, elle prendra la décision qu'elle veut.

— Je vais aller lui parler, elle m'écoutera.

Dimitri fit un pas en avant, le regard étincelant de rage.

— Non, tu ne bouges pas d'ici, je n'ai pas fini.

Max voulut forcer le passage mais Dimitri le stoppa, lui posant la paume de sa main sur le torse. Le geste n'avait rien de brutal, pourtant ce contact physique figea Max.

— J'ai plusieurs choses à te dire, et une à te demander. D'abord, je veux que tu saches à quel point nous sommes tous choqués. Si tu t'imagines pouvoir reprendre ta place au milieu de ta famille comme si de rien n'était, tu te trompes. Dans ton intérêt, disparais d'ici un moment.

— Ici, c'est chez moi, rappela Max en se redressant de toute sa taille.

— Continue à te voiler la face et tu finiras tout seul. Ce que tu as fait n'est pas un péché véniel de rien du tout, juste une petite saloperie qu'on va recouvrir avec un peu de litière pour chat ! Tu as trahi maman dans ce qu'elle avait de plus précieux et de plus solide, tu nous as trahis, nous, tes enfants, et ta bâtarde se sent trahie depuis toujours.

— Je t'interdis de l'appeler…

— Je me passe de ta permission. Maintenant, il y a une chose que tu dois m'expliquer. La scène qu'on est en train de vivre tous les deux a déjà eu lieu, non ?

Abasourdi, Max écarquilla les yeux, puis il eut une sorte de hoquet qui s'étrangla dans sa gorge.

— C'est bien cette même histoire qui a mis Ivan hors de lui ? poursuivit impitoyablement Dimitri.

— Tu n'as pas le droit…, haleta Max.

Soudain, il avait peur de son fils, peur de ce regard délavé de colère qui le clouait sur place, peur des mots qui allaient être prononcés.

— Non, tu n'as pas le droit, tu ne sais pas ce que j'ai enduré, Dimitri. On s'est disputés, c'est vrai, dix fois je lui ai dit de se calmer, de descendre, je ne voulais pas qu'on l'entende. Il me criait des horreurs, il était comme toi, intransigeant, buté… Comment avait-il appris, pour Ludivine ? Il n'a pas eu le temps de me le dire, il gesticulait là-haut, il s'est trop penché et il a perdu l'équilibre, c'était… Oh, mon Dieu !

Éclatant en gros sanglots convulsifs, il agrippa sa chemise à deux mains, sur le point de suffoquer. La digue âprement construite jour après jour cédait, libérant un torrent de larmes.

— J'ai cru que j'allais en crever ! Et je ne pouvais en parler à personne, à personne…

— Pas même à ta maîtresse ?

— À elle moins qu'à quiconque. J'ai mis une cloison étanche entre mes deux vies. La mort d'Ivan, c'était mon calvaire, ma croix, ça ne regardait que moi.

Il s'essuya les yeux de sa manche, chercha un peu d'air.

— Toi, Dimitri, tu as ton frère, tes sœurs, vous faites bloc, vous vous soutenez, moi, je suis tout seul.

— Tu ne t'attends pas à ce que je te plaigne ? Si tu veux de la compassion, va la chercher ailleurs. Tu t'aimes pour deux, pour douze, ça devrait te suffire !

Face à lui, son fils était comme un mur, aucune parole ne l'atteignait. Pourquoi devait-il s'expliquer avec lui, justement avec lui, le plus difficile à convaincre ? Vladimir ou les filles l'auraient moins effrayé, mais Dimitri ne lui ferait pas de concession, il ne céderait rien.

— Tu as bien de la chance d'avoir des certitudes, murmura-t-il.

— Fondées sur des réalités. La mort d'Ivan, ta liaison secrète depuis des décennies, ta fille illégitime que tu as immortalisée dans le marbre, tout ça existe, c'est ta responsabilité.

— Et tu me juges...

— Non, vois ça avec ta conscience. Tu as fait le pari que tes deux vies distinctes cohabiteraient sans problème, à ta convenance, mais tu as perdu.

— Parce que tu viens de piper les dés ! Tu as décidé de parler à ta mère sans savoir si tu lui ferais plus de bien que de mal. Drapé dans ta dignité bafouée, tu me donnes une leçon de morale dont je n'ai rien à foutre ! Tu m'entends ?

Se mettre au diapason de la colère de Dimitri le soulageait, cependant son répit fut de courte durée.

— Je crois qu'on s'est tout dit. Tu prendras ton train demain matin ?

Même en admettant que ce soit sans doute la meilleure solution pour l'instant, Max ne voulait pas être chassé de sa maison. Ses enfants risquaient de monter Nelly contre lui en son absence. Pourquoi ne le laissait-on pas la consoler ? Il la connaissait bien, il trouverait les mots pour plaider sa cause. D'un autre côté, il lui faudrait affronter le regard réprobateur des siens, répondre à leurs questions courroucées, faire amende honorable pour les apaiser.

Il hésitait encore lorsque Dimitri l'acheva :

— Pour moi, tes petites histoires de sexe ont provoqué la mort de mon frère il y a huit ans, et fait le malheur de ma mère aujourd'hui. Je ne l'oublierai pas.

Cette condamnation, prononcée d'une voix glaciale, était sans appel. Dimitri se détourna et marcha vers la porte.

— Tu me détestes, hein ? lança Max dans une ultime tentative.

Parvenu au milieu de l'atelier, Dimitri s'arrêta. Loin de la lumière de l'halogène, il était comme une statue parmi toutes les autres.

— Non, dit-il avant de faire volte-face. Mais je n'ai plus de considération pour toi, et c'est plus… douloureux que prévu. Je te détesterai le jour où tu oseras faire du fric avec tes sculptures d'Ivan à l'agonie. Si c'est vraiment ta souffrance, au moins ne la monnaie pas.

Il resta immobile quelques instants avant de s'en aller pour de bon, laissant Max anéanti.

11

Ève était, avec Nelly et Daphné, la plus traumatisée par les révélations sur la vie de Max. Son caractère indépendant ne l'avait jamais empêchée d'aimer son père et de l'admirer. En tant que benjamine, sa *jolie petite dernière* ainsi qu'il la désignait volontiers, elle avait batifolé sans souci jusque-là, quasiment autorisée à être la fantaisiste de la famille, à n'en faire qu'à sa tête et à garder ses secrets. Par respect pour son père, elle n'avait pas voulu le heurter en lui apprenant son homosexualité, mais elle était tombée de haut à le découvrir dans le rôle du menteur, du lâche, du traître, de celui qui avait dissimulé tout un pan inavouable de son existence depuis trente-cinq ans.

Trente-cinq ans, c'était son âge, et des souvenirs d'enfance lui revenaient en mémoire comme des bulles acides. Son père la prenant sur ses genoux ou la tenant par la main, prétendument tout ému d'avoir encore une fille, sept ans après Béatrice, cinq ans après Ivan. Le *bout de chou*, *bout de Zan* de la tribu. Et pendant ce temps-là, un nouveau-né devait l'attendrir davantage dès qu'il se retrouvait à Paris. Comment désignait-il Ludivine ? Bout de quoi ?

Amère, elle avait proposé à Maud de venir dîner et dormir à La Jouve pour être enfin présentée à tout le monde puisque son père n'était pas là. Mais Maud avait refusé, trouvant le moment très mal choisi.

— Elle m'a dit qu'elle ne voulait pas profiter de son absence, et que ma mère n'avait sûrement pas la tête à recevoir ou à sympathiser, soupira Ève.

En face d'elle, Daphné était assise sur l'une des grandes tables encombrées de coupons de tissu. Le menton dans une main, le coude appuyé sur un genou, elle paraissait encore plus menue que d'habitude.

— Tu n'as pas maigri, toi ?

— J'ai mangé n'importe quoi ces jours-ci, avoua-t-elle. J'étais tellement consternée pour vous tous… Pour Nelly, d'abord, mais pour Max aussi, il me fait de la peine.

— Eh bien, il n'y a qu'à toi ! répliqua Ève d'un ton mordant.

— Non, comprends-moi, je ne le plains pas, il a ce qu'il mérite et je n'aurais jamais cru ça de lui. Mais je suis sûre qu'il doit se sentir très mal, tout seul loin de La Jouve.

— Il n'est pas tout seul, il a sa petite famille de rechange sur place, et même son petit atelier. Un coq en pâte, oui !

Pour se passer les nerfs, Ève entreprit de ranger par nuances toute une boîte de bobines de fils multicolores.

— Parle-moi de Nelly, lui demanda doucement Daphné. Les deux fois où je l'ai appelée, elle n'était pas d'humeur bavarde, elle m'a seulement dit qu'elle serait contente de me voir, que je ne devais pas déserter La Jouve.

— Elle a eu un gros choc, elle a pleuré pendant vingt-quatre heures sans s'arrêter. Après, elle s'est mise en colère, et depuis, elle va mieux. Anton la surveille comme le lait sur le feu, Dimitri monte dîner un soir sur deux, et Diane s'acharne à l'emmener à Montpellier pour faire du shopping ou aller chez le coiffeur, bref se changer les idées. Inutile de te dire qu'elle a aussi passé du temps avec Hubert. Ils ont de longues conversations dont elle sort un peu apaisée.

— Et j'imagine que Max ne donne pas de nouvelles…

— On s'en passe très bien, pourtant je crois qu'il est en contact avec Vladimir qui joue le rôle de tampon.

Ève remit le couvercle sur la boîte et commença à enrouler un mètre ruban autour de son index.

— Tu sais ce qui me manque le plus ? enchaîna-t-elle. Ne pas savoir la tête qu'elle a !

— Ludivine ?

— J'ai dit à Dimitri qu'il aurait dû la prendre en photo avec son téléphone. Mais tu le connais, il a levé les yeux au ciel. À propos, il m'a avoué un truc incroyable, figure-toi qu'il lui a collé une baffe !

— Lui ? À une femme ?

— Pas son genre, hein ? Il prétend qu'il regrette, qu'il était hors de lui, qu'il n'aurait jamais dû, mais moi, j'applaudis des deux mains.

— Avec une seule, c'est difficile, plaisanta Daphné.

Ève la contempla une seconde puis se mit à rire.

— Ah, ça fait du bien de se sortir un peu de cette atmosphère de drame ! Allez, je ferme.

Elle se leva et éteignit une à une les rampes de néon suspendues au-dessus des grandes tables. Au moment de partir, elle désigna une pile de magazines féminins où elle piochait parfois des idées de modèles.

— La campagne de Captive est lancée, la pub est dans tous les journaux.

— Oui, j'ai vu le spot à la télé et des affiches sur les bus, on ne peut pas y échapper.

— J'espère vraiment pour Dimitri que ça va marcher, que les femmes vont adorer son parfum. Tu l'as senti ?

— Pas encore.

— Nous sommes allées dans une parfumerie Maud et moi, et nous l'avons testé sur une mouillette. Il est à tomber !

— Tu ne l'as pas acheté ?

— Dimitri en monte ce soir pour toutes les femmes de la maison.

— Ah, il vient ?

Un peu étonnée par le ton crispé de Daphné, Ève la scruta dans la semi-obscurité du haut de l'escalier.

— Ça t'embête ?

— Non, pas du tout, au contraire.

Elles descendirent et Ève ferma la porte de l'atelier à clef, puis elle leva la tête pour regarder le bâtiment.

— J'adore vraiment cet endroit, dit-elle d'une voix rêveuse. Je ne me vois pas travailler ailleurs. D'accord, c'est loin de Montpellier et ça ne rend pas les choses faciles, mais…

Elle fit quelques pas à travers l'esplanade avant d'ajouter :

— Contrairement à ce que Maud espère, je ne renoncerai pas à La Jouve.

— Elle voudrait que tu t'installes en ville ?

— Je ne le ferai pas. D'abord, j'y perdrai mon originalité, ensuite, je ne suis pas tentée par vos statuts de commerçants du centre-ville. Elle dans sa maison de la presse et toi dans ta cave, je ne sais pas comment vous faites pour supporter tout ce bruit, ces gens, cette agitation. Ici, avec mes cousettes, on a tout l'espace qu'on veut et on se sent dans un monde à part, quasiment magique. La caverne d'Ali Baba, comme dirait Béatrice !

Daphné se retourna pour jeter un coup d'œil à la façade de l'ancienne magnanerie. Sur le ciel orangé du couchant, la haute toiture de lauze hérissée de cheminées se découpait avec élégance. Seule la stridulation lancinante des cigales troublait le silence, accentuant l'impression de paix. Qu'Ève ne veuille pas quitter ce lieu était compréhensible, mais qu'allait-il arriver à La Jouve si Nelly décidait de se séparer de Max ?

Dans un bruit de moteur aisément reconnaissable, la Lancia de Dimitri fit irruption sur l'esplanade. Il vint se garer juste à côté de la Mini rouge de Daphné et descendit, un gros sac au bout du bras.

— Alors, les filles, on prend le frais ?

Daphné le regarda approcher, le cœur battant. Elle avait tellement pensé à lui ces derniers jours qu'elle eut envie de lui sauter au cou. Quelques mois plus tôt, elle l'aurait fait en toute innocence, mais elle resta inerte, les bras ballants.

— C'est Captive ? s'enquit Ève en désignant le sac.

— Chose promise…

Ensemble, ils se dirigèrent vers la maison, la contournèrent et trouvèrent les autres sous le micocoulier. Immédiatement, Daphné remarqua qu'il manquait le fauteuil de Max, au bout de la table, sans doute rangé ailleurs par Anton.

— Voilà ma Daphné ! s'exclama Nelly qui sortait de la cuisine.

Le choc empêcha Daphné de répondre. Elle contempla Nelly durant quelques instants, ébahie, avant de pouvoir s'exclamer :

— Tu es superbe !

Au lieu de son habituel chignon de cheveux blancs, Nelly avait adopté une coupe courte et une couleur blond pâle qui lui allaient très bien, la rajeunissant et lui donnant meilleure mine.

— À l'origine, ils étaient à peu près de cette nuance-là, dit-elle avec un petit sourire embarrassé.

— Je t'adore comme ça.

— Vraiment ?

— On te l'a tous dit, maman, rappela Béatrice.

Anton hocha vigoureusement la tête, ce qui amusa Daphné. Nelly aurait bien pu se teindre en violet, il aurait trouvé ça formidable.

— J'ai des choses pour vous, annonça Dimitri.

Sortant de son sac quatre flacons de l'eau de toilette Captive, il les remit à Nelly, Béatrice, Ève et Diane.

— Une petite préférence en ce qui te concerne, dit-il à Daphné, parce que c'est grâce à toi que j'ai trouvé la note qui me manquait, alors ce parfum est un peu le tien.

Il lui tendit un grand flacon d'extrait qui devait valoir une fortune.

— De toute façon, vous ne pouvez pas toutes porter le même. D'ailleurs, Diane est accro à son Shalimar et maman n'aime que le N°5 de Chanel. Toi, je crois qu'il devrait te plaire et vraiment bien t'aller. Comme tu n'as rien d'une femme fatale, il sera insolite sur toi. Maintenant, si tu ne l'apprécies pas, je ne me vexerai pas, je sais que c'est très personnel.

Daphné se sentit rougir et, pour dissimuler son trouble, elle déboucha le flacon.

— C'est beaucoup trop, Dimitri, j'imagine qu'on ne t'en fait pas cadeau…

— J'ai tout de même des tarifs préférentiels ! répondit-il en riant. Des spécimens, des échantillons, des testeurs… Non, non, attends, ne mets pas ton nez au-dessus comme ça, ce n'est pas un melon. Laisse-moi faire, il faut déposer une goutte sur ton poignet, ne pas la frotter et laisser l'alcool s'évaporer avant de sentir. L'intéressant sera la manière dont il va se développer au contact de ta peau d'ici quelques minutes.

Le geste sensuel qu'il eut pour effleurer l'intérieur de son poignet avec le bouchon de cristal la fit frissonner.

— Une vraie merveille ! s'écria Nelly qui venait de s'asperger généreusement avec l'eau de toilette.

— Vas-y doucement, il est très entêtant et très tenace.

— Dis plutôt qu'il est envoûtant, murmura Daphné en inspirant, la main devant le visage.

Elle perçut des arômes capiteux, iris et jasmin en tête, qui lui firent fermer les yeux.

— On peut en avoir, nous ? demanda Louis qui tournait autour de sa mère.

— À ton âge ? Tu plaisantes ! Et puis c'est un parfum de femme, pas d'homme.

Hubert vint le sentir dans le cou de sa femme et eut une moue extasiée.

— Pure volupté, apprécia-t-il. Mets-en tous les soirs en te couchant.

Amusée, elle lui donna une tape affectueuse sur la main.

— Ce sera une réussite, Dimitri, affirma Nelly. Les femmes vont se l'arracher !

— Pour l'instant, l'accueil est vraiment enthousiaste, j'espère que ça durera et qu'il fera ses preuves sur le long terme. Fidéliser est moins facile que plaire.

— Vous ne devriez pas faire ça près de la table, ronchonna Anton, on ne va plus savoir ce qu'on mange.

Il fronçait le nez, l'air réprobateur, et dans le silence qui suivit, Dimitri éclata de rire de son rire tonitruant, si communicatif.

— Tu n'es pas content parce qu'il ne s'appelle pas Soir de Paris, hein ? Mais tu as absolument raison, plus rien n'aura de goût si on continue à vaporiser du parfum au-dessus des aliments. Tu es un sage, Anton !

Daphné reboucha son flacon avec précaution et alla le ranger dans son sac tandis que Vladimir proposait de boire un verre pour fêter ça.

— À ta réussite, petit frère, dit-il en trinquant avec Dimitri.

Ils avaient tous l'air assez gai, même Nelly, à croire qu'il n'existait aucun problème dans la famille.

— Poulets à l'estragon et aubergines grillées ! annonça Béatrice en revenant de la cuisine, suivie de Hubert.

— Je vais couper du pain, s'empressa Diane.

Apparemment, la seule différence était que chacun faisait un effort pour ménager Nelly, Anton n'était plus le seul à la préserver.

— Tu viens à côté de moi ? demanda Dimitri à Daphné.

— C'est bassement intéressé, il va te renifler toutes les cinq minutes pour voir si son parfum ne tourne pas sur toi ! s'esclaffa Ève.

— Est-ce que tu retournes bientôt à New York ? demanda Vladimir.

— Non, je n'ai pas de voyage prévu cet été et je vais en profiter pour travailler dans mon labo.

— Dommage, dit Diane, je t'aurais donné des trucs pour Juliette. Elle ne revient pas en France avant la fin juillet.

Apprendre que Dimitri allait rester à Montpellier fit stupidement plaisir à Daphné. Au moins, ils pourraient reprendre leurs soirées bistrot-cinéma qui lui manquaient tant.

— Et toi, tes vacances ? voulut-il savoir. Tu fermes un peu la cave ?

— Deux semaines en août.

— C'est tout ?

— Tout ce que je peux me permettre cette année. J'ai pris une réservation au Club Med pour la Tunisie.

— Elle va se faire draguer par tout un tas de célibataires bronzés ! railla Diane.

— Tu dénicheras peut-être la perle rare, renchérit Ève avec un clin d'œil.

Cette perspective ne réjouissait nullement Daphné. Elle n'avait pas envie de partir, de s'éloigner, encore moins de chercher un partenaire. Quel homme serait assez séduisant pour lui enlever Dimitri de la tête ? Aucun n'aurait sa silhouette de géant, ses yeux d'eau claire, son...

— Tu trouves vraiment du plaisir à ce genre de séjour ? demanda-t-il en se penchant vers elle. Joyeux membres et joyeux organisateurs cherchant à se plaire pour passer de joyeuses nuits ?

— Quand on est une femme seule, il n'y a que dans ces endroits-là qu'on trouve sa place ! répliqua-t-elle, piquée au vif.

L'air contrarié, il esquissa une moue dubitative et se mit à pianoter sur la table. Estimait-il de son devoir de protéger sa « petite belle-sœur » des mauvaises rencontres ?

— Comme dirait Ève, fais-moi sentir...

Redevenu souriant, il lui prit délicatement le poignet entre deux doigts, inclina la tête et huma.

— Je savais qu'il t'irait.

— Je le mettrai dans ma valise, ironisa-t-elle.

La lâchant, il se tourna vers Vladimir qui était son autre voisin.

— Tu as des nouvelles ? demanda-t-il à mi-voix.

— Oui, tous les jours. Il m'appelle à la banque.

— Et ?

— Il veut la voir, il n'en démord pas. Je lui réponds systématiquement que c'est à elle de décider.

— Très bien.

Après ce bref échange, Dimitri n'ajouta rien, mais Daphné l'entendit soupirer.

— Il y a plein de bons films en ce moment, dit-elle en lui tapant sur le bras. Si tu as une soirée libre…

— Mardi ?

— D'accord !

Soudain réjouie, elle s'aperçut qu'elle avait faim et elle reprit un morceau de poulet. Son comportement était incohérent, elle s'en rendait tout à fait compte. C'était elle qui insistait pour voir Dimitri, elle qui serait déçue lorsqu'il la laisserait en bas de son immeuble et qu'il repartirait à grands pas, comme chaque fois, après un au revoir de bon copain. Mais qu'espérer d'autre, même dans le scénario le plus improbable ?

— Vous êtes cinéphiles, tous les deux, dit négligemment Hubert.

— Il est pire que moi, s'empressa de répondre Daphné, il a toute une collection de DVD chez lui, et un écran géant !

— Elle est comédie et moi plus épopée, précisa Dimitri.

Hubert leur souriait, les englobant dans le même regard.

— On peut aller chercher le dessert ? demanda Paul, déjà debout. On a cueilli de la rhubarbe avec Anton, et maman a fait une tarte !

— Rapportez les bougies à la citronnelle, leur demanda Nelly, les moustiques sont de retour.

Cette soirée aurait pu être semblable à beaucoup d'autres, depuis tant d'années qu'ils se retrouvaient sous le micocoulier dès les beaux jours. Mais il n'y avait personne au bout de la table et chacun d'eux, à un moment ou à un autre, avait pensé à Max dont l'absence risquait de se prolonger. Nelly n'avait plus son chignon de cheveux blancs d'où s'échappaient toujours des épingles. Et Daphné n'osait plus poser sa tête sur l'épaule de Dimitri.

« Il faut bien que les choses changent. Rien n'est figé. Il y a dix ans, je dînais ici à côté d'Ivan, sa main sur ma cuisse, et j'étais heureuse. À ce moment-là, Dimitri était mon frère, je ne le considérais pas autrement. »

Elle leva la main pour chasser un insecte, et la fragrance de Captive lui parvint, pleinement épanouie.

— Daphné ?

De nouveau, il s'était tourné vers elle. Quand elle croisa son regard, elle vit qu'il la contemplait avec une expression étrange.

— Puisqu'on se voit mardi, j'en profiterai pour…

Il hésita un instant, cherchant ses mots.

— J'ai quelque chose à te dire, finit-il par chuchoter.

À cause du brouhaha des conversations, elle avait à peine entendu, mais elle devina qu'il était soudain très sérieux, loin de sa camaraderie habituelle.

— Un truc grave ? s'inquiéta-t-elle.

— Pour moi, en tout cas.

— Et on ne peut pas en parler ici ?

— Vraiment pas.

— Comme tu veux.

Elle le sentait indécis, nerveux, avec la tête de quelqu'un qui se demande s'il va sauter du plongeoir. Qu'est-ce qui le tracassait à ce point ? Regrettait-il d'avoir réglé trop brutalement le sort de son père ? Elle avait estimé ne pas devoir s'en mêler, ni même donner son avis. Les révélations inouïes concernant la double vie de Max la choquaient, mais il n'était pas son père et elle pouvait se permettre d'avoir plus d'indulgence que les autres. Peut-être Dimitri désirait-il en discuter avec elle, et si c'était le cas elle ne savait pas trop ce qu'elle lui dirait.

— Je vais rentrer, annonça-t-il, j'aimerais me coucher tôt ce soir.

Encore une déclaration inattendue car il était plutôt noctambule. Avait-il une bonne raison pour regagner Montpellier plutôt que dormir à La Jouve ? Déçue, elle lui tendit sa joue pour un petit baiser très fraternel.

*
* *

— Tout de même, ne me dis pas qu'elle n'a pas une minute de libre !

— Elle sait bien que vous allez vous disputer, plaida Nathalie.

— Au moins comprend-elle qu'elle m'a mis dans une situation intenable ? s'énerva Max.

Ludivine n'avait pas daigné le rencontrer alors qu'il mourait d'envie de lui passer un savon. Malgré tous les efforts de Nathalie, elle refusait obstinément de voir son père.

— Cette idiote a détruit ma vie sur un coup de tête !

— Ne te mets pas en colère, Max. Tu as raison, elle a dû agir sur une impulsion, et, après, il était trop tard. Elle a toujours été un peu jalouse de tes autres enfants, elle n'y peut rien.

Nathalie tentait de minimiser la faute de sa fille depuis des jours et des jours qu'ils en discutaient. En arrivant à Paris, Max avait d'abord ruminé tout seul pendant vingt-quatre heures dans son petit atelier, puis il avait convoqué Nathalie et Ludivine, mais cette dernière ne s'était pas présentée au rendez-vous, se contentant de faire dire par sa mère qu'elle n'avait aucun compte à rendre.

— Qui lui a mis ces idées dans le crâne ? Toi ?

— Non !

— Pourrais-tu au moins m'expliquer ce qu'elle cherche ?

— Un peu de reconnaissance, je suppose.

— C'est malhonnête, Nathalie. Quand nous avons eu Ludivine, j'ai été très franc avec toi, très clair, il n'a jamais été question de reconnaissance.

— Je sais, Max. Moi, j'étais d'accord, et la petite n'avait pas son mot à dire. Mais aujourd'hui, je ne peux plus rien lui imposer, elle a trente-trois ans.

— Tu n'as pas répondu à ma question. On ne provoque pas un scandale de ce genre sans une bonne raison.

— J'ignore ce qu'elle veut, soupira Nathalie.

— Eh bien, en abordant mon fils et en lui balançant la vérité, elle a jeté une véritable bombe dans ma famille !

Il avait failli dire « mes » fils. Ivan d'abord, Dimitri ensuite, deux bombes dont la première avait été mortelle. Mais ça, il refusait d'en parler avec Nathalie. Il ne voulait plus jamais en parler avec personne. Dimitri savait, c'était déjà horrible, même en étant sûr qu'il garderait cette partie de la vérité pour lui. La question n'avait pas été abordée entre eux, néanmoins Max avait la certitude que son fils se tairait. Rien ne pouvait ressusciter Ivan, hélas ! Et Dimitri devait être tout à fait conscient que rien ne délivrerait Max de sa culpabilité. Cette effrayante culpabilité qui lui avait fait penser, devant le cercueil d'Ivan, que Dieu lui prenait un enfant pour le punir d'en avoir eu un hors mariage, un dissimulé, un en surnombre. Ce jour-là, s'il avait pu faire un pacte avec le diable, Max aurait sacrifié Ludivine pour qu'on lui rende Ivan. Et dans les semaines qui avaient suivi, il s'était déchaîné sur le marbre comme un damné, se répétant à chaque coup de ciseau furieux que tout son malheur venait de sa faute.

— Pourquoi a-t-elle fait une chose pareille, Nathalie ? Elle s'imaginait quoi ? Que Dimitri lui tomberait dans les bras, tout content de se découvrir une nouvelle sœur ? Surtout lui ! Quand je pense qu'il a fallu que ce soit lui... Nous ne nous entendons pas très bien, tous les deux. Il a un caractère intransigeant, il est incapable de faire des compromis. Alors, bien sûr, il s'est empressé d'aller tout raconter à sa mère qui ne me le pardonnera jamais. Jamais !

— Mais je suis là, moi, dit tout bas Nathalie.

Stupéfait, il la contempla quelques instants sans pouvoir répondre. Espérait-elle le *récupérer* ? Le voyait-elle déjà divorcé, se remariant avec elle ? L'idée l'effleura qu'elles puissent être complices, la mère et la fille, pour lui extorquer ce qu'elles n'avaient jamais pu obtenir de lui. Mais non, pas Nathalie, impossible. Elle ne possédait pas ce genre d'intelligence retorse. Pas d'intelligence du tout, en réalité. Gentille, agréable, encore attirante, toutefois elle n'arrivait pas à la cheville de Nelly. Nelly, *sa femme*, la seule auprès de qui il voulait vieillir, entouré de ses enfants et de ses petits-enfants, chez lui, à La Jouve. Nelly qu'il aimait justement pour son intelligence, sa volonté, sa capacité à savoir s'effacer quand il le fallait et taper sur la table si nécessaire. Une épouse, pas une maîtresse. Celle qui lui avait donné cette belle et grande famille dont il était fier.

— Max, ne me regarde pas comme ça.

Il se détourna en haussant les épaules. Autant sa liaison clandestine l'avait souvent émoustillé, autant la situation actuelle le rendait morose et, aujourd'hui, Nathalie ne trouvait plus grâce à ses yeux. Vingt fois par jour, il pensait à Nelly, à ses innombrables qualités qu'il avait bêtement négligées.

— Il faut que j'arrive à rentrer à la maison, déclarat-il sans ménagement. Ma vie n'est pas ici.

Dans une minute, elle allait se mettre à pleurer et il l'entendrait renifler. Or, tout ce qu'il désirait à cette seconde, c'était d'être seul pour pouvoir appeler Vladimir et le convaincre d'intercéder en sa faveur. Il *devait* voir Nelly.

Il fit quelques pas, leva les yeux vers la verrière. Des gouttes s'écrasaient sur les carreaux sales. Même en juin, il pleuvait à Paris. Et à huit cents kilomètres de là, les siens devaient dîner sous le micocoulier, dans la bienfaisante tiédeur du soir. Ah, il la payait cher, l'erreur d'avoir écouté Nathalie, d'avoir accepté qu'elle fasse un enfant pour meubler sa solitude ! Sans Ludivine, d'ailleurs, leur relation aurait-elle duré si longtemps ? Car, même en refusant de la reconnaître, il s'était senti un peu responsable de cette petite fille, et obligé de donner de temps en temps de l'argent pour aider Nathalie à l'élever. Il ne s'en était pas désintéressé, non, et quand elle était devenue adulte, il l'avait trouvée si jolie qu'il l'avait sculptée de mémoire pour l'avoir toujours près de lui. Bien sûr, elle avait dû souffrir de ne pas avoir un père comme les autres, un père présent à la maison ou l'attendant devant l'école, mais il n'avait jamais demandé à ce qu'elle vienne au monde. Il n'était pas libre, il l'avait répété sur tous les tons à Nathalie.

— Si tu préfères que je m'en aille…

Sans doute blessée par son trop long silence, elle était en train de ramasser son sac et son gilet abandonnés sur une chaise. Il la laissa faire, soulagé qu'elle parte.

*
* *

— Je suis un peu surpris de te voir dans ma salle d'attente, mais tu es le bienvenu, affirma Hubert. Mon dernier patient vient de partir, allons dans mon bureau et tu me diras ce qui t'amène.

Il précéda Dimitri le long du couloir, salua un confrère au passage puis prévint la secrétaire qu'il dicterait ses comptes rendus plus tard. Enfin il s'arrêta devant une porte où son nom et son titre étaient inscrits.

— Voilà mon antre ! Ce n'est pas très grand, pas très luxueux, mais c'est l'hôpital, on ne peut pas trop demander.

Contournant son bureau, il fit signe à Dimitri de s'asseoir en face de lui.

— Tu n'as pas de mauvaise nouvelle, j'espère ?

— Non, rassure-toi, je n'ai pas découvert une troisième vie à papa.

— Tant mieux, il y laisserait sa santé, plaisanta Hubert.

Pour donner à Dimitri le temps de se sentir à l'aise, il rangea quelques dossiers, mit des fiches en pile, changea la cartouche d'encre de son stylo.

— Bien, que puis-je faire pour toi ?

— Je ne sais pas encore.

— Ah…

Hubert dévisagea Dimitri et comprit que la démarche lui coûtait beaucoup.

— Jette-toi à l'eau puisque tu es venu jusqu'ici, suggéra-t-il d'un ton encourageant.

— Voilà, je… je suis sur le point de faire, non pas une bêtise mais…

Les mots ne venant pas, Dimitri s'interrompit. Il croisa les jambes, prit une profonde inspiration et réussit à annoncer, d'une voix altérée :

— Je suis amoureux, Hubert. Irrémédiablement amoureux de Daphné.

Habitué à tout entendre, Hubert ne réagit pas. De toute façon, ce n'était pas une surprise pour lui, il avait remarqué depuis longtemps l'attitude révélatrice de Dimitri, puis de Daphné.

— Et alors ? dit-il simplement.

— Alors, tu imagines le problème moral que ça me pose.

— Explique-moi ça.

— Hubert ! Je ne suis pas un de tes malades, je suis de ta famille. Tu me connais très bien et tu comprends forcément la situation. Entre Daphné et moi, il y a Ivan.

— Ivan est mort depuis huit ans. Si c'est ce qui vous arrête…

— Qui *nous* arrête ? Mais je n'ai aucune idée de ce que pensera Daphné quand je vais passer aux aveux ! À condition que j'y arrive.

— Pourquoi n'y parviendrais-tu pas ?

— Je pourrais la blesser, la choquer, la décevoir, la faire rire, ou pire encore.

— Donc, tu as la trouille ?

— Arrête avec tes questions, soupira Dimitri. Je suis venu chercher des réponses. D'abord, Daphné a dix ans de moins que moi. Ensuite, nous avons établi un rapport affectif solide, je crois être devenu son meilleur ami depuis qu'Ivan n'est plus là.

— Peut-être n'est-ce pas un hasard. Tu as eu envie de te rapprocher d'elle et elle a apprécié ce rapprochement.

Dimitri le regarda avec une sorte de stupeur.

— Tu ne crois pas à l'amitié ?

— Entre un homme et une femme, célibataires et séduisants, heureux de passer du temps ensemble ? Pas vraiment. Et puis, tu sais, il y a ce qu'on appelle le langage des corps, assez significatif. Daphné, tu la frôles, tu la touches, tu la sens en permanence. De la même façon qu'elle s'appuie volontiers sur toi de la tête ou de l'épaule.

— Elle cherche ma protection.

— Mais non. Elle n'a pas besoin d'être protégée, elle n'est pas en danger.

Réduit au silence, Dimitri médita quelques instants les paroles de Hubert.

— Je ne sais pas comment c'est arrivé, finit-il par dire. Tu m'aurais annoncé ça l'année dernière, j'aurais beaucoup ri. Je te promets que je n'étais pas amoureux d'elle il y a quelques mois.

— Tu n'en avais pas conscience.

— Je ne la désirais pas, je ne la voyais pas comme une femme.

— Tu avais mis un pare-feu entre vous. Le tabou représenté par Ivan était trop puissant. Avec les années, il a perdu de son pouvoir, c'est dans l'ordre des choses.

— Alors, tu m'encourages ?

— Non. Mon rôle n'est ni de t'encourager ni de te décourager. Il s'agit de *ta* vie, de *tes* choix. Je te rappelle seulement que tu es libre.

Pour la première fois depuis qu'il s'était assis face à Hubert, Dimitri esquissa un sourire.

— Ah, les psys…

— Je ne suis pas psychologue. Je soigne les gens atteints de maladies mentales avérées, or tu n'entres pas dans cette catégorie.

— En conséquence, je ne te dois rien pour la consultation ?

Dimitri semblait plus détendu à présent, et Hubert en déduisit qu'il avait trouvé ce qu'il était venu chercher. Pas une bénédiction ni même une caution, mais au moins l'assurance qu'il ne plongerait pas la famille dans un nouveau chaos. Le seul qui risquait de mal réagir était Max, parce que Daphné était sa petite préférée et qu'il serait outré de la voir dans les bras de Dimitri. Sauf que, en ce moment, Max n'avait pas son mot à dire sur les agissements des uns et des autres, sa propre trahison ayant été étalée au grand jour. Et, de toute façon, Dimitri se passerait de l'avis de son père. Mais il avait dû penser à sa mère, peut-être à ses sœurs, et en venant parler à Hubert il avait fait un test.

— Je te laisse à tes comptes rendus, j'ai abusé de ton temps.

Lorsqu'il se leva, Dimitri fit paraître le bureau encore plus petit.

— J'imagine qu'on ne te voit pas ce soir ? lui demanda Hubert d'un ton malicieux.

— Non. Souhaite-moi bonne chance, j'ai aussi peur que si j'allais à l'échafaud.

— La chance n'a aucune part là-dedans.

Il le regarda sortir, à la fois amusé et attendri. La personnalité de Dimitri lui avait toujours plu. De toute la tribu Bréchignac, il semblait le plus intéressant, le moins prévisible. Par exemple, pour un homme aussi discret que lui sur sa vie sentimentale, venir s'asseoir dans la salle d'attente de son beau-frère à l'hôpital était assez inattendu. Il prenait ses décisions de manière très réfléchie, tout en étant capable d'élans soudains. À La Jouve, trois jours plus tôt, même sans entendre ce que Daphné et lui se disaient, Hubert l'avait vu se décider brusquement. Ce soir-là, dans sa tête, il avait franchi un cap.

« Il était temps. Ça ne pouvait pas durer, ils auraient fini par se rater. »

Attirant à lui un dossier, il brancha son dictaphone.

*
* *

Béatrice retira la casserole du feu et se tourna vers sa mère.

— J'ai failli rater mon roux !

— Le beurre était trop chaud, je l'entendais grésiller d'ici.

Regardant son fond de sauce avec circonspection, Béatrice hocha la tête.

— C'était moins une mais ça va aller. Dis-moi, maman… Je peux te poser une question ?

— Vas-y.

— Concernant papa, as-tu pris une décision ?

Bien installée dans son vieux fauteuil, près de la crédence, Nelly tricotait un pull multicolore, ses aiguilles cliquetant à toute vitesse.

— Pas encore, ma chérie.

— Quoi qu'il arrive, nous sommes de ton côté, tu le sais. Et si tu as besoin des conseils d'un avocat, Hubert a un ami qui pourrait te renseigner.

— Je n'en suis pas là. Pour le moment, je réfléchis, j'essaie de comprendre.

— Comprendre quoi ? Cette histoire est monstrueuse !

— Il existe une belle citation, d'un auteur russe, qui dit justement que tout comprendre, ce serait tout pardonner. Tchekhov, peut-être…

— Ah oui, le fameux fatalisme slave ! Eh bien, je n'en ai pas hérité et si j'apprenais que Hubert a une seconde famille planquée à Strasbourg, je lui jetterais ses valises par la fenêtre.

— Nous n'avons pas le même âge, Béa, nous ne raisonnons pas de la même manière.

— Tu n'envisages tout de même pas de passer l'éponge ?

— Tu caricatures. Les choses de la vie ne sont pas blanches ou noires, sans nuances. J'en veux énormément à Max, mais j'ai aussi partagé avec lui plus de cinquante années ponctuées de grands moments de bonheur, et sur ce demi-siècle non plus je ne vais pas « passer l'éponge ». Tu as des enfants, tu connais la force du lien qui vous unit quand on a fondé une famille, traversé ensemble des tempêtes…

— Mais papa est allé fonder une autre famille, ailleurs !

— Moi, je crois que ce n'était pas son désir et que cette femme l'a mis devant le fait accompli. Avec les femmes, ton père est faible, comme beaucoup d'hommes.

Sidérée, Béatrice oublia à nouveau de surveiller sa sauce qui se mit à bouillir.

— Oh, assez ! s'exclama-t-elle en jetant sa casserole dans l'évier.

Elle fit couler de l'eau froide tout en jetant un coup d'œil par la fenêtre. Le calme de sa mère lui semblait artificiel. Était-elle vraiment prête à pardonner ? Et, si elle le faisait, de quelle manière son père reprendrait-il sa place ici ? Le regard de reproche ou de mépris de ses enfants, ses enfants légitimes, serait dur à supporter pour lui.

— Laisse-moi faire, dit Nelly, derrière elle.

Ayant abandonné son tricot et son fauteuil, elle avait déjà saisi une autre casserole.

— Si ça t'arrivait aujourd'hui, Béa, tu pourrais chasser Hubert et, quelque temps après, envisager de refaire ta vie. Mais moi, je n'ai pas cette possibilité. D'abord, La Jouve appartient à ton père. Ensuite, je n'ai pas très envie de finir ma vie seule sans lui. Quant à trouver un autre homme, à soixante et onze ans... Et puis, c'est Max que j'ai aimé.

Sans la relever, Béatrice nota l'expression mise au passé. Sa mère n'était pas du genre à se plaindre ou à s'apitoyer sur elle-même, pourtant ce qu'elle venait d'avouer était poignant. Elle n'avait pas d'autre choix qu'accepter la trahison de son mari, pas de seconde chance ou de nouvel horizon. La fatigue d'une longue existence bien remplie et solidement bâtie, qu'elle refusait de voir s'écrouler, l'empêchait de tout bouleverser.

— Maman, dit doucement Béatrice en s'approchant d'elle, ce que tu feras sera bien. De toute façon, nous sommes dans ton camp.

Penchée au-dessus de la casserole où la sauce devenait lisse et onctueuse, Nelly ne répondit rien. Mais dans un rayon du soleil couchant qui caressait sa joue, Béatrice vit briller une larme.

Hormis une bouteille de champagne au frais, Dimitri n'avait rien prévu de particulier tant il doutait de l'issue de la soirée. Fébrile, il fit le tour de son appartement sans découvrir de désordre. Il ne s'était pas non plus donné la peine de consulter le programme des salles de cinéma, persuadé qu'il ne verrait aucun film. Soit Daphné partirait d'ici en claquant la porte, soit ils resteraient à discuter, soit...

Le coup de sonnette le cloua sur place. Machinalement, il regarda sa montre puis alla ouvrir.

— Bonne journée ? bredouilla-t-il en guise d'entrée en matière.

— Non, affreuse. Les clients se font rares, on sent qu'il n'y a pas d'argent, c'est la crise pour tout le monde. Et toi ?

Elle se mit sur la pointe des pieds, s'accrochant à son cou pour l'embrasser sur la joue.

— Le dîner d'abord ou le cinéma ?

— Un verre ici, si tu n'y vois pas d'inconvénient. Je t'avais prévenue, il faut que je te parle. Installe-toi tranquillement, je vais nous chercher à boire.

Il fila à la cuisine, mit la bouteille dans un seau, jeta des glaçons par-dessus et empoigna deux flûtes qu'il faillit casser. Ses gestes trahissaient sa nervosité, Daphné allait s'en apercevoir, il devait se calmer. Regagnant le séjour, il se força à sourire.

— Tu as été de bon conseil, j'aime beaucoup ton Ruinart.

— Je croyais que tu le gardais pour les grandes occasions ?

— C'en est une.

Daphné avait enlevé ses mocassins afin de s'asseoir en tailleur au fond d'un des canapés. Elle portait un jean délavé étroit, un chemisier blanc, et ses cheveux attachés en queue-de-cheval lui donnaient une allure de gamine. Il remarqua qu'elle s'était légèrement maquillée et que des effluves de Captive flottaient autour d'elle. En lui tendant sa flûte, il décida que le compte à rebours était terminé.

— J'ai quelque chose d'important à te dire.

Il s'écarta de la table basse, se mordit la joue pour se donner du courage et poursuivit :

— Daphné, je suis tombé amoureux. Pas un peu, pas à moitié, totalement et éperdument amoureux. J'en viens à rêver mariage, enfants, serments d'éternité, ce qui ne m'était jamais arrivé. Bref, je nage en plein délire.

— Ah...

Elle ne semblait pas intéressée, ni curieuse de la suite. Après avoir bu une gorgée, elle demanda d'un ton morne :

— Ça fait longtemps ?

— Quelques mois.

— Et qui est l'heureuse élue ?

— Toi.

Voilà, il avait réussi à le dire, les dés étaient jetés. Il osa la regarder en face mais elle faisait une drôle de tête, les yeux ronds et l'air contrarié.

— Tu me fais marcher, ronchonna-t-elle, ce n'est pas gentil.

— Non, Daphné ! Mon Dieu, non... Je ne sais pas comment j'en suis venu là, à quel moment je t'ai vue différemment, et je te promets que j'ai tout fait pour ne pas y penser, mais je n'y arrive pas.

À présent, elle le scrutait, les joues soudain très rouges.

— Dimitri, dit-elle à voix basse.

Toujours figée, elle avait l'air de chercher une réponse et il commença à paniquer.

— Je ne veux pas te choquer ni te décevoir, s'empressa-t-il d'ajouter. Tu peux me jeter ton champagne à la figure si tu es fâchée. Peut-être que nous nous sommes vus trop souvent, et pour moi avec trop de plaisir. J'aurais dû être plus vigilant. Quand j'ai découvert que j'éprouvais du désir pour toi, ça m'a mis très mal à l'aise, je me suis senti grossier, nul. Parce que tu es toujours, en plus, ma petite Daphné.

— Dimitri, répéta-t-elle.

Il était à la torture mais il s'obligeait à la regarder et, peu à peu, il la vit se transfigurer, un véritable sourire d'enfant illuminant son visage.

— Oh, je n'aurais jamais cru que…

Elle cligna des yeux plusieurs fois, déglutit et lâcha enfin :

— Parce que, moi aussi, tu sais !

Durant une ou deux secondes, ils restèrent à se scruter, aussi stupéfaits l'un que l'autre. Puis Dimitri s'approcha, la débarrassa de sa flûte, s'agenouilla devant elle pour être à sa hauteur.

— Toi aussi ? répéta-t-il, toujours incrédule.

Il prit son visage entre ses mains, le plus délicatement possible, comme si elle était en porcelaine.

— Tu es sûre ?

Après un temps qui leur parut long à tous les deux, il posa enfin sa bouche sur celle de Daphné. Consentante, elle ouvrit les lèvres, et ils s'embrassèrent longtemps, avec une sorte de ferveur émerveillée. Quand il reprit son souffle, il chuchota :

— Il faut que tu me dises si tu penses à Ivan. Je ne veux pas que tu regrettes, ni qu'il y ait une ombre entre nous.

Il s'était juré de le lui demander, pourtant il ne s'attendait pas à la netteté de la réponse.

— Ivan est dans mon cœur pour toujours, mais il n'est pas là entre nous. Je ne pense qu'à toi en ce moment, et j'ai très peur. Très !

— De moi ?

— Eh bien, de...

Elle ne semblait pas pouvoir en dire plus. Il devina son embarras et murmura :

— De ça ?

Posant les mains sur ses seins, il les effleura à travers le tissu. Parcourue d'un frisson, elle renversa la tête en arrière, ferma les yeux. Lorsqu'il se mit à défaire les boutons du chemisier, elle laissa échapper un léger soupir et se cambra pour qu'il puisse dégrafer son soutien-gorge. Durant quelques instants, il la contempla en silence. Tout était beaucoup plus simple, et surtout plus extraordinaire que ce qu'il avait imaginé.

— Tu es si jolie, Daphné... C'est affolant !

Il embrassa son cou, le creux de son épaule, la pointe d'un sein, puis il la prit par la taille et l'attira hors du canapé en se relevant.

— Allons dans ma chambre, tu veux ?

— Non, on reste là, continue.

Debout devant lui, à moitié nue, elle paraissait si menue, si petite, qu'il se remit à genoux pour baisser la fermeture Éclair du jean qu'il fit glisser le long de ses jambes. Puis il se débarrassa de sa propre chemise avant de l'entourer de ses bras pour la plaquer contre lui. Ce premier contact de leurs deux peaux le fit frémir. Il avait tellement envie d'elle qu'il se demanda s'il réussirait à avoir assez de patience. Mais il n'avait pas le droit de rater ce moment, ou bien il ne se le pardonnerait jamais. D'elle-même, Daphné se laissa aller à terre et s'allongea sur le tapis. Levant les mains, elle déboucla la ceinture de Dimitri, s'attaqua aux boutons de métal du jean. Quand elle le toucha, il s'arrêta de respirer.

— Attends, s'il te plaît…

Si elle le caressait maintenant, il allait craquer. Il acheva de se déshabiller lui-même et s'étendit à côté d'elle.

— Je veux d'abord apprendre à te connaître, chuchota-t-il à son oreille.

Il commença par effleurer ses chevilles, ses genoux, ses cuisses, s'aventura plus loin avec des gestes très doux. Quand il découvrit qu'elle était aussi excitée que lui, il se fit plus précis et plus attentif, bien décidé à la conduire au paroxysme. Au bout de quelques instants, elle ouvrit ses jambes pour mieux s'offrir.

— J'ai envie de te sentir en moi, Dimitri.

Docile, il vint au-dessus d'elle, vit son regard perdu, tout proche du plaisir. Il la pénétra lentement, sans la quitter des yeux.

*
* *

À six heures et demie, le jour était levé et le soleil régnait déjà sur Montpellier. Quand Daphné ouvrit les yeux, la première chose qu'elle vit fut le profil de Dimitri. Après une seconde de flottement, elle se sentit submergée par une sensation d'allégresse. Elle était là, avec lui, dans son lit ! Il dormait, la tête enfouie dans son oreiller, les cheveux en bataille, abandonné et attendrissant. Nettement dessinées, les lignes de sa mâchoire, sa joue creuse, sa pommette saillante et son nez droit semblaient parfaits. Un bel homme, vraiment séduisant, auprès de qui un certain nombre de femmes avaient dû se réveiller.

Pourquoi pensait-elle à celles qui l'avaient précédée ? Elle ne savait pas grand-chose de la vie sentimentale de Dimitri, sauf ce qu'il lui avait dit durant la nuit. Entre autres que jamais, jusqu'ici, il n'avait été aussi amoureux, aussi concerné, aussi inquiet en faisant l'amour. Inquiet ! Il n'avait pas lieu de l'être, il s'était montré un amant idéal. À force d'expérience ?

« Ne commence pas avec ça. Il a quarante-cinq ans, il a vécu. »

Aucune trace de la moindre présence féminine, ni dans sa chambre ni dans sa salle de bains. Au contraire, un univers très masculin, sobre et bien rangé, qui ne révélait rien.

— C'est un examen de passage ? murmura-t-il.

Il s'était réveillé sans qu'elle s'en aperçoive. Sortant un bras de sous le drap, il emprisonna Daphné.

— Bonjour, belle dame… Un vrai bonheur de constater que tu ne t'es pas enfuie avant l'aube.

— Trop fatiguée pour ça.

— Je dois le prendre comme un compliment ou comme une méchanceté ?

Il la serra davantage contre lui, embrassa son épaule.

— Est-ce que tu regrettes d'être là ? chuchota-t-il.

— Non.

— Est-ce que tu veux un petit déjeuner ?

— Oui !

— Alors, ne bouge pas, je reviens.

Lorsqu'il quitta le lit, sa haute silhouette se découpa devant la fenêtre. Trop grand, peut-être, mais mince et athlétique.

— Tu as de très jolies fesses ! lui lança-t-elle alors qu'il sortait de la chambre.

Il se retourna sur le seuil, éclata d'un rire irrésistible avant de disparaître. Elle en profita pour s'étaler en travers du matelas, les bras en croix. Existait-il une chance pour qu'ils soient en train de démarrer une véritable histoire d'amour ?

« Ne fantasme pas trop. Attends la suite… »

L'idée qu'elle repoussait depuis la veille s'imposa brusquement à elle. Ivan… Malgré toute sa volonté de ne pas faire de comparaison, Dimitri ressemblait à Ivan. Mais ce n'était qu'une ressemblance physique, il n'y avait pas de similitude dans leur manière de faire l'amour. Ni dans leurs personnalités. Ivan avait été beaucoup moins secret que Dimitri, moins réfléchi, plus spontané. En tant que cadet des trois frères, il avait longtemps conservé un côté enfant, un peu immature.

« Je l'ai aimé d'amour. Aujourd'hui, j'aime son frère. Est-ce que c'est mal ? »

Une question qu'elle devait se poser, qu'on lui poserait de toute façon, et qui hantait sûrement Dimitri.

La sonnerie de son portable, au fond de son sac, lui parvint soudain, la faisant se redresser d'un bond. Qui pouvait l'appeler alors qu'il était à peine sept heures ? Elle chercha ce satané sac qu'elle avait abandonné quelque part dans la chambre. L'avisant sur un fauteuil, elle se précipita.

— Daphné, je ne te réveille pas, j'espère ? Je sais que tu es une lève-tôt et je voulais te parler avant que tu descendes au magasin.

La voix de Max lui fit l'effet d'une douche froide.

— Max… Comment vas-tu ?

— Mal, foutrement mal. Et il n'y a qu'à toi que je peux le dire ! Mes fils ont été odieux avec moi. Je suis dans mon tort, je sais bien, mais ils n'ont pas à me manquer de respect à ce point-là. Dimitri, surtout. Il m'a dit des choses ignobles et il m'a quasiment flanqué hors de chez moi. Avec son frère, ils étaient d'accord pour que je ne puisse pas voir Nelly une seule minute, tu te rends compte ? J'ignore ce qui se complote à La Jouve mais j'ai le droit de m'expliquer avec ma femme, bon sang !

Il hurlait tant dans le téléphone qu'elle dut l'écarter un peu de son oreille. Ce fut l'instant que choisit Dimitri pour revenir, chargé d'un lourd plateau. En la voyant debout toute nue à côté du fauteuil il émit un sifflement admiratif, mais elle leva la main pour le faire taire.

— Je veux parler à Nelly. Tu comprends ça, toi ? Ils doivent être en train de la remonter comme une pendule mécanique !

— Non, personne ne…

— Oh, ne prends pas leur défense, je les connais ! Vladimir, franchement, je n'aurais pas cru ça de lui. Mais Dimitri me déteste.

— Sûrement pas.

— Si, si, je l'ai bien vu.

Sur le plateau, il y avait des toasts, du beurre, de la confiture et du café. Daphné se rendit compte qu'elle était morte de faim car ils n'avaient jamais trouvé le temps de manger quelque chose pendant leur nuit d'amour.

— Écoute, tu peux m'arranger ça, Daphné. Dimitri est buté mais il tiendra compte de ton avis.

— Je ne veux pas intervenir dans votre histoire.

— Et pourquoi donc ? Tu fais partie de la famille !

Dimitri la regardait avec attention, sans doute intrigué par cet appel matinal.

— J'ai besoin de toi, ma petite Daphné, gémit Max qui venait de passer en mode plaintif. Ne laisse pas Dimitri me pourrir la vie. Je sais que tu l'aimes bien parce qu'il est gentil avec toi, mais tu ne le connais pas, au fond il a le cœur sec, il ne s'intéresse qu'à lui-même et à sa carrière. Égoïste, arrogant, incapable de s'attacher…

— Arrête, Max. Tu ne le penses pas vraiment.

En entendant le diminutif de son père, Dimitri s'était redressé. Il eut une expression à la fois soulagée et agacée.

— Tout ce que je te demande, Daphné, c'est de faire savoir à Nelly que je veux la voir et lui parler. Elle n'a qu'à prendre un train pour venir à Paris si mes enfants refusent que je franchisse le seuil de ma propre maison !

Il redevenait agressif et n'allait pas tarder à se remettre à crier.

— D'accord, soupira Daphné, je lui transmettrai.

— Tu me le promets ?

— Oui, Max.

— Tu es mignonne. Tu m'appelles dès que tu as du nouveau, hein ? Allez, je t'embrasse…

À aucun moment il ne s'était remis en cause, n'avait manifesté de regret.

— Je peux savoir pourquoi il t'appelle à l'aube ?

Elle ne répondit pas immédiatement. Discuter du sort de Max avec Dimitri risquait d'être explosif.

— Il va mal, dit-elle enfin. Il veut voir Nelly et lui parler.

— Pourquoi crois-tu qu'elle ne décroche plus le téléphone à La Jouve ? Si elle souhaite une explication, elle connaît son numéro.

Il s'était exprimé avec une certaine froideur, mais Daphné comprit qu'elle n'était pas visée, que seul son ressentiment envers son père le rendait soudain moins aimable. Il dut en prendre conscience car il vint la rejoindre près du fauteuil et l'entoura de ses bras.

— Tu dois avoir faim mais c'est bien dommage…

— Pourquoi ?

— Parce que j'ai très, très envie de toi.

Il la plaqua contre lui pour qu'elle sente son désir.

— À quelle heure dois-tu ouvrir la cave ?

— Neuf heures.

— Alors, nous avons l'éternité, tu peux manger d'abord.

La soulevant comme un fétu, il alla la poser délicatement sur le lit, juste à côté du plateau.

12

Arrivée la première dans leur café habituel, Ludivine avait commandé d'office les omelettes-salades accompagnées de petits ballons de sauvignon bien frais. Nathalie la rejoignit avec dix minutes de retard, mal coiffée et le visage défait. Lorsqu'elle s'assit en face de sa fille, elle lui lança un regard de chien battu qui n'augurait rien de bon, mais si elle était là pour plaider la cause de Max, ce serait peine perdue.

— Tu as mauvaise mine, maman, attaqua Ludivine. Tu devrais te reposer un peu et prendre soin de toi.

— Comme si j'avais la tête à ça ! Tu ne te rends pas compte du drame que je vis en ce moment.

Peu décidée à se laisser mettre en accusation, Ludivine haussa les épaules.

— Parce que tu le veux bien.

— Mais pas du tout ! J'ai failli croire que ce que tu as provoqué serait finalement une chance pour moi. Max enfin séparé de sa femme, Max venant vivre à Paris, je le voyais déjà tout à moi… Eh bien, non, il ne veut pas rester loin de sa Nelly, il en parle tout le temps, il espère qu'elle va lui pardonner ! Et moi, dans tout ça, je n'existe plus, je n'ai plus aucune place.

— Pour celle que tu avais avant, tu n'as rien à regretter.

— Tu ne sais pas ce que tu dis. Ça me convenait, figure-toi. Ou du moins, je m'en étais arrangée parce que je gardais espoir qu'il se passerait quelque chose un jour.

— Quel genre de chose ? railla Ludivine en se penchant au-dessus de la table et en agitant sa fourchette. Un miracle ? Mais, ma pauvre maman, ton Max est un lâche de première, un égoïste hors concours ! Tu as vraiment de la constance pour avoir gâché ta vie avec un type pareil.

— Ludivine, c'est ton père.

— Ah oui ? Un père inexistant, une ombre de père, une petite trace de père !

Nathalie repoussa son assiette et croisa les bras. Le regard qu'elle dardait sur sa fille n'avait soudain rien de tendre.

— Alors tu as voulu te venger de lui, hein ? Tu t'en es pris à son fils pour te soulager ? Mais les enfants de Max ne t'ont rien fait, ils étaient là avant toi et ils ne se doutaient pas…

— Oui, ils étaient bien tranquilles, bien à l'abri, l'interrompit Ludivine. Peut-être même qu'ils prenaient Max pour quelqu'un de formidable ? Leur ouvrir les yeux a été un plaisir, maman.

— Tu es méchante.

— Le chagrin rend méchant. Je ne suis pas une brebis bêlante comme toi, heureuse d'être sacrifiée. J'ai de la rancune envers cet homme et je l'ai puni.

Nathalie la dévisagea, l'air accablé.

— Tu n'as pas pensé à moi une seule seconde, n'est-ce pas ? Il n'y avait que ta petite vengeance qui comptait ? Mais c'est sur moi que Max a passé sa fureur, et maintenant, c'est moi qui dois payer les pots cassés.

— Parce qu'il va te priver de sa divine présence huit jours par an ? Tu t'en remettras, maman. Et même, un jour, tu me remercieras de t'avoir rendu ta liberté.

— Pour en faire quoi, à mon âge ?

Ramassant son sac, Nathalie se leva et abandonna sa fille sans un regard. Elle n'avait rien mangé, et n'avait pas non plus sorti ses tickets-restaurant. Ludivine resta attablée, songeuse. Au bout d'un moment, elle se mit à picorer dans l'assiette de sa mère. Avait-elle eu raison ou tort de provoquer ce cataclysme familial ? Max allait vouloir rentrer chez lui, la queue basse, pour reprendre le fil de son existence préservée. Mais sa punition, infligée par Ludivine, serait d'avoir à subir le regard des siens, un regard très différent à présent. Ce Dimitri, son demi-frère, avait paru terriblement en colère. La gifle reçue ne la visait pas vraiment, elle le savait bien, ce n'était qu'un geste de rage face à une vérité inacceptable. Les « vrais » enfants Bréchignac avaient désormais tout loisir de réfléchir aux mensonges de leur père et, au bout du compte, ils ne lui en voudraient pas à elle mais à celui qui les avait trahis.

« J'aurais bien aimé avoir un grand frère comme ça. Il a une belle tête et beaucoup d'allure… »

Dans la galerie, elle l'avait longuement observé, hésitant à franchir le pas. Elle était venue voir les sculptures, elle ne s'attendait pas à trouver là un des fils de Max. La même chose s'étant produite quelques années plus tôt, l'histoire s'était répétée avec insistance, comme un signe du destin, et elle s'était sentie *obligée* de parler. S'il ne l'avait pas abordée, elle l'aurait suivi dans la rue et se serait adressée à lui de toute façon. Le même sang coulait dans leurs veines, elle avait voulu qu'il le sache, elle n'en concevait aucun regret. Lorsqu'il l'avait coincée sous cette porte cochère, elle l'avait vu de très près et, non, décidément, il ne ressemblait pas à Max. Sans la photo, elle n'aurait pas pu le reconnaître. Il devait tenir ses yeux gris délavé de sa mère. S'il lui en avait laissé le temps, elle aurait pu lui dire qu'elle ne lui voulait pas de mal. Il n'était pas sa cible, il n'était qu'un instrument, un messager. Avant de partir, il lui avait suggéré de régler ses comptes, et elle s'était mordu la langue pour ne pas lui répondre : « C'est fait. » Car en le voyant s'éloigner elle avait acquis la certitude qu'il ne passerait pas leur rencontre sous silence. À l'évidence, il n'était pas homme à fuir le scandale. Pas comme son autre frère qui avait préféré se taire puisqu'il ne s'était rien produit à cette époque-là. Mais il y avait eu un drame chez eux juste après, une mort accidentelle, et l'histoire de la « bâtarde » avait dû passer à la trappe. Pas cette fois-ci, tant mieux.

« Maman se consolera. On guérit mieux des chagrins d'amour que des chagrins d'enfance. »

Contrairement à ce que sa mère croyait, Ludivine avait pensé à elle. À la manière dont Max la traitait depuis si longtemps, comme une quantité négligeable, une maîtresse *pratique*. La revanche était pour elles deux, et le châtiment pour lui seul.

« Qui sème le vent... »

Elle regarda sa montre, se dépêcha de payer. Le cabinet vétérinaire rouvrait à quatorze heures précises, pas question d'être en retard. Et, ce soir, elle avait rendez-vous avec son amoureux qui lui préparait une surprise pour son anniversaire. Un anniversaire qu'apparemment sa mère avait oublié, ne pensant qu'à son Max qui allait la laisser tomber.

En se hâtant sur le trottoir ensoleillé, elle se sentit plus légère qu'elle ne l'avait jamais été. Elle n'était plus une anonyme née de père inconnu, tous ceux qui devaient connaître la vérité l'avaient apprise, et, en sortant de l'ombre, elle avait enfin trouvé son identité. À présent, peut-être allait-elle pouvoir aimer.

*
* *

— À demain, les filles ! lança Ève à ses couturières.

Les jeunes femmes dévalèrent l'escalier dans un grand bruit de talons claquant sur les marches de bois, heureuses d'être libérées avant l'heure. Ève attendit d'entendre leurs voitures démarrer puis elle rejoignit Béatrice et Diane qui se promenaient dans l'atelier en examinant les modèles à moitié réalisés sur les mannequins de toile.

— Voilà, on sera plus tranquilles pour bavarder. Je ne sais pas ce que vous en pensez, mais moi, ça m'a… surlecultée !

— C'est quoi, cette expression ? voulut savoir Diane.

— Être sur le cul, expliqua Béatrice avec un sourire complice à l'adresse de sa sœur.

— Daphné et Dimitri, j'ai vraiment du mal à y croire, reprit Ève. Plus surprenant encore, la réaction de maman. Elle jubile !

— Peut-être redoutait-elle de voir un jour Dimitri au bras d'une parfaite étrangère qui ne se serait pas forcément intégrée à La Jouve ? Avec Daphné, elle est en terrain connu !

L'explication avancée par Diane ne réussit pas à convaincre les deux sœurs.

— Elle n'a manifesté aucune surprise, comme si elle trouvait ça normal, fit remarquer Ève.

— Hubert affirme que c'était prévisible, dit Béatrice, qu'il n'y avait qu'à les regarder tous les deux pour comprendre comment ça finirait.

— Lui, il est psy, il a le don de double vue, ronchonna Ève.

En arrêt devant une jupe longue à volants, taillée dans un tissu provençal, Diane s'exclama :

— Magnifique ! Mais pas très facile à porter pour aller travailler…

Se tournant vers les deux autres, elle ajouta :

— Comment accueillerons-nous Daphné, ce soir ?

— Gentiment, préconisa Béatrice. Elle doit être dans ses petits souliers, inutile de la traumatiser. Surtout en l'absence de maman.

Nelly était partie en début d'après-midi, conduite par Anton à la gare de Montpellier. Sans demander l'avis de personne, elle avait décidé d'aller à Paris pour y rencontrer Max. Elle préférait être loin de sa famille et de La Jouve pour avoir une explication avec lui, seule à seul.

— De toute façon, on ne peut pas lui faire la gueule, parce que Dimitri ne nous le pardonnerait pas, acheva Béatrice.

— D'autant plus qu'il a l'air aux anges, souligna Diane. Vous avez vu sa tête quand il nous a annoncé la nouvelle ? Il vogue sur un petit nuage ! Et Vladimir a été catégorique quand nous en avons parlé tous les deux, pas question d'embêter son frère.

— Ces deux-là se tiennent les coudes depuis toujours, ricana Ève.

— Tu n'imagines pas à quel point ! Vlad dit que le premier qui osera une allusion à Ivan aura affaire à lui.

— Oh mon Dieu, il est tard ! s'écria Béatrice. Je file préparer le dîner. Tu viens, Diane ?

— Allez-y, leur dit Ève, je ferme et je vous rejoins.

Comme d'habitude en fin de journée, elle entreprit le tour des machines à coudre, rangea deux paires de ciseaux oubliées et éteignit les rampes de néon. En temps normal, la famille se serait surtout inquiétée de la réaction de Max, mais depuis qu'il n'était plus là on évitait de parler de lui. Lorsqu'il reviendrait – s'il revenait ! – accepterait-il le rapprochement de Dimitri et de Daphné ? Il avait toujours manifesté beaucoup d'affection pour Daphné, sa *petite préférée*, et ses rapports avec Dimitri étaient franchement mauvais. Les voir ensemble ne pourrait que l'exaspérer.

Elle descendit, ferma à clef, mais, au lieu de se diriger vers la maison, elle traversa l'esplanade. Les fenêtres du laboratoire de Dimitri étaient grandes ouvertes, preuve qu'il travaillait encore. Elle frappa un coup léger à la porte et entra sans attendre d'y être invitée. Son frère se tenait debout devant la paillasse carrelée, un tube de verre dans une main et une bandelette de papier dans l'autre.

— C'est déjà l'heure du dîner ? s'étonna-t-il.

— Non, tu as le temps. Tu gardes tes fenêtres ouvertes pour entendre arriver la voiture de Daphné ?

Se tournant vers elle, il lui adressa un sourire de gamin.

— Bien vu ! Mais je profite aussi des odeurs du soir…

Il portait un polo blanc, un jean gris et d'élégants mocassins.

— Tu as le chic pour t'habiller, dit-elle en souriant. Le pull qui va avec est bleu marine, à col V. Je me trompe ?

— Jamais, concernant les fringues. J'en ai bien un comme ça, il est là-bas. Tu voulais me parler chiffons, ma grande ? Ou bien tu viens à la pêche aux infos concernant Daphné ?

Il se mit à rire et elle finit par l'imiter, bonne joueuse.

— D'accord, je suis là pour ça, pour que tu m'expliques ce qui t'est passé par la tête.

— Je suis tombé amoureux sans m'en apercevoir.

— Du jour au lendemain ?

— Je ne sais plus. Quand j'ai réalisé, j'étais déjà très mordu.

— Une première, pour toi ?

— De cette façon-là, oui.

— Et tu ne t'es pas demandé s'il ne valait pas mieux garder ça pour toi ? Enfin, pour vous deux…

— Dans quel but ?

— Tu as toujours été plutôt discret à propos de tes aventures !

— Mais il ne s'agit pas d'une *aventure*, Ève. Je l'aime. Et puis, même si je suis discret, comme tu dis, je n'ai pas ton goût du mystère, et aucune envie de me cacher. Daphné est la meilleure nouvelle de mon existence, je n'allais pas la garder secrète.

— Tu poses une pierre dans mon jardin, là ?

— Je n'y pensais pas.

Elle se mit à marcher de long en large devant les rangées d'éprouvettes, agacée par le calme de son frère.

— Je t'envie, finit-elle par dire. Tu ne t'es pas posé de questions, tu…

— Oh si, je m'en suis posé ! Avant d'arriver à le lui avouer, j'ai passé quelques nuits blanches. Mais c'était vis-à-vis d'elle que je m'interrogeais, et aussi d'Ivan, pas de vous. Même si je vous adore, tous, je me sens libre de mes choix.

— Alors notre avis, tu t'en moques ?

Abandonnant sa mouillette sur une coupelle, il s'approcha de sa sœur, la prit par les épaules et la regarda bien en face.

— Quel est ton avis, Ève ?

— Eh bien, Daphné et toi, ça me fait bizarre.

— À cause d'Ivan ?

Contrairement à ce que supposait Vladimir, il était tout à fait capable d'évoquer leur frère mort, il venait d'y faire référence deux fois en moins d'une minute.

— Non, admit-elle du bout des lèvres. Je suppose qu'il y a prescription et que Daphné a le droit d'aimer qui elle veut.

— C'est ce que nous lui répétons depuis des années.

— Je sais bien…

— Tu éprouves de la colère, de la jalousie ? Tu as peur de perdre à la fois un grand frère et une bonne copine ? Mais on ne va pas déserter La Jouve, Ève ! J'ai mis les choses au point précisément pour qu'il n'y ait aucun malentendu.

Elle avait réussi à soutenir son regard jusque-là, mais, soudain, elle céda, baissa la tête.

— Je me trouve lâche à côté de toi. Immature. Maud a raison. Pourquoi ne suis-je pas capable de la présenter à la famille comme la femme que j'aime, ma compagne, et de dire que c'est comme ça et pas autrement, à prendre ou à laisser ? Toi, tu l'as fait, même en sachant que ça revenait à lancer une grenade dégoupillée. Maman aurait pu t'arracher les yeux…

— Maman est *toujours* d'accord avec *tout* ce que nous faisons à partir du moment où elle nous voit heureux. Le seul à ronchonner, ici, c'est papa, mais il se trouve qu'il n'a plus son mot à dire sur rien. Si tu as envie d'emmener Maud à la maison, fais-le, que ça plaise ou pas. Tu es une grande fille, Ève, arrête de te comporter comme la petite dernière qui ne veut pas déplaire à son papa.

— Je ne suis plus la dernière, il y a cette Ludivine après moi !

Dimitri la dévisagea, hocha la tête.

— Oui, c'est dur à accepter. Mais moins dur que si nous l'avions appris adolescents. Oublie un peu les parents et pense à toi, à ton avenir.

— Tu n'oublies pas, toi. Tu as même la rancune tenace, on a l'impression que tu es devenu l'ennemi juré de papa.

— Sur le coup, j'étais hors de moi, admit-il.

Il la scruta encore une ou deux secondes avant de la lâcher. Il ne voulait pas lui expliquer que le pire des révélations de Ludivine concernait la mort d'Ivan. Qu'il aurait pu pardonner le reste à son père, avec le temps, mais pas ça. Cette demi-sœur tombée du ciel était à l'origine d'un drame qui la dépassait et dont elle n'avait même pas eu connaissance. Lui en vouloir à elle ne servait à rien, Max demeurait sa bête noire.

— Tu crois qu'ils vont se réconcilier ? demanda Ève.

— Je ne sais pas. C'est leur histoire, leur vieillesse. Maman fera au mieux, j'en suis sûr.

Un grondement de moteur, sur l'esplanade, le fit se précipiter vers une des fenêtres. La Mini rouge de Daphné était en train de se ranger à côté de sa Lancia. Machinalement, il passa la main dans ses cheveux, tira sur le bas de son polo. Derrière lui, il entendit Ève éclater de rire et s'exclamer :

— Et c'est moi qui suis gamine ! Ah, tu te verrais…

Elle plaisantait gaiement mais il y avait une pointe d'acidité dans sa réflexion.

*
* *

Maximilien s'était posté au bout du quai et il cherchait Nelly des yeux parmi le flot de passagers qui débarquait du TGV.

« Si elle m'avait donné son numéro de wagon, je ne serais pas là comme un gland... »

Anxieux à l'idée de ne pas la voir, il dévisageait toutes les femmes aux cheveux blancs, et ce fut elle qui vint lui taper sur l'épaule d'un petit geste sec.

— Tu as besoin de lunettes, Max !

Saisi, il la contempla quelques instants.

— Qu'as-tu fait à tes cheveux ?

— Je les ai coupés en signe de révolte, et teints pour me retrouver car je m'étais perdue. Si ça ne te plaît pas, autant te dire tout de suite que ça m'est égal.

— Non, non... Tu es très bien, vraiment.

— Merci. Bon, j'ai réservé une chambre au Terminus Lyon, boulevard Diderot. C'est juste en face de la gare.

— Je t'emmène dîner d'abord. J'ai retenu deux couverts chez...

— Inutile. J'ai choisi cet hôtel parce qu'on peut se faire monter des plateaux-repas. Je ne veux pas discuter avec toi dans un restaurant, au coude à coude avec des inconnus qui écouteront nos petites histoires. Et puis, si on se fâche, tu n'auras qu'à t'en aller, ce sera plus facile.

Son programme étant bouleversé, Max se sentit inquiet. Il avait espéré qu'une bonne cuisine et un bon vin détendraient un peu l'atmosphère entre eux, mais dans une chambre anonyme, seul face à sa femme, il serait comme devant un juge.

— Si tu y tiens..., accepta-t-il de mauvaise grâce.

Il lui prit des mains son sac de voyage qui était léger. Apparemment, elle ne comptait pas s'attarder à Paris et n'avait emporté que le strict nécessaire. En traversant le hall de la gare, il lui jeta de fréquents coups d'œil pour essayer de deviner son état d'esprit, mais son visage était impénétrable. Un beau visage aux pommettes hautes et au regard clair qui, malgré les marques du temps, lui rappelait douloureusement sa petite *princesse russe* dont il avait fait la reine de ses fêtes de jeune homme, plus de cinquante ans auparavant. Et tout ce long chemin parcouru ensemble ne devait pas, ne pouvait pas s'interrompre maintenant, cette perspective le terrifiait.

Un quart d'heure plus tard, ils se retrouvèrent donc face à face dans une chambre un peu bruyante à cause de sa fenêtre donnant sur le boulevard, attendant le dîner plutôt frugal commandé par Nelly à la réception. Assis très raide au pied du lit, Max en était encore à se demander sous quel angle attaquer la discussion lorsqu'elle lui lança d'une voix déterminée :

— Comment as-tu pu me mentir pendant si long-temps, Max ?

— Et comment aurais-je pu te dire la vérité ? Tu serais partie !

— Mais pourquoi t'a-t-il fallu une autre femme, un autre enfant ? s'emporta-t-elle.

— L'enfant, je ne voulais pas. Écoute, c'est arrivé par ma faute, d'accord, parce que j'ai eu la bêtise de me laisser tenter par une jolie fille. À ce moment-là, Nathalie était très jeune, et moi très faible. Nous avons eu une aventure qui n'était pas destinée à durer mais… je le dis sans vanité, elle s'est beaucoup attachée à moi. Comme elle savait bien que je ne te quitterais jamais, elle a décidé d'avoir un bébé, pour ne pas être seule.

— Pour ne pas être seule ? répéta Nelly, atterrée. On fait les enfants pour ça ?

— Je n'ai pas pu l'en empêcher. Une petite fille est née, que je n'ai pas reconnue, bien sûr, mais je m'en suis tout de même senti un peu responsable.

— Mieux vaut entendre ça que d'être sourde ! Responsable ? Évidemment !

Déstabilisé, Max réussit néanmoins à poursuivre :

— Je donnais parfois de petites sommes d'argent à Nathalie pour l'aider, mais je ne la voyais que de loin en loin.

— Quand tu venais à Paris ?

— Oui.

— Et c'est pour ça que tu nous as tous installés à La Jouve ?

— Non !

— Question de hasard, alors ? De coïncidence ? À l'époque, tu avais tellement insisté pour qu'on parte dans le Midi ! Je ne suis pas stupide, mon pauvre, j'ai reconstitué ta petite histoire. Et tu n'imagines pas à quel point elle me déchire le cœur.

Sa voix avait tremblé un instant mais elle se reprit aussitôt.

— Toi, Maximilien Bréchignac, que j'ai épousé devant Dieu, je t'ai toujours été fidèle et je t'ai donné les enfants que tu désirais puisque, fils unique malheureux, tu rêvais d'une grande famille. J'ai aussi respecté ta carrière d'artiste, je t'ai admiré de mon mieux en m'effaçant. J'ai préparé tes repas et repassé tes chemises pendant un demi-siècle, et j'ai aussi fait bouillir la marmite avec ma couture. Ça m'était égal, j'avais l'habitude de travailler, je pouvais le faire pour toi. Dois-je te rappeler que je n'ai pas eu une jeunesse facile ?

Son regard se perdit au-delà de Max, et, durant quelques instants, elle parut s'engloutir dans de lointains souvenirs.

— Mes parents avaient beau s'échiner, reprit-elle enfin, nous étions quasiment dans la misère et je ne mangeais pas toujours à ma faim. Mais j'arrivais à garder le cœur léger, certaine de rencontrer un jour mon prince charmant, et qu'ensuite je serais heureuse jusqu'à la fin de ma vie. Je le guettais, je l'espérais de toutes mes forces, et j'ai cru que c'était toi, Max !

— Mais oui…, souffla-t-il.

— Oh, le beau prince que voilà ! Tu ne comprends donc rien ?

Ses yeux clairs revinrent sur lui pour le fixer.

— À la limite, je t'aurais peut-être pardonné l'aventure d'une nuit, l'égarement d'un soir de beuverie. Ce que les hommes appellent, avec une dégoûtante complaisance, un coup de canif dans le contrat. En revanche, trente-cinq ans d'hypocrisie et de dissimulation, trente-cinq ans de tromperie perfide au quotidien font de toi un monstre. Tu m'as trahie, bafouée, réduite au rang de simple accessoire dans ta vie. Pourtant, tu ne m'as pas détruite, contrairement à ce que j'ai failli croire le soir où Dimitri m'a tout raconté, le soir où le ciel m'est tombé sur la tête. À ce moment précis, Max, je me suis souvenue de l'angoisse de ma mère. Quand je lui avais parlé du sculpteur dont j'étais tombée éperdument amoureuse, du bel artiste qui me faisait la cour, elle m'avait prédit des déceptions, annoncé qu'un jour ou l'autre je tomberais de haut. J'aurais dû la croire, hein ? Elle voulait pour moi quelqu'un de solide et de fiable, or elle pensait que tu ne faisais pas l'affaire. Elle était clairvoyante ! Mais à vingt ans, on n'écoute pas ses parents, évidemment. Lorsque tu m'as demandée en mariage, j'avais une absolue confiance en toi, tu étais mon idéal. Et par la suite, comme une idiote, je n'ai jamais douté de toi. Tu te rends compte ? Même s'il m'arrivait de me poser des questions sur tes séjours à Paris, je me disais que non, pas toi, pas mon Max. Malgré les hauts et les bas de la vie, j'ai toujours eu la conviction de marcher avec toi main dans la main. J'aurais même pu jurer que nous savions tout l'un de l'autre. Notre couple était pour moi indestructible, nous avions franchi en vainqueurs l'épreuve du temps. Tu parles d'une victoire ! Maintenant, tout ça est démoli, fini. Je ne veux plus jamais…

— Attends, attends, Nelly, la coupa-t-il d'une voix haletante. Ne dis pas de choses définitives.

— Je dis ce que je pense, rien d'autre. J'établis un bilan qui n'est pas à ton avantage. Le constat d'un marché de dupes.

Le garçon d'étage frappa à la porte et ils se turent, le temps que le plateau soit déposé sur une console. Après son départ, Nelly remarqua :

— Tu aurais pu lui donner un pourboire.

— Ça ne se fait plus depuis longtemps.

— Je voyage si peu ! ricana-t-elle. Nous n'allions jamais nulle part, et, dès notre emménagement à La Jouve, tu m'as découragée de venir à Paris. Sans doute parce que ton petit atelier était devenu ton second foyer ?

— Mais non…

— Mais si. C'est là que tu la reçois ?

Il baissa la tête, esquissa un geste impuissant.

— Et sa fille aussi ? insista Nelly. Tu vois, je dis « sa fille », je n'arrive toujours pas à admettre que c'est la tienne, au même titre que Béatrice et Ève. En plus, *elle*, il paraît que tu l'as sculptée ? Tu n'as pas accordé cet honneur aux deux filles qui portent ton nom !

Dimitri n'avait vraiment fait grâce de rien à sa mère, même pas de ce fichu buste. Max eut une bouffée de rage en pensant à son fils qui s'était érigé en justicier, pourtant, l'instant d'après, il se calma. Non, Dimitri n'avait pas *tout* dit, il n'était pas fou, il avait préservé Nelly du pire et n'avait pas parlé de la colère d'Ivan. Est-ce que ça faisait de Max son débiteur ? Une idée déplaisante au possible.

— Nelly, je ne veux pas qu'on se sépare, dit-il dans un murmure.

— Tiens, ça me rappelle le jour où tu m'as appelée Nathalie, et tout ton numéro sur la chanson de Bécaud pour rattraper ton lapsus. Oui, moi c'est Nelly, la vieille femme trompée.

— Oh, ma chérie…

Dans ce dernier mot il avait mis un tel accent de sincérité qu'il la vit ciller.

— Laisse-moi me faire pardonner, ajouta-t-il d'un ton pressant, et laisse-moi rentrer chez moi.

Il aurait mieux fait de dire « à la maison » car Nelly venait de se raidir.

— Tu le dis bien fort que c'est chez toi !

— Je tiens La Jouve de mon père, tenta-t-il pour se justifier.

— Et quoi ? Il faudrait que ce soit moi qui parte ? Oh, je pourrais me trouver un petit endroit rien qu'à moi, moins fatigant que cette caserne ! Dimitri pourrait très bien travailler chez lui, dans son appartement, Ève s'installer à Montpellier, elle y gagnerait des clients, et Vladimir se faire attribuer un logement de fonction par sa banque. Comme ça, tu serais tout seul tranquille, et rien ne t'empêcherait de faire venir ton *autre* famille dans *ta* Jouve !

— Nelly, je t'en supplie… Là-bas, tu es chez toi, tu ne peux pas en douter. En ce qui me concerne, je ne m'y vois ni seul ni avec qui que ce soit d'autre que toi. Si tu ne veux plus de moi, je n'y retournerai pas.

Elle le toisa, se détourna et regarda par la fenêtre. En bas, un flot bruyant de voitures essayait d'avancer. Qu'avait-elle envie d'entendre de la bouche de Max, maintenant qu'elle le savait capable de tous les mensonges ? Était-elle venue chercher une demande de pardon, une réconciliation ? Qu'espérait-elle de cet homme à présent ? Des excuses, des larmes, de faux serments ? Elle n'était pas à l'aise dans le cynisme et elle avait dit ce qu'elle avait sur le cœur. Malgré sa rancune, sa détresse, Max restait son mari, elle ne souhaitait pas qu'il disparaisse de sa vie pour de bon.

— Que pouvons-nous faire ? murmura-t-elle.

Derrière elle, Max bougea, la rejoignit. Il n'essaya pas de la prendre dans ses bras, ce qu'elle n'aurait pas supporté, il se contenta d'effleurer ses cheveux courts, dans sa nuque, comme s'il voulait se familiariser avec cette nouvelle coiffure.

— Je vais rompre avec Nathalie, dit-il tout bas. Je le lui ai déjà fait comprendre. L'essentiel, c'est toi.

Ce n'était pas si mal.

— Ludivine n'a aucune affection pour moi, elle ne veut plus me voir, acheva-t-il.

Là encore, ça sonnait bien. Trop bien. À peine Nelly avait-elle appris l'existence de ces deux femmes qu'elles allaient disparaître ?

— Il va nous falloir du temps, Max.

— Nous l'avons !

Pour qu'il ne triomphe pas trop vite, elle eut envie de lui apprendre que sa fille Ève aimait une femme, et que sa petite Daphné roucoulait désormais avec Dimitri. De quoi l'assommer. Que de changements il trouverait le jour où il reviendrait ! Serait-ce suffisant comme punition ? Car elle ne pouvait pas espérer qu'il soit rongé de culpabilité. Les seuls regrets de Max ne tenaient pas à sa propre trahison mais seulement au fait d'avoir été découvert. À moins que, lassé de cette liaison ancienne, et peut-être usée, il n'éprouve un vague soulagement à voir les choses rentrer dans l'ordre. Après tout, il devenait vieux.

— Nous n'allons pas prendre de décision ce soir, dit-elle en lui faisant face. Je t'en veux beaucoup, je ne sais pas si c'est réparable.

Sa confiance en lui était sérieusement ébranlée, sa tendresse pour lui largement entamée, néanmoins, elle l'aimait toujours. Et puis n'avait-elle pas redouté, tout au fond de sa tête, qu'il lui préfère *l'autre* au bout du compte ?

— J'ai une petite faim, déclara-t-elle avec un geste vers le plateau. Pas toi ?

Manifestement, il se demandait s'il devait sourire, s'il en avait le droit.

— Après, tu t'en iras, et nous réfléchirons en paix.

— Oui, ma Nelly, s'empressa-t-il d'accepter.

Il installa la seule chaise de la chambre devant la console et, comme lorsqu'ils étaient infiniment plus jeunes, s'inclina devant elle pour qu'elle prenne place.

*
* *

Ils s'étaient attardés si longtemps à table qu'à présent il faisait nuit noire. La douzaine de bougies avaient fondu dans les chandeliers et, quand la dernière s'éteignit en grésillant, ils se résignèrent à se lever. Ce long dîner sous le micocoulier, en l'absence de Max mais aussi de Nelly, leur avait permis de parler très librement, chacun évoquant ses soucis ou ses projets. Comme ils ignoraient quelle décision allait prendre Nelly, ils étaient tombés d'accord pour préserver La Jouve quoi qu'il arrive. Silencieux selon son habitude, Anton les avait écoutés sans intervenir, se bornant à hocher la tête devant leurs résolutions. Max semblait avoir perdu définitivement son rôle de chef de famille, désormais dévolu à Nelly pour la forme, mais attribué en réalité à Vladimir.

— Moi, je ne vis pas ici, lui avait dit Dimitri. Ce sera à toi d'épauler maman au quotidien, que papa revienne un jour ou pas. De toute façon, tu es l'aîné !

Il n'y avait aucune rivalité entre les deux frères, à l'évidence ils s'entendraient toujours sur l'essentiel. Et ce qui ressortait de cette longue discussion à bâtons rompus était leur attachement pour la maison où ils avaient grandi. C'était là que Vladimir, Béatrice puis Ivan s'étaient mariés, là que Dimitri et Ève travaillaient en disposant de toute la place voulue, là que la majeure partie de l'œuvre de Max avait été créée. Là aussi qu'était née la troisième génération des Bréchignac avec Juliette, Louis et Paul. Là, enfin, que toute la tribu pourrait toujours se retrouver. En réalité, La Jouve représentait le port d'attache où chacun pouvait à son gré revenir au mouillage.

Sur le palier du premier étage, ils se souhaitèrent une bonne nuit dans un joyeux chahut avant de gagner leurs chambres. Daphné, un peu hésitante, voulut se diriger vers la sienne mais Dimitri l'en empêcha, la retenant contre lui jusqu'à ce que tout le monde ait disparu du couloir.

— Tu viens dormir avec moi, dit-il à mi-voix.

La question devait forcément se poser. Depuis sa première nuit à La Jouve, douze ans plus tôt, Daphné avait toujours occupé la chambre d'Ivan, et bien sûr

Dimitri n'allait pas en franchir le seuil, en tout cas pas en tant qu'amant de Daphné.

Elle accepta tout de suite, soulagée, et le suivit jusqu'à sa porte qui se trouvait à l'opposé.

— Tu étais déjà venue dans la mienne ? Il y a tellement de chambres, ici ! Mes fenêtres donnent sur la vallée, j'adore voir ce paysage au réveil. Lorsque nous nous sommes installés, Vladimir avait treize ans et moi onze, on a eu le droit de choisir nos chambres et tu penses bien qu'on ne tenait pas à être trop près des parents ! Ivan et Béatrice étaient plus petits, ils n'ont pas eu leur mot à dire, quant à Ève, elle n'avait que quelques mois.

Il parlait vite pour lui faire oublier qu'elle venait de changer de cadre, d'habitudes, d'homme.

— Tu peux mettre tout le désordre que tu veux, je ne suis pas maniaque, je m'en fiche.

— Toi ?

— Oui, je t'assure. Je range sans y penser, mais, au fond, ça m'est égal. D'ailleurs, je peux te dire que *tout* m'est égal du moment que tu es là. Si tu préfères, on va dormir dans une grange ou à la belle étoile ! Tu as déjà passé une nuit dehors ?

— Non, j'ai trop peur des insectes.

Il passa derrière elle, la prit par la taille, appuya son menton sur son épaule.

— Mais tu n'as pas peur d'être là, avec moi ?

— Je me demande ce que pensent les autres, avoua-t-elle franchement.

— Pourquoi crois-tu qu'ils en pensent quelque chose ? Hubert doit être en train de sauter sur Béatrice, comme tous les soirs, Vladimir sur Diane puisqu'on est samedi, Ève téléphone à Maud, Anton rêve à une figure de tango, et les garçons lisent sous leurs draps avec des lampes de poche !

Elle se mit à rire, un peu plus détendue.

— Nous allons passer un merveilleux été, chuchota-t-il à son oreille. Et nous aurons un merveilleux avenir, je te le promets. Est-ce que j'ai le droit de te faire des promesses ?

Comme elle ne répondait pas, il ajouta, encore plus bas :

— Je t'aime, Daphné.

Elle se retourna d'un bloc pour lui faire face et se jeter contre lui.

— Moi aussi !

— Chaque fois que tu me diras ces deux mots, j'aurai un frisson de joie. Chez moi, l'autre soir, je n'en ai pas cru mes oreilles, c'était un véritable cadeau du ciel. Jusque-là, j'étais persuadé que tu allais me rire au nez, ou bien t'enfuir.

— Je n'attendais que ça, mais je me trouvais abominable d'y penser.

— Ma toute, toute petite Daphné…

De façon très habile, sans lui tirer les cheveux, il défit l'élastique qui les retenait en queue-de-cheval, puis il lui massa la nuque du bout des doigts. Il savait que, le lendemain, au réveil, elle aurait fatalement un pincement au cœur en se retrouvant dans cette chambre, couchée à côté de lui. Quelques jours plus tôt, lorsqu'il avait annoncé la nouvelle à toute la famille et que Daphné était montée à La Jouve pour dîner, l'accueil de Nelly avait été naturel et chaleureux, mais ils n'étaient pas restés dormir, ils étaient redescendus à Montpellier passer la nuit dans son appartement. Ce soir, ce serait différent, il fallait en passer par là et sauter le pas. À lui de tout faire pour qu'elle se sente à l'aise et à sa place. Sous son allure de petite femme décidée, elle était vulnérable, et, depuis le décès d'Ivan, elle n'avait vécu avec personne, n'avait pas vraiment aimé.

— On va chercher tes affaires, tu veux ?

Ce qu'il ne voulait pas était qu'elle y aille toute seule. Dans sa chambre, elle avait dû beaucoup pleurer, puis peut-être beaucoup rêver par la suite. Aujourd'hui, il désirait qu'elle ne pense plus qu'à lui.

— Je vais essayer de te rendre heureuse, dit-il en lui embrassant le bout du nez.

Il avait plein d'idées pour ça et ne se souvenait pas d'avoir jamais été dans un tel état d'allégresse.

— Tu me donnes des ailes, constata-t-il avec ravissement.

*
* *

Anton n'avait pas voulu céder sa place, déterminé à récupérer Nelly à la gare. Il l'y avait accompagnée, il serait là pour son retour. Aussi têtu que lui, Dimitri avait fini par le convaincre de faire voiture commune et finalement, comme ils tenaient tous deux à être sur le quai, Daphné se retrouva au volant de la Lancia.

Elle avait mis la radio en fond sonore et laissait tourner le moteur pour bénéficier de la climatisation, tout en guettant du coin de l'œil le flot de voyageurs qui émergeait de la gare Saint-Roch. La chaleur était écrasante sur Montpellier, annonciatrice d'un dimanche caniculaire. Daphné tourna le rétroviseur vers elle et se considéra avec curiosité. Avait-elle quelque chose de différent ? Elle se sentait apaisée, épanouie, elle souriait à tout bout de champ.

— Qu'est-ce qu'il me trouve de si extraordinaire ?

La manière dont Dimitri la regardait aurait pu lui faire croire qu'elle était la plus belle femme du monde.

— Il m'a même confié sa voiture, c'est tout dire !

Elle eut un nouveau sourire béat et remit le rétroviseur en place. À La Jouve, Béatrice et Diane devaient s'activer à préparer un déjeuner d'exception pour le retour de Nelly. Celle-ci ne s'était pas attardée à Paris, prenant l'un des premiers TGV du matin. Était-ce bon ou mauvais signe ? De quelle façon avait-elle réglé le sort de Max ? À sa place, Daphné n'aurait jamais pu pardonner, mais elle n'avait pas l'âge de Nelly, ni cinquante ans de mariage et cinq enfants derrière elle.

Penser mariage lui arracha encore un sourire. Dimitri avait trouvé le moyen d'aborder légèrement le sujet en lui demandant d'y songer à ses « moments perdus ». En ce qui le concernait, l'affaire était entendue depuis la minute où elle avait dit le fameux *moi aussi*.

Elle le vit de loin, dépassant tous les gens d'une tête. Avec Anton, ils encadraient Nelly, l'un portant son sac de voyage et l'autre son sac à main. Daphné descendit de voiture, soudain un peu anxieuse. Allait-elle apprendre la condamnation de Max et son exil définitif ? Malgré la déception éprouvée à la révélation de sa double vie, elle ne parvenait pas à ne plus l'aimer du tout. L'affection qu'il lui témoignait depuis toujours la touchait, et elle admirait profondément son talent. Chassé par ses fils, c'était elle qu'il avait appelée au secours, et c'était elle la seule personne qu'il tolérait dans son atelier. Elle ne lui tournerait pas le dos, même si tous les autres le faisaient, même si Dimitri s'en offusquait.

— Ah, ma Daphné ! s'exclama Nelly en la prenant dans ses bras. Je suis contente d'être rentrée, je n'apprécie plus du tout Paris.

— Je te laisse conduire ? proposa Dimitri.

— Faut-il qu'il t'aime ! s'amusa Nelly. Dans ce cas, je monte derrière avec Anton.

— Non, maman, va devant, tu seras mieux.

— Tu ne peux pas te caser là-dedans, tu es trop grand.

D'autorité, elle s'installa sur la banquette arrière et tapota le bras d'Anton.

— Vous êtes gentils d'être tous venus me chercher.

Daphné démarra et s'insinua habilement dans le flot de la circulation.

— Alors ? demanda carrément Dimitri en se tournant vers sa mère.

— Eh bien… Nous nous sommes expliqués, ton père et moi. Certaines choses avaient besoin d'être précisées. Pour l'instant, je m'accorde un temps de réflexion. Je n'étais pas prête à le voir rentrer mais, un de ces jours… il le faudra bien.

Puis, comme si elle ne voulait pas s'expliquer davantage, elle s'absorba dans la contemplation des rues du centre-ville qu'ils traversaient.

— Hier, j'ai repeint la porte de la cuisine, annonça Anton.

On pouvait compter sur lui pour faire diversion, comme l'attesta le sourire immédiat de Nelly. Ils en profitèrent pour se lancer dans l'énumération de tous les travaux d'entretien à prévoir durant l'été, un sujet qui les occupa jusqu'à ce qu'ils aient quitté Montpellier pour les petites départementales qui montaient vers les bois.

— On dirait qu'il fait moins chaud ici, dit très sérieusement Dimitri à Daphné.

La phrase était si prévisible qu'elle éclata de rire, ce qui fit faire une embardée à la Lancia.

— Ne nous tue pas ! grommela Anton.

— Elle conduit très bien, affirma Dimitri en baissant sa vitre.

Une bouffée d'air brûlant envahit aussitôt la voiture.

— Remonte ça immédiatement, protesta Nelly dont les cheveux courts étaient à présent tout ébouriffés.

Arrivée sur l'esplanade de La Jouve, Daphné se rangea à côté de sa Mini rouge.

— Quel bonheur d'être rentrée ! s'exclama Nelly.

Elle n'était pourtant pas partie bien longtemps. Debout à côté de la portière, elle regarda tour à tour les bâtiments et la maison, puis leva la tête vers le ciel d'un bleu profond et poussa un long soupir. Tandis qu'Anton s'éloignait, portant son sac de voyage, Daphné lui lança :

— Je vais dire aux autres que tu es là.

Elle partit vers la maison en courant et Nelly se tourna alors vers Dimitri, qu'elle dévisagea.

— Je ne crois pas t'avoir jamais vu un air aussi heureux, dit-elle doucement.

— Je le suis.

— Alors, rassure Daphné, j'ai l'impression qu'elle ose à peine te tenir la main devant moi.

— C'est une situation un peu…

— Non, affirma Nelly en secouant la tête. Nous nous réjouissons tous pour vous deux, il n'y a pas d'arrière-pensée. Je vais même te dire mieux, mais d'abord donne-moi le bras pour aller jusqu'à la cuisine, le voyage m'a fatiguée, et puis j'ai très mal dormi dans cet hôtel, je peux bien l'avouer. J'ai pensé à ton père la moitié de la nuit, à tout ce qui a été et qui n'est plus.

Ils soulevaient de la poussière en marchant, et Nelly avait hâte de s'asseoir à l'ombre du micocoulier. Pourtant elle s'arrêta un instant au beau milieu de l'esplanade surchauffée.

— Dimitri, il faut que tu sois persuadé de quelque chose.

À cette heure de la journée, le chant des cigales devenait obsédant. Elle parut l'écouter quelques instants puis elle planta son regard dans celui de son fils.

— Si Ivan pouvait te voir, il serait content aussi.

Elle l'avait dit avec assez de force pour que Dimitri puisse croire que c'était vrai.